DAS GESETZ IM NEUEN TESTAMENT

QUAESTIONES DISPUTATAE

Begründet von
KARL RAHNER UND HEINRICH SCHLIER

Herausgegeben von
HEINRICH FRIES UND RUDOLF SCHNACKENBURG

108

DAS GESETZ IM NEUEN TESTAMENT

Internationaler Marken- und Titelschutz: Editiones Herder, Basel

DAS GESETZ IM NEUEN TESTAMENT

JOHANNES BEUTLER
INGO BROER
GERHARD DAUTZENBERG
PETER FIEDLER
HUBERT FRANKEMÖLLE
JAN LAMBRECHT
KARLHEINZ MÜLLER
FRANZ MUSSNER
WALTER RADL
ALFONS WEISER

HERAUSGEGEBEN VON
KARL KERTELGE

HERDER
FREIBURG · BASEL · WIEN

CIP-Kurztitelaufnahme der Deutschen Bibliothek

Das Gesetz im Neuen Testament / Johannes Beutler ...
Hrsg. von Karl Kertelge. – Freiburg im Breisgau; Basel;
Wien: Herder, 1986.
    (Quaestiones disputatae; 108)
    ISBN 3-451-02108-0

NE: Beutler, Johannes [Mitverf.]; Kertelge, Karl [Hrsg.]; GT

Inhalt

Einführung

Im Frühjahr 1985 hatte die Arbeitsgemeinschaft deutschsprachiger katholischer Neutestamentler ihre Arbeitstagung, die sie alle zwei Jahre durchführt, unter das Thema „Das Gesetz im Neuen Testament" gestellt. Der vorliegende Band bietet die Referate und Beiträge dieser Tagung weitgehend in der Form, in der sie vorgetragen wurden. Aber auch dort, wo sie erkennbar überarbeitet und durch Anmerkungen erweitert wurden, sind ihre Grundlinien erhalten geblieben. Dies ist um so bedeutsamer, als die Thesen einiger Referate und Seminarbeiträge durchaus geeignet waren, das nicht ganz neue Thema in einem ungewohnten und neuen Licht erscheinen zu lassen, was sich auch in den Diskussionen niederschlug. Es stellte sich schon sehr frühzeitig bei dieser Tagung die Frage, ob die von Paulus her bekannte christologische Relativierung des mosaischen Gesetzes, die die christliche Einschätzung der Gesetzesfrage sehr folgenreich bestimmt hat, nicht aufgrund eines differenzierten historischen und theologischen Befundes bei Jesus und im frühen Christentum zu revidieren sei.

Einen starken Anstoß zu dieser Frage gab sogleich das Einführungsreferat von *Karlheinz Müller:* Gesetz und Gesetzeserfüllung im Frühjudentum. Aufgrund seiner neueren Studien zur Einschätzung des Judentums in der exegetischen Arbeit am Neuen Testament[1] konnte er sich nicht damit begnügen, sein Thema nur als Negativfolie zugunsten einer um so positiveren Sicht von der christlichen Freiheit vom Gesetz im Neuen Testament zu entwickeln. Die Position des Neuen Testaments zur Gesetzesfrage ist schon deswegen nicht kategorial dem zeitgenössischen Judentum gegenüberzustellen, weil das Frühjudentum selbst nicht auf einen in sich konsistenten Geset-

---

[1] Siehe besonders seine philosophische Dissertation im Fach „Judaistik": Das Judentum in der religionsgeschichtlichen Arbeit am Neuen Testament. Eine kritische Rückschau auf die Entwicklung einer Methodik bis zu den Qumranfunden (Judentum und Umwelt, 6) (Frankfurt – Bern 1983).

zesbegriff festgelegt werden kann. Die Fülle und Verschiedenheit gesetzlicher Überlieferungen im Judentum zur Zeit Jesu und des Urchristentums sind nicht von vornherein auf die mosaische Tora der Sinai-Offenbarung zu reduzieren. Dies hat Konsequenzen für die Einschätzung der Gesetzeskonflikte in der Darstellung der Evangelien, aber auch für die Frage nach dem für die paulinische Rechtfertigungstheologie vorauszusetzenden Gesetzesbegriff.

Das zweite Tagungsreferat von *Gerhard Dautzenberg* über „Gesetzeserfüllung und Gesetzeskritik in der Jesustradition des Neuen Testaments" war durchaus geeignet, die kritische Sicht von K. Müller im Blick auf einige einschlägige Texte des Neuen Testament weiterzuführen und zu ergänzen. Danach müßte eine traditionsgeschichtlich arbeitende Auslegung der Evangelientexte zur „Gesetzeskritik" Jesu jedenfalls deutlicher unterscheiden zwischen den verschiedenen Überlieferungsstufen der Jesustradition, die jeweils auch eine größere oder geringere Nähe zum selbstverständlichen Tora-Gehorsam der Anfangszeit erkennen lassen. Diese Sicht sollte natürlich nicht übersehen lassen, daß solche Gesetzeserfüllung, die sowohl für Jesus als auch für die judenchristliche Anfangsphase aufgrund der Einbindung in die Traditionen Israels vorauszusetzen ist, auch nach ihrer kriteriellen Bedeutung für die Realisierung der Basileia-Botschaft Jesu und die nachösterliche Jesusnachfolge zu befragen wäre.

Bei dem Thema „Gesetz im Neuen Testament" hat verständlicherweise die Interpretation des mosaischen Gesetzes in der paulinischen Theologie eine besondere Bedeutung. Unter diesem Gesichtspunkt stand der dritte Hauptvortrag der Tagung von *Jan Lambrecht (Leuven)* über das Gesetzesverständnis bei Paulus. Der dafür zweifellos zentrale Text Gal 3,10–14 mit seiner dezidierten Aussage vom „Loskauf vom Fluch des Gesetzes" bringt mit allem Nachdruck die paulinisch-urchristliche Provokation gegenüber Gesetzestreue und Gesetzeserfüllung im Judentum und auch in Teilen des frühen Christentums zur Geltung. Gerade unter dem Eindruck der zentralen Bedeutung der Gesetzesfrage in der paulinischen Christologie und Soteriologie bemühen sich in neuerer Zeit zahlreiche Exegeten um eine Erklärung, die sowohl der paulinischen Hermeneutik als auch der Eigenart des von Paulus vorausgesetzten jüdischen Gesetzesverständnisses besser gerecht zu werden suchen. Die Auseinandersetzung mit ihnen läßt das Thema „das Gesetz bei Paulus" zu einer sehr aktuellen theologischen Fragestellung werden. Von Paulus ist im Neuen Testament nach wie vor der stärkste Widerstand gegen solche Interpretationen zu erwarten, die unter Berufung auf die Gesetzeserfüllung Jesu und seiner Anhänger das Urchristentum als bloßes „Reformjudentum" erklären. Daß mit der „Relativierung" des Gesetzes durch die paulinische Christologie gegenüber der nicht zu leugnenden Verwurzelung in den jüdischen Traditionen immer auch ein nicht aus dem Vorgegebenen ableitbares „Novum" begründet wird, sollte im Sinne des von Paulus vorangetriebenen Christentums nicht bestritten werden. Die beiden Beiträge von *Franz Mußner* und *Peter Fiedler* unterstreichen je auf ihre Weise die Verwurzelung Jesu und des Urchristentums im Judentum, die freilich immer auch eine verstärkte Aufmerksamkeit für die theologische Transformation der jüdischen Gesetzestreue im Urchristentum erfordern.

Durch Jesus und Paulus hat die Gesetzesfrage im Neuen Testament ihr besonderes Profil erhalten. Aber damit sind zunächst nur grundlegende Weichenstellungen genannt, die innerhalb des Urchristentums und der neutestamentlichen Schriften in verschiedener Weise weitergewirkt haben. Eben diese älteste „Wirkungsgeschichte" im Neuen Testament ist in weiteren Tagungsbeiträgen und Seminargesprächen berücksichtigt und thematisiert worden, die in diesem Band ebenfalls exemplarisch dargeboten werden. Eine erschöpfende Darstellung des Themas in den Einzelbeiträgen ist dabei nicht beabsichtigt, ebensowenig eine ausgeglichene Systematik der anstehenden Fragen. Aus ihnen sollte jedenfalls deutlich werden, daß eine neutestamentliche Theologie des Gesetzes sich nur als Widerspiegelung einer recht pluralen Entwicklung darstellen läßt, in der sich sowohl die herausfordernde Kraft der alttestamentlich-jüdischen Gesetzestradition als auch die transformierende Dynamik des urchristlichen Christusglaubens gezeigt hat.

Mit der Drucklegung dieses Bandes verbinde ich, auch im Namen der Kollegen, einen besonderen Gruß an den Gastgeber der Brixener Tagung, P. Dr. Wilhelm Egger, der kürzlich zum Bischof von Bozen-Brixen berufen wurde. Ihm gelten unsere besten Segenswünsche.

Karl Kertelge

I

Gesetz und Gesetzeserfüllung im Frühjudentum[*]

Von Karlheinz Müller, Würzburg

1982 schrieb Ferdinand Hahn: „Jesus hat sich nicht nur gegen eine den Willen Gottes verdunkelnde ‚Überlieferung der Menschen' gewandt, sondern hat auch eine bloße Anerkennung des autoritativen Wortlauts der Tora verworfen". Mit der Mehrzahl der Neutestamentler meint der Verfasser mit einer solchen Feststellung eine differentia specifica anzusprechen, welche den historischen Jesus in einem angemessenen Abstand von den frühjüdischen Usancen des Umgangs mit der Tora hält. Und es versteht sich von selbst, daß eine derart dem Frühjudentum zugemessene Verschiedenheit um so eher der Versuchung erliegen muß, christologisch verrechnet zu werden, je prinzipieller und globaler man den Unterschied zur frühjüdischen Observanz behauptet – bis dahin, daß man allein Jesus von Nazaret zubilligt, eine „Verpflichtung gegenüber dem ursprünglichen und unbedingten Gotteswillen" erkannt zu haben.

Angesichts dieser oder ähnlicher Argumentationsmuster erhebt sich die Frage, ob die Voraussetzungen stimmen, die sie auf der Seite

---

[*] Nachschrift eines Vortrags, den der Verfasser am 19. März 1985 auf der Tagung der deutschsprachigen katholischen Neutestamentler in Brixen gehalten hat. Auf Anmerkungen und weiterführende Nachweise wurde verzichtet, da der Autor seine damaligen Thesen inzwischen zu einer Monographie ausgearbeitet hat, die nicht nur sämtliche Belege mit der dazugehörigen Sekundärliteratur nachreicht, sondern darüber hinaus auch ein erheblich vermehrtes Demonstrationsmaterial anbietet und zudem weit intensivere Anstrengungen zur theologischen Verständigung über die diskutierten Befunde unternimmt. Sie soll etwa gleichzeitig mit dieser Nachschrift unter dem Titel: „Leben nach dem Gesetz im Frühjudentum" und in der Reihe der „Stuttgarter Bibel-Studien" erscheinen.

Das Zitat am Eingang des Referats findet sich bei: *F. Hahn,* Neutestamentliche Ethik als Kriterium menschlicher Rechtsordnung. Zur Frage nach dem Verhältnis von Recht und Liebe, in: *E. L. Behrendt* (Hg.), Rechtsstaat und Christentum. Band 1 (München 1982) 383. Der Text des Elefantine-Papyrus AP 15 ist zu finden bei: *A. E. Cowley,* Aramaic Papyri of the Fifth Century B.C. (Oxford 1923) 44–50.

des Frühjudentums machen. Das vorhandene Material spricht offensichtlich eine ganz andere, in jedem Falle differenziertere Sprache.

1. Eine erste Reihe von Beispielen

Auf einem aramäischen Papyrus, der um das Jahr 450 v. Chr. in der jüdischen Militärkolonie auf der Nilinsel Elefantine von dem Notar Natan bar Ananja im Beisein zweier namentlich genannter Zeugen beschrieben wurde, kann man folgende amtliche Vereinbarung anläßlich einer Eheschließung lesen: „(AP 15, Zeile 22) Wenn morgen oder später einmal Miftachja in der Gemeindeversammlung auftritt und (23) erklärt: ich ‚hasse‘ meinen Mann Eschor, so muß sie das Scheidungsgeld zahlen. Das heißt: sie soll sich an die (24) Waage setzen und dem Eschor die Summe von 7 Scheqel, zwei Viertel (auf den Zehner) abwiegen. Dann darf sie alles, was sie eingebracht hat, (25) mit fortnehmen: ‚vom Faden bis zur Schnur‘. Sie darf gehen, wohin sie will, und darüber hinaus soll es (26) keinen Protest mehr geben. – Wenn morgen oder später einmal Eschor in der Gemeindeversammlung auftritt (27) und erklärt: ich ‚hasse‘ meine Frau Miftachja, so verliert er den Kaufpreis, und sie darf alles, was sie eingebracht hat, (28) mit fortnehmen: ‚vom Faden bis zur Schnur‘. (29) Und zwar darf sie sofort fortgehen, auf einmal, und sie darf gehen, (30) wohin sie gehen will, ohne daß es noch einmal einen Prozeß gibt".

Unter den aramäischen Urkunden aus Elefantine finden sich sieben Heiratskontrakte, davon drei in einem sehr gut lesbaren Zustand. Sie sind mit Absicherungen der Ehepartner im Falle einer Scheidung befaßt. Das Auffallendste an ihnen ist, daß jedes dieser drei Dokumente, die man vor den Eheschließungen amtlich absprach, mit einer Scheidung rechnet, die *auf die Initiative der Frau* in Gang kommt. Dabei ist der eigentlich interessante Aspekt die absolute Gleichstellung der Partner in dem Augenblick, da eine Scheidung ins Auge gefaßt wird. Mann und Frau stehen angesichts eines Scheidungsvorhabens völlig auf derselben Ebene.

Das widerspricht nicht nur der rechtlichen Situation im gesamten antiken Orient außerhalb Ägyptens, sondern gerade auch und vor allem der Tora. Denn dort heißt es in Dtn 24, 1–2: „Wenn ein Mann eine Frau geheiratet hat und ihr Ehemann geworden ist, sie ihm dann aber nicht gefällt, weil er an ihr etwas Anstößiges gefunden hat, dann schreibe er ihr einen Scheidebrief, händige ihn ihr aus und schicke sie fort aus seinem Hause. Sie geht dann fort aus seinem Hause und kann einem anderen Mann angehören".

Dagegen setzen alle drei Verträge aus Elefantine einen ganz anderen Rechtszug voraus: (1) die Frau *oder* der Mann erklärt sich für die Scheidung der Ehe, (2) gewisse Zahlungen, die bei der Eheschließung verabredet worden waren, müssen geleistet werden, (3) die Frau verläßt das Haus. Wichtig ist dabei die jüdische Innenseite des Verfahrens. Die Partei – also Mann *oder* Frau –, welche die Ehescheidung betreibt, muß in der „Gemeindeversammlung aufstehen". Scheidung verlangt demnach eine innerjüdische Öffentlichkeit. Aber keine Rede geht von einem Scheidebrief, der nach der zentralen Stelle der Tora in Dtn 24,1–2 unverzichtbar verlangt wird. Nirgends in Elefantine stößt man auf einen Ehevertrag, der mit dem Wortlaut der Tora auch nur in etwa übereinstimmen würde. Statt dessen gibt es dort ein jüdisches Gesetz der Ehescheidung, welches der Tora widerspricht. Und nicht nur das. Auch das Verfahren hat keinen Anhalt in der Verlautbarung der Tora, obwohl es ohne Frage innerhalb der Militärkolonie verbreitet und auch seit langem praktiziert worden sein muß. Denn nur dann erklärt sich die gleiche Form des Vollzugs auf allen drei Eheverträgen.

Es lohnt sich, noch ein paar weitere Blicke auf die frühjüdische Ehegesetzgebung zu werfen. So kann man in der Tempelrolle (Kolumne 57,15–19) über die Eheschließung des Königs folgendes nachlesen: „(15) Er darf sich nicht eine Frau nehmen aus all (16) den Töchtern der Völker, sondern aus seinem Vaterhaus soll er sich eine Frau nehmen, (17) aus der Sippe seines Vaters. Und er darf zu ihr keine andere Frau hinzunehmen, sondern (18) sie allein soll mit ihm sein, alle Tage ihres Lebens. Und wenn sie stirbt, so nehme er (19) sich eine andere aus dem Vaterhaus, aus seiner Sippe". Nirgendwo steht in der Tora, daß die Königin in Israel nur aus der Sippe des Königs selbst stammen darf. Und nirgends wird in der Tora ausgesprochen, daß es verboten sei, zwei Frauen gleichzeitig zu haben oder eine Scheidung zu vollziehen. Im übrigen erinnert die zitierte Stelle aus der Tempelrolle an die Damaskusschrift (4,20–5,5), wo es ganz ähnlich heißt: „(4,20) Sie (sc. die Gegner der Essener) wurden in der Unzucht gefangen: (21) Zwei Frauen zu nehmen zu ihren Lebzeiten. Aber die Grundlage der Schöpfung ist: ,als ein Mann und ein Weib hat er sie geschaffen' (Gen 1, 27). (5, 1) Und die in der Arche waren: je zu zweit kamen sie in die Arche. Und über den Fürsten steht geschrieben: (2) ,Er soll sich keine große Zahl von Frauen nehmen' (Dtn 17, 17)". Auch hier wird die Polygamie verboten. Dieses Mal sogar allen Gemeindezugehörigen. Davon ist in der Tora mit keinem Wort die Rede.

Noch ein letztes Beispiel aus dem Bereich der Ehegesetzgebung. Wieder ist es die Tempelrolle, genauer gesagt die letzte Anweisung in ihr (66, 17), die in einem solchen Zusammenhang zu denken geben muß: „Man darf nicht nehmen die Tochter seines Bruders oder die Tochter seiner Schwester, denn ein Greuel ist es". In der Tora wird nirgendwo die Ehe zwischen Onkel und Nichte verboten. Der Talmud wird sie später sogar empfehlen (b Jevamot 62b).

Auch auf anderen Feldern der gesetzlichen Observanz kann man in der Tempelrolle Überraschendes aufspüren. Wo zum Beispiel findet man in der Tora eine Verlautbarung, die derjenigen auch nur nahekommt, auf die man dort in 50, 10–12 stößt? „(10) Wenn eine Frau schwanger ist und ihr Kind stirbt in ihrem Leib, ist sie all die Tage, da (11) es in ihr tot ist, unrein wie ein Grab. Jedes Haus, in das sie kommt, ist unrein, (12) und alle seine Geräte, sieben Tage lang, und jeder, der es berührt, ist unrein bis zum Abend". Oder wo steht in der Tora eine Direktive über die Totenunreinheit, die derjenigen vergleichbar sein könnte, welche die Tempelrolle in 49, 11–12 vorschreibt? „(11) Am Tage, da man aus ihm (sc. aus dem Hause) den Toten herausbringt, soll man das Haus säubern von jeglicher (12) Befleckung durch Öl und Wein und Wasserfeuchtigkeit. Seinen Boden und seine Wände und seine Türen soll man abschaben (13) und seine Türschlösser, seine Türpfosten, seine Schwellen und seine Oberschwellen soll man mit Wasser abwaschen". Oder: wo konnte man in der Tora erfahren, daß nicht nur unreine Tiere aus der Stadt des Tempels, Jerusalem, ferngehalten werden mußten, sondern auch deren Häute? Und doch wird dies in der Tempelrolle (47, 2–18) angeordnet. Ja mehr noch: diese Anweisung scheint durchaus eine gesetzliche Maßnahme gewesen zu sein, die nicht auf den engen Kreis der Essener beschränkt blieb. Denn nach Josefus Flavius (Ant 12, 146) verbot schon Antiochos III, der Große, die Einfuhr auch der

14

Häute unreiner Tiere nach Jerusalem. Ebenso bar jeder Begründung in der Tora ist die Bestrafung von Bestechlichkeit mit dem Tode in 11QTemple 51,11–18. Und dazu muß noch gesagt werden, daß der Text der Tempelrolle zuerst auf Dtn 16,18, dann auf Ex 23,6 und schließlich auf Dtn 1,16 Bezug nimmt, obwohl dort nirgends die Bestechung erwähnt wird: „(11) Richter und Amtsleute setze dir ein in allen deinen Toren, damit sie das Volk richten (12) mit gerechtem Gericht und kein Ansehen der Person zulassen bei Gericht und nicht Bestechung annehmen und nicht (13) das Recht beugen. Denn das Bestechungsgeld beugt Recht und verfälscht die Worte der Gerechtigkeit und blendet (14) die Augen der Weisen und verursacht große Schuld und verunreinigt das Haus durch die Sünden- (15) Schuld. Gerechtigkeit, Gerechtigkeit sollst du erstreben, damit du lebst und dazu kommst, zu ererben (16) das Land, das ich euch zum Erbe gebe für alle Zeit. Und der Mann, (17) der Bestechungsgeld annimmt und das Recht bei Gericht beugt, soll getötet werden, und ihr sollt euch nicht davor scheuen, (18) ihn zu töten".

Nicht weniger eindrucksvoll sieht der Abstand zwischen Tora und Halacha im Falle der Schabbatobservanz aus. Hier ist der Wille der Tora ganz eindeutig. Trotzdem gibt es eine ganze Linie in der frühjüdischen Tradition, welche die Dispens vom Schabbatgebot betreibt. So heißt es in 1 Makk 2,39–41: „(39) Als Mattatias und seine Anhänger das erfuhren, hielten sie für die Toten eine große Trauerfeier ab. (40) Sie sagten zueinander: Wenn wir alle so handeln, wie unsere Brüder gehandelt haben, und nicht gegen die fremden Völker für unser Leben und unsere Gesetze kämpfen, dann vertilgen sie uns bald von der Erde. (41) Und sie beschlossen noch am gleichen Tag: wenn uns jemand am Schabbat angreift, werden wir gegen ihn kämpfen, damit wir nicht alle umkommen wie unsere Brüder in den Höhlen". Mit Sicherheit handelt es sich hier um eine hasmonäische Halacha. Und 1 Makk wurde zu einer Zeit niedergeschrieben, als die Dynastie auf der Höhe ihrer Macht stand. Es muß also angemerkt werden, daß die Makkabäer in ihrer Hofgeschichtsschreibung eine gesetzliche Praxis verewigen, die eindeutig gegen die Tora verläuft. Umso verwunderlicher ist, daß noch zu Lebzeiten des Josefus Flavius diese gegen die Tora gerichtete Hasmonäerhalacha in Geltung war. Denn er schreibt in Ant 12,276–277 über die makkabäische Entscheidung gegen „das Gesetz" von ehedem: „(276) Mattatias belehrte sie (sc.

die vor den Seleukiden geflohenen Juden) zunächst, daß sie auch am Schabbat kämpfen müßten. Denn wenn sie auch in diesem Punkte so streng am Gesetz festhalten wollten, würden sie sich selbst den größten Schaden zufügen, weil die Feinde sie nun stets an dem Tage angreifen würden, an dem sie sich nicht wehren könnten, und dann müßten sie alle samt und sonders ohne Verteidigung ihr Leben lassen. (277) Das leuchtete ihnen ein. Und so kommt es, daß noch bis heute bei uns die Sitte besteht, auch am Schabbat zu kämpfen, falls dies erforderlich ist". Und später kommt Josefus Flavius noch einmal darauf zurück. Anläßlich der Eroberung Jerusalems durch Pompeius im Jahre 63 v. Chr. vermerkt er (Ant 14,63): „Wäre es nicht Sitte bei uns, am siebten Tage zu feiern, so wäre wohl die Vollendung des Walls (sc. durch Pompeius) von den Belagerten verhindert worden. Das Gesetz erlaubt nämlich, sich in der Schlacht gegen den Angriff des Feindes am Schabbat zu wehren, aber nicht, einer anderen feindlichen Unternehmung entgegenzutreten". Mit „Gesetz" kann hier nicht die Tora gemeint sein, sondern nur die hinterbliebene hasmonäische Halacha, welche dem Schabbatgebot der Tora eindeutig zuwiderlief.

2. Zwischenbilanz

Schon nach den vorgeführten Beispielen, die sich sehr vermehren ließen, empfiehlt es sich, einige Konsequenzen auszuziehen:

1. Es gibt gesetzliche Überlieferungen im Frühjudentum, welche der Tora widersprechen.

2. Es gibt gesetzliche Überlieferungen im Frühjudentum, welche in der Tora nicht vorkommen und dort auch nicht vorgesehen sind.

3. Tora und Gesetz sind keineswegs dasselbe.

4. Das geltende Gesetz muß nicht mit Notwendigkeit ein methodisch kontrollierter Ausfluß aus der Tora sein.

5. Man darf den Einfluß des Torawortlauts auf die Erhebung des geltenden Religionsgesetzes im Frühjudentum nicht überschätzen. Über die ganze Periode hin gibt es keine nach Regeln fixierbare Methode der Schriftauslegung zur Gewinnung der aktuellen Halacha. Erst am Ende der Epoche tauchen die sieben Middot des Hillel, bzw. die dreizehn Middot des Rabbi Jischmael auf, welche die gül-

tige und *längst vorher bestehende* Halacha unter eine gewisse Kontrolle bringen.

Schon aus dem bislang Gesagten wird man hinnehmen müssen, daß in der Überzeugung aller frühjüdischen Richtungen die Tora allein niemals ausreiche, um das zu gewährleisten, was sie immer wieder verheißt: ein im authentischen jüdischen Sinne gelingendes Leben. Die Verheißung des Lebens aus Dtn 4,2–3: „Ihr sollt dem Wortlaut dessen, worauf ich euch verpflichte, nichts hinzufügen und nichts davon wegnehmen. Ihr sollt auf die Gebote des Herrn, eures Gottes, achten, auf die ich euch verpflichte" – wurde offensichtlich von vornherein und grundsätzlich im Zusammenhang mit einem Begriff von Überlieferung rezipiert, der sich zwar in der Tora verankerte, diese aber als durchaus weiterreichende und die konkrete Abmessung ihres Wortlauts weit übersteigende Möglichkeit der Offenbarung verstand. Nur unter dieser theologisch außerordentlich brisanten und einschlägigen Vorstellung von der Flexibilität der Offenbarung vom Sinai wird der Befund verständlich, daß es im Frühjudentum Gesetze gibt, welche der Tora zuwiderlaufen oder in ihr nicht vorgesehen sind. Nur so kann man dem faktischen Abstand gerecht werden, der sich im Spiegel frühjüdischer Überlieferungen zwischen Tora und Halacha so gut wie immer abzeichnet.

3. Eine zweite Reihe von Beispielen

Halachisch kreativ war im Frühjudentum ohne Zweifel auch der Zwang, sich auf das geltende *staatliche Recht* einzustellen. Es gibt halachische Traditionen, die nichts anderes sind als Reaktionen frühjüdischer Gruppierungen auf die Herausforderungen der heidnischen Gesetzgebung, – für die also die Tora als Quelle gar nicht erst in Frage kommt. Das läßt sich schnell an einigen Beispielen zeigen.

In seiner Schrift über das „Leben des Mose", näherhin im zweiten Buch (§ 205), kommt Philo Iudaeus auf Lev 24,15 zu sprechen, wo zu lesen war: „Sag den Israeliten: Jeder, der seinem Gott flucht, muß die Folgen seiner Sünde tragen". Philos Kommentar dazu ist aufschlußreich: „Es scheint so, daß an dieser Stelle ‚Gott' nicht den ersten Gott, den Schöpfer aller Dinge meint, sondern sich auf die

Götter in den Städten bezieht. Diese Götter in den Städten jedoch werden fälschlicherweise ‚Götter‘ genannt, weil sie von Handwerkern, Malern und Bildhauern geschaffen worden sind. Die ganze Welt ist voller Statuen, Bilder und voll von solchen Modellen der ‚Götter‘, angesichts derer wir uns enthalten müssen, über sie Böses zu reden. Keiner von uns Nachfolgern des Mose darf sich daran gewöhnen, die Anrede ‚Gott‘ in derartigen Fällen mit der geringsten Respektlosigkeit in den Mund zu nehmen. Denn dieser Name (sc. ‚Gott‘) verdient die höchste Wertschätzung und Liebe“. Dem Kontext entsprechend plädiert hier Philo für die Todesstrafe, wenn ein Jude sich unterstehen wollte, die Götter der Heiden zu schmähen. Und allem Anschein nach referiert der Alexandriner hier ein Gesetz der ägyptischen Judenheit, welches diese aus Vorsicht gegenüber heidnischen Empfindlichkeiten erlassen hatte. Ein Gesetz, das jedoch eindeutig der Tora widersprach. Aufmerksamkeit verdient indessen, daß diese Halacha auch bei Josefus Flavius erscheint. In Ant 4,207 kann man bei ihm nämlich die Anweisung finden: „Niemand soll die Götter schmähen, an die fremde Völker glauben. Auch ist die Beraubung fremder Heiligtümer und die Wegnahme von Weihegeschenken für irgendein Götzenbild verboten“. Wieder fehlt in der Tora jeder Hinweis auf ein solches Gesetz, auf welches Josefus in seiner Apologie ein weiteres Mal zurückkommt: „Es ist unsere väterliche Sitte, unsere eigenen Gesetze zu beobachten und uns der Kritik an fremden Gesetzen zu enthalten. Unser Gesetzgeber hat daher ausdrücklich verboten, die Götter zu verlachen oder zu schmähen, welche von anderen anerkannt werden. Das ergibt sich aus dem Respekt, welchen wir dem Begriff ‚Gott‘ entgegenbringen (cAp 2,237)“. Ohne Frage hing die Sicherheit jeder jüdischen Minderheit in der heidnischen Diaspora, aber auch der jüdischen Mehrheit im Mutterland, soweit dieses fremder Herrschaft unterstand, davon ab, daß ein solches Gesetz über die fremden Götter, wie es in jeder griechischen Polis eine Selbstverständlichkeit war, auch auf jüdischer Seite existierte. Nur in der Tora konnte es sich nicht verankern. Als Reaktion auf die fremdstaatliche Gesetzgebung wird es jedoch verständlich. Trotzdem schreibt es Josefus Flavius dem „Gesetzgeber“, also dem Mose zu. Er betrachtet es somit als eine Offenbarung vom Sinai.

Auch solche Fälle, wo keineswegs die Tora, sondern die Adaption an bestehende staatliche Rechtsverordnungen der Umwelt ein „Gesetz" provozierte, sind sehr häufig. Verwiesen sei nur noch auf ein einziges Beispiel, welches die Tempelrolle in der Kolumne 64,6–13 anbietet: „(6) Wenn ein Mann Nachrichten über sein Volk weitergibt und er verrät sein Volk an ein fremdes Volk und fügt seinem Volk Böses zu, (8) dann sollt ihr ihn ans Holz hängen, so daß er stirbt. Auf Grund von zwei Zeugen und auf Grund von drei Zeugen (9) soll er getötet werden und (zwar) hängt man ihn ans Holz. Wenn ein Mann ein Kapitalverbrechen begangen hat und er flieht zu (10) den Völkern und verflucht sein Volk, die Israeliten, dann sollt ihr ihn ebenfalls an das Holz hängen, (11) so daß er stirbt. Aber, man lasse ihre Leichen nicht am Holze hängen, sondern begrabe sie bestimmt noch am selben Tag. Denn (12) Verfluchte Gottes und der Menschen sind ans Holz Gehängte, und du sollst die Erde nicht verunreinigen, die ich dir (13) zum Erbbesitz gebe". Demzufolge wurde zu hasmonäischer Zeit in Palästina offensichtlich für das Verbrechen des Hochverrats die Kreuzigungsstrafe praktiziert, – übernommen ganz offensichtlich aus der nichtjüdischen Umwelt. Wer das eigene Volk an den fremden Feind verraten hatte, sollte in äußerster Weise geschändet werden. Dies erklärt auch die Kreuzigung von Phärisäern durch Alexander Jannai nach JosBell 1,97–98; Ant 13,380 (vgl. Bell 1,13 und Ant 13,410–411) sowie 4 QpNah 1,4–9.

Indessen bietet die Tora für die Kreuzigung keinerlei Handhabe. Man kann sich lediglich vorstellen, daß hier Dtn 21,22–23 ein Tor für die Übernahme aus dem heidnischen Strafrecht öffnete, wo es heißt: „wenn jemand ein Verbrechen begangen hat, auf das die Todesstrafe steht, wenn er hingerichtet wird und du den Toten an einen Pfahl hängst, dann soll die Leiche nicht über Nacht am Pfahl hängen bleiben, sondern du sollst ihn noch am gleichen Tag begraben. Denn ein Gehängter ist ein von Gott Verfluchter. Du sollst das Land nicht unrein werden lassen, das der Herr, dein Gott, dir als Erbbesitz gibt". Und Dtn 21,23 wird dann auch in der Tempelrolle (64,11–12) zitiert. Im übrigen scheint dieses Gesetz seit Herodes, dem Großen, jedoch nicht mehr ausgeübt worden zu sein. Von Josefus Flavius wird aus der Zeit dieses sonst nicht zimperlichen Königs keine Hinrichtung durch Kreuzigung berichtet. Hat sich der König von dem hasmonäischen Brauch distanziert? Oder ist es nicht viel wahrscheinlicher und damit auch in diesem Zusammenhang einschlägiger, daß der exzessive Gebrauch, welchen die Römer schließlich unter den Herodessöhnen zur Befriedung „Judäas" von der Kreuzigungsstrafe machten, dazu führte, daß der Tod durch das Kreuz wenigstens seit Beginn der unmittelbaren Römerherrschaft als jüdische Todesstrafe verpönt war? Das würde bedeuten, daß ein Gesetz auch wieder verschwinden konnte, wenn es innerjüdisch inopportun erschien.

Wieder ist deutlich, daß die geltende Halacha im Frühjudentum stets auch und maßgeblich von Faktoren abhing, welche überhaupt nichts mit der Tora und ihrer methodisch kalkulierten Auslegung zu tun hatten.

4. Zwischenbilanz und neue Fragen

Abermals summiert sich das bislang und in gebotener Eile Demonstrierte zu einigen bemerkenswerten Feststellungen:

1. „Gesetz" gibt es im Frühjudentum auch als Erwiderung auf das geltende staatliche Recht. Die heidnische Umwelt, sogar die feindliche Umgebung, kann bestimmend für frühjüdische Halacha sein. Die Tora ist somit keineswegs die einzige Quelle für das geltende Gesetz.

2. Wieder kann es dabei zu „Gesetzen" kommen, welche in der Tora in keiner Weise vorgegeben sind, ja deren Tendenz widersprechen.

3. Obwohl keine näheren Begründungen dafür gegeben werden, ist nirgendwo ein Zweifel daran erlaubt, daß auch solche „Gesetze" als an Mose auf dem Sinai vermittelt gelten, – also die theologische Substanz und das Gewicht von Offenbarung haben.

An dieser Stelle der Überlegungen werden dann aber im Interesse des Themas zwei Fragen zu stellen sein. Einmal: Wenn es nicht genügt, bei der Nachforschung nach dem Gesetz auf die Tora zu verweisen, wo kann man dann erfahren, was im Frühjudentum konkret praktiziertes „Gesetz" war? Was kann der Neutestamentler über das „Gesetz" im Frühjudentum überhaupt wissen, wenn es keineswegs ausreicht, dazu lediglich im Pentateuch zu blättern? Und eine zweite Frage: Welche Vorstellung von Offenbarung läßt sich für die frühjüdischen Auffassungen vom „Gesetz" wahrscheinlich machen, wenn es dort keineswegs zu stören scheint, daß die Offenbarung vom Si-

20

nai, wie sie in der Tora vorgegeben ist, selbst um den Preis des Widerspruchs ergänzt werden darf? Gibt es hier überhaupt eine einheitliche theologische Basisoption im Frühjudentum?

5. Das Problem der Quellen bei der Erhebung der frühjüdischen Halacha

Es macht Sinn, die mit den Quellen verbundene Frage noch einmal präzise zu wiederholen: Wenn im Frühjudentum keineswegs das, was schlicht in der Tora steht, gültiges Gesetz sein muß, – und wenn das, was Gesetz tatsächlich ist, auch nicht in dem aufgeht, was in der Tora nachgelesen oder auf schriftgelehrtem Wege aus ihr abgeleitet und ebenso überprüft werden kann, muß man sich nach anderen Quellen des „Gesetzes" umtun. Was aber steht dafür zur Verfügung? Geordnet nach der Wichtigkeit ergibt sich etwa folgendes flüchtige Bild:

1. An erster Stelle ist Josefus Flavius zu nennen. Im vierten Buch seiner Antiquitates, und dort vor allem im achten Kapitel, referiert er zusammenhängend über die Weitergabe der Tora durch Mose an Israel. Bei dieser Gelegenheit kommt er so ausführlich wie sonst niemand im Frühjudentum auf die zu seinen Lebzeiten geltende Halacha zu sprechen.

2. Die Tempelrolle aus der elften Höhle von Kirbet Qumran, welche das gültige Gesetz einer festen Gruppierung des Frühjudentums seit dem Anfang des zweiten Jahrhunderts v. Chr. enthält. Wie nirgends sonst ist in der Tempelrolle das Verhältnis des gültigen Gesetzes zur Tora aussichtsreich und belehrend zu studieren. Jetzt, da auch die englische Übersetzung der großen Edition von Yigael Yadin zur Verfügung steht, werden die Neutestamentler vermutlich stärker auf dieses bedeutsame Dokument zurückkommen.

3. Das Buch der Jubiläen aus demselben Traditionskreis wie die Tempelrolle. Zu erinnern ist dabei besonders an die Liste der Schabbatgesetze in Jub 50, 7–13 und Jub 2, 29–31, aber auch an die Halachot über Mischehen, die Zehnten und die Opfer in Jub 11–23 passim.

4. Noch mehr das tatsächlich praktizierte Gesetz – ohne die Vorgabe theologisch motivierter Gruppeninteressen – reflektieren die

aramäischen Papyri aus Elefantine sowie die griechischen Papyri aus Ägypten, die A. Fuks und V. A. Tcherikover zusammengetragen und auf ihre jüdischen Eigenarten hin untersucht haben.

5. Philo von Alexandrien bietet primär allegorisierende Kommentarliteratur zu den gesetzlichen Partien des Pentateuch und kommt deshalb nur mit einem gewissen Vorbehalt für den Zusammenhang der aktuellen Halacha in Frage.

6. Im übrigen ist alles sehr sporadisch und noch nicht zusammengestellt worden. Es können deshalb auch nur einige Beispiele ohne Anspruch auf Vollständigkeit genannt werden. Über die Ehehalacha kann man indirekt etwas aus Tobit 4 oder auch aus Susanna 19–62 erfahren. Über die Praxis der Jahresfeste steht zu Pesach Weniges in den Elefantinehandschriften, über Chanukka kann man manches in 2 Makk 1, über Purim in den Zusätzen zum griechischen Buch Esther nachlesen. Reinigungsvorschriften und Speisegebote finden sich in Dan 1; 2 Makk 5,33; 6,18; Tob 1,10–11; 2,9; Judit 11,12 und Aristeas 142–156. Zu kultischen Abgaben wie Erstlinge oder Zehnt äußern sich Tob 1,6–7; 5,14; Judit 11,13. Rituelle Waschungen werden in Tob 2,5; 6,3; Judit 12,7–9 erwähnt. Über das Gebet berichten Dan 6,10; Judit 9,1; 11,17 und Aristeas 305. Und selbstverständlich ist in der gesamten Qumranliteratur immer wieder von den besonderen Reinheitsgeboten der Gruppe sowie von den Gesetzen interner Gemeindedisziplin die Rede.

Das muß hier genügen. Es bleibt aber zu resümieren: wie wenig auch immer in frühjüdischen Quellen an geltendem und praktiziertem Gesetz überliefert wird, – auch das ist nur ein geringer Ausschnitt aus der zeitgenössischen Halacha. Diese Auswahl, soweit sie also überhaupt erhalten ist, betraf vor allem Anweisungen, die auf dem innerjüdischen Felde unter den einzelnen Gruppierungen kontrovers waren, oder solche Gesetze, die in der Abgrenzung zu Nichtjuden bekenntnishafte Bedeutung erhalten hatten. Die Folge ist unausweichlich, daß man über die Traditionen des wirklich geltenden Rechtes im Frühjudentum viel zu wenig Bescheid wissen kann. Die Defizienz des Wissens und des Wißbaren ist objektiv und unüberwindbar.

7. Nach wie vor ist es unter den Neutestamentlern üblich, talmudische Quellen (Mischna, Gemara, Midrasch) mehr oder weniger ausführlich hinzuzuziehen, wenn es darum geht, die halachischen

Verhältnisse der frühjüdischen Zeit zu beschreiben. Geflissentlich sieht man dabei meistens über das bis zur Stunde ungelöste und vielleicht für immer unlösbare Problem hinweg, vor welches jede Art der Rückdatierung rabbinischer Aussagen unweigerlich stellt. Die immer wieder aufgebotenen Kompensationen der hier vorgegebenen Schwierigkeiten sind einfach genug. Sei es, daß man sich unkritisch überhaupt über alle Barrieren der Altersbestimmung hinwegsetzt und allein die inhaltliche Nähe einer sogenannten „Parallele" entscheidend sein läßt, – ein Verfahren, welches die von Paul Billerbeck aufgebotenen und aus ihren literarischen Zusammenhängen herausgerissenen Materialmassen ohne Frage nicht nur unterstützen, sondern geradezu nahelegen. Sei es, daß man sich – wie Andreas Nissen – auf die fatale Vorstellung eines schon im frühjüdischen Richtungspluralismus gegenwärtigen „normativen Judentums" einläßt, welches sich dann in der talmudischen Periode lediglich noch durchzusetzen brauchte, um zur bestimmenden Erscheinungsform des Judentums überhaupt zu werden.

Aber selbst dort, wo man ernsthafter versucht, innerhalb der tannaitischen Traditionen ältere und jüngere Stoffe zu unterscheiden, erliegt man häufig einer groben Fehleinschätzung der tatsächlichen Datierungsschwierigkeiten. Darauf hat im vergangenen Jahrzehnt Jacob Neusner wie kein zweiter immer wieder und in kaum noch überschaubaren Einlassungen aufmerksam gemacht. Ohne all das wiederholen zu wollen, sei lediglich an zwei Tatbestände erinnert, die gewöhnlich verdrängt oder vergessen werden, die jedoch geeignet sind, wenigstens stichwortartig das Problem zu umreißen.

Da ist zunächst der unbestreitbare Befund, daß die spätere rabbinische Selektion der Überlieferung nach den Katastrophen der Jahre 70 und 135 aus der Fülle der überkommenen frühjüdischen halachischen Stoffe in jedem Falle nur das stehen ließ und weitergab, was mit der sich allmählich herausbildenden rabbinischen Orthodoxie des zweiten und dritten Jahrhunderts zusammentraf. Das hat unweigerlich zur Folge, daß man von rabbinischen Äußerungen nur dort mit einiger Gewißheit Nachrichten über die halachischen Entwicklungen im Frühjudentum erwarten darf, wo man implizit oder explizit auf Positionen stößt, die von der späteren rabbinischen Norm abweichen oder ihr gegenläufig sind.

Zum anderen bleibt stets zu bedenken, daß sogar die Aussonderung von tannaitischem Material, welches noch den Bestand des zweiten Tempels vorauszusetzen scheint, in keinem Falle mit Notwendigkeit auf Verhältnisse stößt, die in frühjüdischer Zeit gegeben waren. Denn eine Vielzahl von tannaitischen Traditionen, welche sich auf die Situation vor 70 zu beziehen scheinen, sind rein rechtstheoretische oder spekulative Schöpfungen: wie etwa die retrospektive Verzeichnung des vor 70 amtierenden Sanhedrin im Stile der sich um 100 in Palästina etablierenden Gelehrtenversammlung.

All das legt dringlich die Einsicht nahe, daß das talmudische Schrifttum als Quelle für die Erhebung frühjüdischer Halacha weitgehend ausscheiden muß. Damit verringern sich selbstverständlich die Chancen der Neutestamentler erheblich, zu wissen, was geltendes Gesetz im Frühjudentum war. Die Andersartigkeit Jesu von Nazaret in seinem Verhalten zu Tora und Halacha ist auch deswegen nicht einfach und sicher zu erweisen, weil der Bogen der sich im Frühjudentum zwischen Tora und Observanz eröffnenden Möglichkeiten nicht sicher vermessen werden kann. Daß man hier jedoch mit großzügigen Margen rechnen muß, geht immerhin schon daraus hervor, daß das Frühjudentum halachische Anweisungen kennt, welche der Tora buchstäblich widersprechen.

6. Die theologische Aufnahme des faktischen Abstandes zwischen Tora und Observanz

Gerade die im Normalfall gegebene Entfernung der Tora von der Halacha, die sich bis hin zum Widerspruch dehnen kann, verlangt auch eine Antwort auf jene zweite Frage, von der schon die Rede war. Sie wollte sich nach dem theologischen Geländer erkundigen, an welches sich die frühjüdischen Gruppierungen zu halten vermochten, wenn sie sogar der Tora zuwiderlaufende gesetzliche Vorschriften als Verlautbarungen vom Sinai reklamierten.

Ersichtlich dürfte soviel sein, daß das Frühjudentum in allen seinen Parteiungen die Offenbarung am Sinai nicht als eine einmalige Vorgegebenheit mit ein für allemal fest umgrenzten Aussagen begriff. Sondern man sah die Offenbarung der Tora zutiefst angewiesen auf den Vorgang menschlicher Vermittlung, der es erst zuwege bringen konnte, daß die Tora in den konkreten geschichtlichen Verhältnissen anwendbar wurde. Diesem theologischen Grundwissen zufolge konnte die Tora in der Besonderheit ihres Anfangs mit Mose am Sinai noch gar nicht eigentlich ergriffen werden, sondern sie bedurfte in der Gestalt der Tradition einer unaufhörlichen Beziehung auf die sich wandelnden Zeiten und deren Anforderungen, um sich überhaupt vernehmbar und sinnträchtig dem Gehorsam des gläubigen Juden darzubieten. Erst der Widerhall der Offenbarung im anhaltenden Streit der Schriftgelehrten um das jeweils geltende Gesetz macht den Willen Gottes vom Sinai verstehbar. Erst die ständige Auseinandersetzung im Raum der Tradition bringt die notwendigen Brechungen und Spiegelungen hinzu, ohne welche das Licht Gottes vom Sinai gar nicht wahrgenommen und in der menschlichen Tat auch gar nicht ergriffen werden konnte. Erst in der Verdichtung des Wortes Gottes zu den unendlichen Möglichkeiten der Halacha gewinnt die Einmaligkeit der Offenbarung ihre die Generationen fördernde und gestaltende Dauer.

Nur unter einer solchen positiven Voraussetzung werden wirklich zupackende Beobachtungen an den halachischen Überlieferungen des Frühjudentums möglich. Nur so wird zum Beispiel der Umstand verständlich, daß in der Tempelrolle der Text der Tora gar nicht mehr wie ein festgefügter Wortlaut erscheint, sondern selbst in Bewegung ist gegenüber dem Zugriff der Halacha. Und gerade diese von der Tora mindestens ebenso oft abweichende wie ihr konforme Halacha wird der Offenbarung am Sinai ohne Abstriche gleichgestellt, ja Gott selbst in den Mund gelegt. In der Tempelrolle spricht Gott zu Mose in der Ichform und offenbart ihm auf diesem Wege nur zum Teil bekannte, mehrheitlich völlig neue, im Pentateuch nicht einmal in Aussicht genommene Gesetze. Halacha und Tora werden absolut gleichgestellt. Und das eben nicht bloß in der Tempelrolle und in der Sicht der Essener. Sondern man wird davon ausgehen müssen, daß in diesem grundlegenden Vorverständnis von Offenbarung unter den frühjüdischen Gruppierungen das Gemeinsame größer war als das Trennende.

Denn auch die Sadduzäer müssen eine Überlieferung gehabt haben, die ihnen zwischen der Tora und dem Leben unverzichtbar war. Sonst wäre ihr Arrangement mit Alexander Jannai ebenso wenig möglich gewesen wie das mit den Römern nach Herodes dem Großen. Und vor allem gibt es ja auch noch die Information aus der Nummer 26 (nach H. Lichtenstein) der Fastenrolle darüber, daß das Gesetzbuch der Sadduzäer, der „Sefär g^{e}serata" also, während des jüdischen Krieges abgeschafft worden sei. Und das kann lediglich bedeuten, daß auch die Sadduzäer eine schriftlich kodifizierte Tradition des Gesetzes besaßen, die eben nur Sinn machte, wenn die Sadduzäer gleichfalls eine mit der Tora nicht durchgängig konforme Halacha hatten. Was die Sadduzäer nach Josefus Flavius (Ant 13, 297) offensichtlich ablehnten, waren die Innovationen der pharisäischen Observanz. Keinesfalls strittig war ihnen die Notwendigkeit, die Offenbarung zu ergänzen und zu vermehren. Keinesfalls zweifelten sie an der Unabdingbarkeit, in relativer Autonomie die Offenbarung schöpferisch mitzugestalten.

Dieser maßgebliche frühjüdische Grundkonsens in der Bewertung der Offenbarung setzt eine Bewegung fort, die sich schon lange in der nachexilischen Zeit abzeichnet: auch das deuteronomistisch redigierte Buch Deuteronomium bietet sich als Mose-Offenbarung am Sinai (vgl. Dtn 5) im Ich-Stil dar. Und man wird sagen müssen, daß der darin vorgeführte Umgang mit der Offenbarung und mit der Tradition sich in noch viel größerer Freiheit abspielt als etwa in der Tempelrolle.

7. Resultate

In summa ergeben die wenigen und unter verschiedenen Gesichtspunkten vorgeführten Beispiele eine zumindest ungefähre Anschauung vom tatsächlichen Abstand zwischen Tora und Halacha im Frühjudentum. Schon ein solcher Befund sollte die Neutestamentler veranlassen, die Einstellung Jesu von Nazaret zum Gesetz in Zukunft zurückhaltender zu beurteilen. Dies umso mehr, wenn man die ungünstige Quellenlage in Erwägung zieht und darüber hinaus auch noch damit rechnet, daß es nicht allzu oft möglich sein wird, die Geltungsdauer einer gesetzlichen Anweisung genau zu fixieren. In jedem Falle aber lassen sich stereotype Äußerungen wie die folgende nicht mehr ohne Gewaltsamkeit mit der einschlägigen frühjüdischen Szene vereinbaren: „Seine letzte Zuspitzung erhält Jesu Autoritätsanspruch durch die schlechterdings souveräne Stellung zur Tora

Moses. Hier liegt der grundsätzliche Unterscheidungspunkt gegenüber dem Pharisäismus wie den charismatisch-apokalyptischen Strömungen innerhalb des Judentums einschließlich des Essenismus und des Täufertums" (Martin Hengel, Nachfolge und Chrisma, Berlin 1968, 78).

II

Das Toraleben im jüdischen Verständnis

Von Franz Mußner, Passau

I. Die Tora im Verständnis des altbundlichen Israel

1. Der Begriff „tōrā"[1]

tōrā ist Feminin-Verbalnomen mit t-Präfix und bedeutet „Weisung",
„Lehre". Im Griechischen (Septuaginta, Neues Testament) wird *tōrā*
wiedergegeben mit νόμος, was von heutigen Juden oft als eine semantische Vereinseitigung empfunden wird, da damit zu stark das
gesetzliche Element im Begriff *tōrā* zur Geltung gebracht werde, wo
doch die Tora in Wirklichkeit ein Gnadengeschenk Jahwes an Israel
sei. Das Substantiv *tōrā* wird von den Alttestamentlern W. Gesenius
und G. Östborn von dem Verbum *jrh* abgeleitet, das auch die Bedeutung hat: „die Hand, die Finger ausstrecken, um den Weg zu zeigen"[2]. Das substantivierte Part. hiph. von *jrh, mōrāē,* bedeutet
„Lehrer". Damit ist schon eine Menge von wichtigen Einsichten gewonnen: *tōrā* ist jene Lebensweisung, die Israel zu seinem Heil von
Jahwe empfangen hat. *tōrā* wird in der Weitergabe zur „Lehre", und
bei dieser Weitergabe spielt der „Lehrer" eine wichtige Rolle, sei
dieser Lehrer nun Priester – wie vor allem in der vorexilischen Zeit –
oder Schriftgelehrter – wie dann in der nachexilischen Zeit. Diese
Einsichten sind für das genuin jüdische Tora-Verständnis konstitutiv bis zum heutigen Tag.

tōrā kann im Alten Testament die Einzelweisung als auch die gesamte Willenskundgabe Jahwes in ihrer schriftlichen Fixierung be-

---

[1] Vgl. dazu *G. Liedke – C. Petersen,* in: ThHAT II, 1032–1043 (mit Literatur); ferner:
L. M. Pasinya, La notion de „nomos" dans le Pentateuque grec (1973); *G. Wallis,* Torah
und Nomos. Zur Frage nach Gesetz und Heil, in: ThLZ 105 (1980) 321–332.
[2] A.a.O. 1032.

deuten; das Letztere etwa schon bei Hosea und vor allem im Deuteronomium – *tōrā* = „Schrift". Als geschriebene *tōrā* spielt sie „eine zentrale Rolle in der Theologie des dtr. Geschichtswerkes"[3].

2. Tora und Bund

Der Begriff *tōrā* tritt im Bereich des Deuteronomiums „in nächste Berührung mit dem so wichtigen und so schwierigen Begriff der *bᵉrit*"(Smend)[4]. Das unter König Joschija aufgefundene Buch heißt sowohl „Buch der *bᵉrit*" (2 Kön 23,3) als auch „Buch der tōrā" (22,8.11). Bundestheologie und Gesetzestheologie lassen sich „im Deuteronomium kaum sauber voneinander trennen" (Smend)[5]. Das gilt auch noch für rabbinisches Bewußtsein: „Unter Bund ist nichts anderes als die Tora zu verstehen" (Mekhilta zu Ex 12,6, unter Berufung auf Dtn 28,69). Das Gesetz ist „immer auf den Bund ... bezogen" (W. Zimmerli)[6]. Vgl. auch Sir 17,11ff; 24,23; Jes 24,5; 1 QS I, 7f (hier wird gefordert, „die Gesetze Gottes im Gnadenbund zu erfüllen"). Hier sei auch schon an die These Hans-Joachim Schoeps' erinnert, nach der Paulus das Gesetz „mißverstanden" habe, weil er Bund und Gesetz auseinandergerissen habe[7].

3. Freude an der Tora[8]

Die Freude des Israeliten an der Tora kommt besonders in den Psalmen zur Geltung, so in den Pss 1; 19,8–15; 119. „Am Wandel nach deinen Weisungen habe ich Freude mehr als an allem Besitz" (119,14). „Ja, deine Weisungen sind meine Lust, sie sind mein Rat-

---

[3] Ebd. 1041.

[4] In: *R. Smend – U. Luz,* Gesetz (Kohlhammer Taschenbücher 1015) (Stuttgart–Berlin–Köln–Mainz 1981) 22.

[5] Ebd. 23.

[6] Das Gesetz und die Propheten (Göttingen 1963) 68.

[7] Paulus. Die Theologie des Apostels im Lichte der jüdischen Religionsgeschichte (Tübingen 1959) 224–230; dazu *G. Jasper,* Das „grundlegende Mißverständnis" des Paulus nach jüdischer Schau, in: Judaica 15 (1959) 143–161; *W. D. Davies,* in: NTSt 10 (1963/64) 295–304 (zum Paulusbuch von Schoeps); *F. Mußner,* Der Galaterbrief (Freiburg i. Br. ⁴1981) 188–204.

[8] Vgl. dazu besonders *H.-J. Kraus,* Freude an Gottes Gesetz, in: EvTh 10 (1950/51) 337–351; *F. Mußner,* Traktat über die Juden (München 1979) 38f.

geber" (119,24). „Mein Erbteil für ewig sind deine Weisungen, ja sie sind meines Herzens Freude" (119,111). „Ich ersehne deine Hilfe, Gott, und dein Gesetz ist meine Lust" (119,174). Bis heute gibt es im Judentum ein eigenes Fest *Simchath Tora,* „Torafreudenfest", das „seit langem zu den fröhlichsten Feiertagen des jüdischen Jahres" (J. J. Petuchowski)[9] gehört. Der fromme Jude empfindet die Tora nicht als Last, sondern als Lust.

4. Tora und Weisheit

Schon die Torakonzeption der „Priesterschrift" (P) steht nach H. Gese „dem Weltordnungsdenken der späteren theologischen Weisheit nicht sehr fern"[10]. Denn in P liegt „ein Gesetzesbegriff vor, der das Gesetz zur offenbarten Ordnung letztlich auch des Kosmos macht" (ders.)[11]. Ansätze zur Sapientialisierung der Tora finden sich bereits im Deuteronomium: „Denn in den Augen der Völker, die von all diesen Ordnungen hören, wird das eure Weisheit und eure Einsicht sein, und sie werden sagen: ‚Ein wahrhaft weises und kluges Volk ist diese große Nation'" (4,6). Im Ps 19 geht das Lob der Schöpfung (19,2–7) in 19,8 unvermittelt in das Lob der Tora über! Nach dem Preislied auf die Weisheit in Sir 24,1–22 tut die Weisheit, vor der Zeit erschaffen und in Ewigkeit nicht vergehend, vor Gott „Dienst im heiligen Zelt" und wurde „dann auf dem Zion eingesetzt". „In der Stadt, die er ebenso liebt wie mich, fand ich Ruhe, Jerusalem wurde mein Machtbereich" (24,9–11). Und wiederum unvermittelt heißt es dann in 24,23: „Dies alles ist das Bundesbuch des höchsten Gottes, das Gesetz, das Mose uns vorschrieb als Erbe für die Gemeinde Jakobs". „Es ist voll von Weisheit ..." (24,25a). „Weisheit und Tora, Schöpfungswort und Offenbarungswort, Transzendenz und Immanenz kommen hier zur Einheit" (Gese).[12] Im sog. Frühjudentum wird die Tora identifiziert mit der weisheitlichen Schöpfungsordnung, dem „Weltgesetz"; dies hat vor allem M. Limbeck mit reichem Material aus dem frühjüdischen Schrifttum ge-

---

[9] Feiertage des Herrn. Die Welt der jüdischen Feste und Bräuche (Freiburg i. Br. 1984) 68.

[10] *H. Gese,* Zur biblischen Theologie. Alttestamentliche Vorträge (München 1977) 68.

[11] Ebd. 69.

[12] Ebd. 73.

zeigt, das hier nicht nochmals ausgebreitet werden kann[13]. Verwiesen sei jetzt nur auf Philo, der in Vita Mos. II, 51 f bemerkt: der Gesetzgeber Mose „leitete sein Werk mit der Schöpfung des großen Staatswesens [des Weltalls] ein, in der Überzeugung, daß seine Gesetze das ähnlichste Abbild der Verfassung des Weltalls seien". Die rabbinische Theologie identifiziert Tora und Weisheit, indem sie die Weisheitsprädikate auf die Tora überträgt. Tora *ist* Weisheit. Durch die Tora ist die Welt erschaffen (MAbot III, 14). Darum mußte „jeder Angriff auf die Tora ... notwendigerweise auch als Angriff auf die von Gott gewollte und gewirkte Ordnung der Schöpfung verstanden werden" (Limbeck)[14].

5. Die Tora als Hüterin Israels

Nach jüdischem Verständnis wurde Israel die Tora auch deswegen von Jahwe gegeben, um Israel vor der Assimilation an die Heidenwelt zu behüten, besonders im Zeitalter des Hellenismus[15]. Damit berührt sich die Idee, daß Israel ein „ausgesondertes" („abgesondertes") Volk ist, die in klassischer Formulierung schon in Lev 20, 24b begegnet: „Ich bin der Herr, euer Gott, der euch von diesen Völkern ausgesondert hat", in 20, 26 dazu noch mit der Begründung: „damit ihr mir gehört"; der nachträgliche Text dazwischen (V.25) bringt bezeichnenderweise ein Kaschrut-Gebot. Nach Aristeas-Brief § 139 hat Mose mit der Tora Israel „mit undurchdringlichen Wällen und eisernen Mauern" umgeben, „damit wir uns mit keinem anderen Volk irgendwie vermischen, (sondern) rein an Leib und Seele blei-

---

[13] *M. Limbeck,* Die Ordnung des Heils. Untersuchungen zum Gesetzesverständnis des Frühjudentums (Düsseldorf 1971); *ders.,* Von der Ohnmacht des Rechts. Zur Gesetzeskritik des Neuen Testaments (Düsseldorf 1972).
[14] Von der Ohnmacht des Rechts, 34. Vgl. auch noch *M. Hengel,* Judentum und Hellenismus. Studien zu ihrer Begegnung unter besonderer Berücksichtigung Palästinas bis zur Mitte des 2. Jahrhunderts v. Chr. (Tübingen ²1973) 307–318; *H.-Fr. Weiss,* Untersuchungen zur Kosmologie des hellenistischen Judentums (Berlin 1966) 283–304; *B. L. Mack,* Logos und Sophia. Untersuchungen zur Weisheitstheologie im hellenistischen Judentum (Göttingen 1973); *E. Zenger,* Die späte Weisheit und das Gesetz, in: *J. Maier – J. Schreiner* (Hg.), Literatur und Religion des Frühjudentums (Würzburg–Gütersloh 1973) 43–56; *M. Küchler,* Frühjüdische Weisheitstraditionen (Göttingen 1979).
[15] Vgl. dazu besonders *M. Hengel,* Judentum und Hellenismus (s. Anm. 14) 58f; 96; 106; 133; 273; 306; 414; 473 f; 549 ff; 555; 559.

ben und ... den einzigen und gewaltigen Gott überall in der ganzen Schöpfung verehren" (vgl. auch § 142, hier wieder mit Hinweis auf die Kaschrut-Gebote; ferner Josephus, Contra Apionem I, 60). Die Qumranessener müssen „sich absondern" von den „Männern des Unrechts" (1 QS V, 1.10; VIII, 13; IX, 20; Dam VI, 14f; VII, 3: „sich absondern von allen Unreinigkeiten, gemäß der sie betreffenden Vorschrift"). So übt die Tora eine behütende und „absondernde" Funktion aus; sie hilft Israel, seine Identität zu bewahren.

6. Tora als Offenbarung und Gnade

Ich gehe für die folgenden Überlegungen von dem Satz des jüdischen Gelehrten Sh. Talmon aus: „Die Sinaitheophanie ist das Fundament, auf dem die gesamte nachherige biblische Auffassung von Offenbarung gründet."[16] Die eigentliche Gabe dieses Offenbarungsgeschehens war nach dem Alten Testament die Tora. „Das offenbarte Gesetz ist das Fundament des am Sinai offenkundig gemachten Bundes" (ders.).[17] Von da her ist das rabbinische Axiom verständlich, daß „die Tora vom Himmel ist"[18], was in Dtn 4, 36 so formuliert ist: „Vom Himmel her ließ er dich seine Stimme hören." Die Tora ist also „der Inhalt der Offenbarung" (H. Gese)[19]. Nach J. J. Petuchowski war „der Glaube an die göttliche Offenbarung der Tora eine unabweisbare Voraussetzung des ganzen rabbinischen Schrifttums"[20], gründend im Rückblick auf das Sinaigeschehen. Da-

---

[16] Grundzüge des Offenbarungsverständnisses in biblischer Zeit, in: *J. J. Petuchowski – W. Strolz* (Hg.), Offenbarung im jüdischen und christlichen Glaubensverständnis (Freiburg i. Br. 1981) 12–36 (35).

[17] Ebd. 36.

[18] Vgl. etwa MSanh X, 1 b.

[19] Bibl. Theologie (s. Anm. 10) 59. Nach *Gese* ergibt sich „aus der eigentlichen Substanz der Offenbarung am Sinai der Bezug zur Tora" (ebd.), und die hier erfolgende Jahwe-Wesensoffenbarung ist „von der Jahwe-Willensoffenbarung letztlich nicht zu scheiden. Denn diese Selbsterschließung Gottes in die Bezugsetzung zu ihm rückt das Sein vor Gott in das Zentrum der Offenbarung, das neue Sein, das die Offenbarung setzt. Das in der Offenbarung erst konstituierte Israel in seinem Vor-Gott-Sein gehört zu dieser Offenbarung eben hinzu, die Gottes Bindung an Israel einschließt: ,Ich bin JHWH, dein Gott'" (59 f). „Die Tora beschreibt ... [speziell im Dekalog] den Schalomzustand, in den Israel durch die Offenbarung eintritt, die dieses neue Sein coram Deo eröffnet und begründet" (61).

[20] Zur rabbinischen Interpretation des Offenbarungsglaubens, in: Grundzüge usw. (s. Anm. 16) 72–86 (77).

bei war den Rabbinen nach Petuchowski „der Unterschied zwischen dem Buchstaben der Tora und dem Geist der Tora völlig geläufig"[21]; er zitiert einen interessanten Ausspruch des Rabbi Šimeon ben Laquisch: „Manchmal ist die Aufhebung eines Toragesetzes die wahre Befestigung der Tora" (bMenahot 99a), und den noch interessanteren des Rabbi Nathan: „Wenn es Zeit ist für Gott, zu wirken, darf man das Gesetz der Tora verletzen" (MBerakot IX, 5).

Von daher kann man es auch verstehen, daß für jüdisches Bewußtsein die Tora Gnadengabe Gottes ist. Tora ist Gnade[22].

7. Tora, Bund und Land

Auf den unlöslichen Zusammenhang von Tora und Bund wurde w. o. schon hingewiesen (unter I, 2). In diesen Zusammenhang gehören aber auch noch das „Land" und die Landverheißung hinein. Denn das Land ist Lebensraum und Ziel des Toragehorsams, vor allem nach dem Deuteronomium[23]. Die Landgabe erscheint in ihm „als Lohn für die Bundestreue Israels" (B. Springer)[24], die sich im Toragehorsam zeigt. Der Verlust des Landes ist die Folge der von Israel aufgekündigten Bundestreue, was sich konkret in der massiven Verletzung der Tora zeigt. Andererseits werden die Landnahme und das glückliche Leben im Land „sogar als Motiv der Gesetzestreue gepredigt" (ders.)[25].

[21] Ebd. 79.
[22] Vgl. dazu H. Groß, Tora und Gnade im Alten Testament, in: Kairos 14 (1972) 220–231; R. J. Zwi Werblowski, Tora als Gnade, ebd. 15 (1973) 156–163; H. Schmid, Gesetz und Gnade im Alten Testament, in: Judaica 25 (1969) 3–29; K. Hruby, Gesetz und Gnade in der rabbinischen Überlieferung, ebd. 30–63; J. Maier, „Gesetz" und „Gnade" im Wandel des Gesetzesverständnisses der nachtalmudischen Zeit, ebd. 64–176.
[23] Vgl. dazu B. Springer, Die Landverheißung – ein Element der Bundestheologie im Alten Testament, in: Kairos 26 (1984) 54–65 (57f).
[24] Ebd. 57.
[25] Ebd. 58.

II. Die Tora im Verständnis des Frühjudentums

1. Die Kontinuität des „Torabewußtseins" im Frühjudentum

Dem Satz von U. Luz ist m. E. zuzustimmen: „Der oft behauptete
Bruch zwischen dem Alten Testament und dem Judentum ist wohl
überwiegend ein Produkt christlichen Vorverständnisses", ja, ich
würde sagen: eines christlichen Vorurteils. Dieses Vorurteil ging
und geht sogar soweit, den „Bruch" in das 6. Jh. v. Chr. zurückzudatieren, in der bekannten These: „Israel" bis zum babylonischen Exil,
nach ihm etwas ganz Neues, nämlich das „Judentum", das dann in
seiner weiteren geschichtlichen Entwicklung auch „Spätjudentum"
genannt wurde, oft schon versehen mit einem negativen Akzent. Vor
allem K. Müller hat sich mit diesem Vorurteil kritisch auseinandergesetzt[26]. Es gab gewiß in der Geschichte Israels, wie schon das Alte
Testament erzählt, Traditionsbrüche – auch Müller weist auf sie hin.
Aber es gab ein zusammenhaltendes Ganzes, das bis heute Kontinuität im Judentum herstellt, nämlich die Tora. Es wird wohl kaum
ein jüdisches Schriftwerk außerhalb der Bibel geben, in dem die
Tora nicht eine zentrale Rolle spielt, sei es apokalyptisches, essenisches oder rabbinisches Schrifttum. Auch die Halacha spielt in diesem „Kontinuitätsbewußtsein" eine wichtige Rolle. Denn auch die
mündliche Tora, „und zwar ganz unabhängig davon, ob sie exegetisch aus der schriftlichen Tora begründet [wie in der Gemara] oder
durch eine Traditionskette auf Mose zurückgeführt wurde [wie in
MAbot I, 1a], ist die Tora vom Sinai" (Luz)[27]; Luz zitiert SifDtn
11, 22 § 48 [84b]: „Die Tora, ihre Halakot, ihre Einzelbestimmungen
und ihre Erklärungen sind durch Mose vom Sinai gegeben worden."
Während R. Eleazar sagte, die Tora sei großenteils schriftlich und
kleinstenteils mündlich gegeben worden, lehrte R. Jochanan: Größtenteils mündlich und kleinstenteils schriftlich (bGittin V, 8 [60b])[28].

---

[26] Das Judentum in der religionsgeschichtlichen Arbeit am Neuen Testament. Eine
kritische Rückschau auf die Entwicklung einer Methodik bis zu den Qumranfunden
(Frankfurt – Bern 1983), bes. 103–105; dazu noch R. Rendtorff, Das „Ende" der Geschichte Israels, in: ders., Gesammelte Studien zum Alten Testament: ThB 27 (München 1975) 267–276.

[27] Gesetz (s. Anm. 4) 50.

[28] Ob freilich die „mündliche Tora" mit den „Überlieferungen der Ältesten bzw. der
Väter" identisch ist, wird von J. Neusner bezweifelt (vgl. ders., The Rabbinic Traditions

2. Die Unteilbarkeit der Tora

Weil die Tora alle Lebensäußerungen beansprucht und ihr Ziel die Herstellung des Schalom-Zustandes für Israel ist, darum geht es in ihr „stets um das Ganze" (Gese)[29]. Alle ihre Weisungen sind zu halten. Vgl. Dtn 27,26: „verflucht sei jeder Mensch, der nicht verharrt in allen Worten der Tora"; 1 QS V,8f: Jeder, der in den Bund Gottes eintritt, „soll sich durch einen bindenden Eid verpflichten, umzukehren zum Gesetz des Mose gemäß *allem,* was er befohlen hat, von ganzem Herzen und ganzer Seele, zu *allem,* was von ihm offenbart ist den Söhnen Sadoqs, den Priestern, die den Bund wahren und seinen Willen erforschen ...". Josephus, Ant.XX,45: „Es ist nämlich nicht genug, das Gesetz zu lesen, du mußt vielmehr auch *alle* seine Gebote befolgen"; MAbot III,8 (R. Dosethai); „Wer *eins* von einem Lehrstück vergißt, dem rechnet man es an, als verwirkte er seine Seele." [30] Natürlich ist das nicht der Standpunkt aller gläubigen Juden bis zum heutigen Tag, aber er ergibt sich als Konsequenz aus Dtn 27,26.

3. Lernen und Tun

Christliches Prinzip ist: Glauben und Tun, jüdisches: Lernen und Tun. Die Tora will nämlich „gelernt" sein. Ich bringe zum Erweis Material aus MAbot[31]: „Schicke dich an, die Tora zu lernen; denn sie fällt dir nicht als Erbschaft zu" (II,12b); „wer sich Worte der

---

about the Pharisees before 70; Bd. III [Leiden 1971] 143–179; Hinweis bei *Petuchowski,* a. a. O. [s. Anm. 16] 80). *Petuchowski* bemerkt: „Obwohl man ... den Offenbarungsbegriff in dem Bild der sinaitischen Offenbarung konkretisierte, bedeutete die Lehre von der ‚mündlichen Tora' am Ende doch, daß Gott sich weiterhin offenbarte – und zwar durch die ‚Kette der Tradition', durch die Männer, die ihre Befugnis, die Bibel auszulegen und Verordnungen zu treffen, dadurch erlangten, daß sie in einer Tradition standen und einer Ordination teilhaftig wurden, die, wie sie glaubten, ihren Anfang in Josuas Ordination durch Mose hatte" (ebd. 81).

[29] Bibl. Theologie (s. Anm. 10) 62.

[30] Vgl. auch noch MekhEx 12,6; Gal 5,3; Jak 2,10. Entweder urteilt Paulus in Gal 5,6 streng pharisäisch und verlangt von dem, der sich beschneiden läßt, die Erfüllung des ganzen Gesetzes, oder er schreibt „of a Jewish view diametrically opposed to his own" (*H. D. Betz,* Galatians. A Commentary on Paul's Letter to the Churches in Galatia [Philadelphia 1979] 260).

[31] Zitate nach der „Gießener Mischna", Traktat Abot (Text, Übersetzung und Erklärung von *K. Martin und G. Beer*).

Tora erworben hat, hat sich das Leben der zukünftigen Welt erworben" (II, 7) (natürlich geschieht der „Erwerb" der Tora durch ständiges Lernen); „Wer ist weise? Wer von jedermann lernt" (IV, 1); „Wer lernt, um zu lehren, dem wird die Kraft gegeben, zu lernen und zu lehren; und wer lernt, um zu tun, dem wird die Kraft gegeben, zu lernen, zu lehren und zu tun" (IV, 5a).[32] Das „lernen" steht also ganz im Dienst des „tun", der Realisierung. Deshalb spielt im Judentum seit alten Zeiten bis heute das „lernen" und das „repetieren" des Gelernten eine so wichtige Rolle[33]. Das „lernen" zielt auf das „tun", weil das „tun" „die Hauptsache" ist, Abot I, 17: „Nicht das Forschen ist die Hauptsache, sondern das Tun". „Vier Arten gibt es unter den Besuchern des Lehrhauses. Wer hingeht, aber nicht danach handelt, der hat das Verdienst des Hingehens. Wer danach handelt, aber nicht hingeht, der hat das Verdienst des Handelns. Wer hingeht und danach handelt, der ist fromm. Wer nicht hingeht und nicht danach handelt, der ist gottlos" (V, 14). „Mehr als du lernst, tue!" (VI, 4b). Es sei auch noch hingewiesen auf VI, 5: Die Tora wird durch folgende Dinge erworben: „durch Studium, Aufhorchen des Ohrs, Zurüstung der Lippen[34], Einsicht des Herzens, Verstand des Herzens, Schrecken und Furcht, Demut, Freudigkeit, Bedienung der Weisen, Forschen mit Kollegen, Erörterung mit Schülern, Überlegung, (Lesen der) Schrift, (Studium der) Mischna, Beschränkung des Handelns, des Schlafes, des Vergnügens, des Scherzes, der weltlichen Beschäftigung, durch Langmut, ein gutes Herz, Vertrauen zu den Weisen, Ertragen von Leiden". Wenn das „lernen" auf das „tun" hinzielt, so ist das das Ziel aller Tora, wie es schon im Alten Testament durchge-

---

[32] Vgl. dazu auch Esr 7, 10: „Denn Esra war von ganzem Herzen darauf aus, das Gesetz des Herrn zu erforschen und danach zu tun und es als Satzung und Recht in Israel zu lehren".

[33] Material zum „lernen" (auswendiglernen) in der Zeit des Alten Bundes, im Elternhaus, in der Schule und Synagoge bietet in reicher Fülle R. Riesner, Jesus als Lehrer (Tübingen ²1984) 119–123; ders., Jüdische Elementarbildung und Evangelienüberlieferung, in: R. T. France – D. Wenham (Hg.), Gospel Perspectives I (Sheffield 1980) 209–223; vgl. auch noch N. Lohfink, Gottesvolk als Lerngemeinschaft. Zur Kirchenwirklichkeit im Buch Deuteronomium, in: BiKi H. 3 (1984) 90–100.

[34] Die „Zurüstung der Lippen" „bezieht sich auf deutliches und lautes Aussprechen des einzelnen Buchstaben und Wortes" (Martin–Beer, Abot, 172), nämlich beim lauten Lernen, das im Judentum eine große Rolle spielt. Vgl. dazu auch S. Krauß, Talmudische Archäologie III (Nachdruck Hildesheim 1966) 227–229.

36

hend ausgesprochen ist (vgl. etwa Lev 18,4f; Jos 22,5). Auch Jesus drängte, darin ganz Jude, auf das „tun" (ποιεῖν)![35]

4. Heiligung des Alltags

Die Tora stellt die Willensoffenbarung Gottes dar. Deshalb erfordern ihre Weisungen den Totalgehorsam Israels gegenüber Jahwe, der es erwählt hat, auch wenn der Mensch den Sinn der einen oder anderen Weisung nicht einsehen kann. „Du denkst vielleicht, dies sei etwas Sinnloses, so heißt es: Ich bin der Herr. Ich, der Herr, habe es zur Satzung gemacht, und dir steht es nicht zu, darüber nachzudenken" (bJoma 67b).[36] Gerade weil es beim Toragehorsam um das Ideal der Ganzheit geht – nicht der geringste Teil des Lebens darf von ihm ausgenommen sein! –, bedarf die Tora der kasuistischen Auslegung. Solche Kasuistik findet sich in der biblischen Tora selbst schon in vielfältiger Weise und erst recht in der Halacha. Die christliche Theologie hat den tiefen Sinn solcher Kasuistik häufig nicht verstanden, ja ins Lächerliche gezogen. In Wirklichkeit sucht die Kasuistik „den Anspruch der Tora auf das ganze Leben des Menschen ernst zu nehmen" (Luz)[37], um so den Alltag zu heiligen. Deshalb hat man das Judentum als „Religion der Heiligkeit" bezeichnet. Die Tora will die Heiligung des Alltags[38]. Dies wußten im alten Judentum besonders die Pharisäer. Deshalb sei auf sie kurz die Rede gebracht.

III. Das Anliegen der Pharisäer

Der christliche Umlernprozeß gegenüber den Pharisäern ist zwar schon in vollem Gang, aber das eigentliche Wollen der Pharisäer noch immer nicht genügend erkannt. Die beste Hilfe zu dieser Er-

---

[35] Vgl. *H. Braun*, Art. ποιέω, in: ThWNT VI, 456–483, hier 467f. „Jesus wie die anschließende Tradition geben dem Tun und dem Hören vor dem Sagen eindeutig den Vorzug und bleiben auch damit auf dem Boden des offiziellen Judentums …", in: *ders.*, Spätjüdisch-häretischer und frühchristlicher Radikalismus II (Tübingen 1957) 32.
[36] Zitiert bei *Luz*, Gesetz (s. Anm. 4) 51f.
[37] Ebd. 53.
[38] Vgl. dazu auch *N. Oswald*, Grundgedanken zu einer pharisäisch-rabbinischen Theologie, in: Kairos 6 (1963) 40–58.

kenntnis bieten jetzt m. E. die Arbeiten des großen jüdischen Gelehrten Jacob Neusner[39]. Neusner hat zunächst in seinem dreibändigen Werk „The Rabbinic Traditions about the Pharisees before 70" nachgewiesen, daß der Pharisäismus vor der Tempelzerstörung keineswegs identisch ist mit dem Judentum der Mischna. Die Mischna repräsentiert ein „idealisiertes" Judentum, das freilich für die weitere Gestalt des religiösen Judentums maßgebend wurde[40]. Nach Neusner besteht der „hervorstechendste Zug des Pharisäismus vor 70 ... im Interesse für rituelle Dinge. Insbesondere betonen die Pharisäer, daß Essen im Status ritueller Reinheit, so als wäre man Tempelpriester, zu erfolgen habe, und daß höchste Sorgfalt beim Verzehnten und bei den Abgaben für die Priesterschaft erforderlich sei."[41] Die Priester mußten im Tempel ihr Essen im Zustand ritueller Reinheit einnehmen, die Laien nicht. Die Pharisäer dagegen vertraten die Meinung, „daß man sogar außerhalb des Tempels, zuhause, den Gesetzen der rituellen Reinheit folgen mußte ... als wäre man Tempelpriester. Die Pharisäer forderten daher für sich selbst und darum in gleicher Weise für alle Juden den Status und die Verpflichtungen der Tempelpriester. Der Tisch im Haus eines jeden Juden ist wie der Tisch des Herrn im Jerusalemer Tempel. Das Gebot ‚ihr sollt mir sein ein Königreich von Priestern und ein heiliges Volk' wurde wörtlich genommen. Das ganze Land galt als heilig. Der Tisch eines jeden Juden besaß denselben Grad von Heiligkeit wie der Tisch im Kult. Aber in jener Zeit vor 70 waren nur die Pharisäer dieser Auffassung, und so war es ein Zeichen, daß ein Jude ein Pharisäer war, wenn er nichtgeweihtes Essen so aß, als wäre er ein Tempelpriester am Tisch des Herrn" (ders.).[42] Damit hängt zusammen, daß die Pharisäer die landwirtschaftlichen Gesetze, die mit dem „Verzehnten" zusammenhingen, „als eine religiöse Hauptpflicht ansahen ... Im

[39] *J. Neusner,* The Rabbinic Traditions about the Pharisees before 70, 3 Bände (I: The Masters, II: The Houses, III: Conclusions) (Leiden 1971); *ders.,* Das pharisäische und talmudische Judentum. Neue Wege zu seinem Verständnis (Tübingen 1984, mit einem Vorwort von M. Hengel). Weitere Literatur bei *F. Mußner,* Traktat über die Juden (München 1979) 253, Anm. 22.
[40] Vgl. dazu *J. Neusner,* Judaism: The Evidence of the Mishnah (Chicago–London 1981).
[41] *Neusner,* Das pharisäische und talmudische Judentum (s. Anm. 39) 24.
[42] Ebd. 25

Endeffekt bedeuten die landwirtschaftlichen Gesetze und die Reinheitsregeln Tischgemeinschaft: wie und was man essen durfte. Das heißt, es waren ‚Speisegesetze'" (ders.).[43] Das Bedeutsame ist, daß die pharisäische Haltung „im höchsten Grad der Zeit angemessen" war, „in der es keinen Tempel gab" (ders.)[44]. Neusner zitiert aus bBer 55a: „Solange der Tempel stand, sühnte der Altar für Israel. Aber jetzt sühnt eines jeden Tisch für ihn", und er bemerkt: „Die Pharisäer hatten diese Zeit in einer seltsamen und paradoxen Weise bereits vorbereitet, eben indem sie den Anspruch erhoben, Tempelpriester zu sein. Aber dieser Anspruch trug in sich den Keim zu einer religiösen Revolution. Es ging wirklich um das Heilige ... Ihre Botschaft vor 70 war, daß das Heilige nicht auf den Tempel begrenzt war ... Mit anderen Worten: Die pharisäische Botschaft für die Zeit der Krise war, in der Schrift die Elemente zur Geltung zu bringen, die jene tiefergehenden, geistigen Möglichkeiten des Gottesdienstes betonten, als der Tempel sie bot. Ihre Methode – zu leben, als sei man ein Priester – enthielt eine Botschaft in Bezug auf das einzige, was den Juden nach dem messianischen Krieg des Jahres 70 übriggeblieben war: Das Volk ist der Tempel, der geblieben ist und bleiben wird. Haus und Dorf sind der überlebende heilige Ort. Das Leben der Gemeinschaft ist der Kult."[45] „Die pharisäische Ordnung bedeutete eine ständige Ritualisierung des täglichen Lebens und das immer gegenwärtige Bewußtsein der gemeinschaftlichen Ordnung des Seins" (ders.).[46]

Das klingt alles anders, als was man von christlichen Theologen gewöhnlich über die Pharisäer hören kann – auch schon in den Evangelien, die ein „Feindbild" von den Pharisäern aufbauen[47]. Warum es gerade zwischen den Pharisäern und Jesus von Nazareth zu heftigen Konflikten kam, die historisch sicher nicht leugbar

---

[43] Ebd. 25f.   [44] Ebd. 26.
[45] Ebd. 26f.   [46] Ebd. 28.
[47] Vgl. dazu *Mußner,* Traktat über die Juden (s. Anm. 39) 257–272. *Neusner* bemerkt (Das pharisäische und talmudische Judentum, 24f): „Sicherlich enthalten die Evangelien auch ein beträchtliches Maß feindseliger Polemik – davon einiges ziemlich extrem – ... Alles, was man aus den Anschuldigungen [der Evangelien] lernen kann – z.B. die Pharisäer seien ein ‚Otterngezücht', moralisch hohl [‚Heuchler'], Sünder, Ungläubige –, ist diese eine Tatsache: daß christliche Juden und pharisäische Juden sich nicht verstanden."

sind, muß neu durchdacht werden. Jedenfalls lag das Wollen der Pharisäer ganz auf der Linie der Tora, die auf die Heiligung des Alltags hinzielt. Sie bereiteten mit ihren Überzeugungen das sog. rabbinische Judentum der Zeit nach 70 vor. „In der Person und Gestalt des Rabbi wurde die gesamte Last von Israels Erbe aufgenommen, erneuert und von der Spätantike bis heute überliefert" (Neusner).[48]

Ohne Tora kein Judentum – der Jude, der ohne Tora sein Judentum verstehen will, versteht es falsch, weil er vergessen hat, daß die Tora die Willensoffenbarung Jahwes an sein Volk Israel ist. Radikal formuliert, gerade mit Blick auf die paulinische Lehre von der Tora: Ohne die Tora verliert das Judentum seine Identität! Würde das Paulus unterschreiben? Eine schwierige Frage.

IV. Das christliche Vorurteil

Es lautet: Das „Tun" der Tora durch den Juden, speziell durch den pharisäischen Juden, sei ethischer „Formalismus" – häufig verbunden mit dem Hinweis auf die pharisäisch-rabbinische „Kasuistik" in der Halacha – und sei Ausdruck von „Leistungsfrömmigkeit" („Leistungsprinzip"!). Das Judentum sei eine Religion gesetzlicher Werkgerechtigkeit, beruhend auf dem „Verdienstgedanken". Mit solchen Qualifizierungen der jüdischen Frömmigkeit tut man dem Judentum bitter Unrecht. Es ist Pflicht, darauf zu achten, wie der Jude sich selbst versteht, und darauf zu achten, wie der Jude die Tora und das Leben nach der Tora verstanden hat und versteht. Daß das religiöse Leben entarten und veräußerlicht werden kann, daß es zur „Rühmung" vor Gott kommen kann, weiß nicht erst der Christ und weiß nicht erst Jesus, sondern das weiß auch der Jude; auch *seine* Bibel, von uns Christen das „Alte Testament" genannt, übt heftige Kritik an den religiösen Entartungserscheinungen, aber das Alte Testament nennt als Ursache des Verfalls und des Unheils mit besonderer Vorliebe die Untreue gegen die Tora und damit gegen den Bund. Unter den vielen Textbeispielen, die dafür zu nennen wären, sei jetzt nur auf das große Bußgebet in Neh 9,6–37 verwiesen, mit dem

---

[48] *Neusner,* Das pharisäische und talmudische Judentum (s. Anm. 39) 31.

Schuldbekenntnis in 9,33 ff: „Du warst gerecht bei allem, was über uns gekommen ist. Du hast uns deine Treue bewiesen; wir aber haben gesündigt. Unsere Könige, Vorsteher und Priester und unsere Väter befolgten dein Gesetz nicht; sie mißachteten deine Gebote und die Warnungen, die du an sie gerichtet hast." Erwählung, Tora, Bund, Heil und Erlösung gehören für jüdisches Bewußtsein zusammen. „Unter dieser Bedingung habe ich euch aus Ägyptenland heraufgeführt, daß ihr das Joch der Gebote auf euch nehmt" (SifLev 11,45).[49] Luz bemerkt dazu sehr treffend[50]: „Von hier aus wird deutlich, in wie hohem Maße der paulinische Gedanke der Werkgerechtigkeit vom jüdischen Gesetzesverständnis her ein Fremdkörper war. Daß der Mensch mit Hilfe des Gesetzes eine *eigene* Gerechtigkeit aufrichtet (Röm 9,30 ff) – welch unmöglicher Gedanke für den, der sich beim Joch der Gebote zugleich an den von Gott gewirkten Auszug aus Ägypten erinnert! … So versteht sich der Gott Gehorsame im Judentum nicht als autonomes Subjekt, sondern von vornherein als Gottes Knecht: ‚Seid wie Knechte, die dem Herrn dienen, ohne die Absicht, Lohn zu empfangen, und es sei Gottesfurcht über euch' (Aboth 1,3, Antigonus von Socho)." Ich füge dem einen Spruch des Rabban Jochanan ben Zakkaj hinzu: „Wenn du die Tora in reichem Maße getan hast, so tue dir nichts darauf zugute; denn dazu bist du geschaffen" (MAbot II,8 b).

Zur „Theologie nach Auschwitz" gehört auch dies, daß wir endlich über das Toraleben des Juden so denken, wie er selber darüber denkt. Man kann die paulinische Rechtfertigungslehre auch verstehen und vertreten, ohne dabei den Juden zu verteufeln. Die Erfüllung des Gesetzes durch den Juden darf nicht als „ethischer Formalismus", „Leistungsfrömmigkeit" und „gesetzliche Werkgerechtigkeit" bezeichnet werden.

V. E. P. Sanders' Buch „Paulus und das palästinische Judentum"

Erst nach der Tagung von Brixen fing ich an, mich mit dem Werk von E. P. Sanders' „Paulus und das palästinische Judentum. Ein

---

[49] Zitiert bei *Luz,* Gesetz (s. Anm. 4) 47.
[50] Ebd.

Vergleich zweier Religionsstrukturen" zu beschäftigen[51]. Es geht Sanders mit diesem großen und gelehrten Werk in seinem ersten Teil genau um die kritische Prüfung des christlichen Vorurteils, von dem in meinem Referat unter IV die Rede ist. „Eins der Ziele dieses Buches war, der vorherrschenden christl. Beurteilung des rabb. Judentums, wonach es sich bei ihm um eine Religion gesetzlicher Werkgerechtigkeit handele, ein Ende zu bereiten" (IX). Diese These durchzieht, wie Sanders eingehend nachweist, vor allem die deutsche Judentumsforschung, angefangen von F. Weber[52] über W. Bousset/H. Greßmann[53], P. Billerbeck[54] bis R. Bultmann[55] u. a. Sie wurde bis heute von vielen christlichen Theologen ungeprüft nachgesprochen. Die Absicht Sanders' geht nicht dahin, eine Geschichte der jüdischen Religion zu schreiben, sondern an Hand der palästinisch-jüdischen Texte aus der Zeit von 200 v. Chr. bis 200 n. Chr. und der genuinen Paulusbriefe ihre „Religionsstrukturen" zu vergleichen (vgl. S. 19)[56]. Dabei versteht Sanders den Begriff „Religionsstruktur" so: „Eine Religionsstruktur, positiv definiert, ist die Beschreibung, wie eine Religion von ihren Anhängern in ihrer *Funktion* verstanden wird. ‚In ihrer Funktion verstanden' meint nicht das,

---

[51] (SUNT 17) (Göttingen 1985). Es handelt sich um die autorisierte Übersetzung des Buchs aus dem Amerikanischen durch J. Wehnert. Titel des Originals: Paul and Palestinian Judaism (London 1977). Der Übersetzer hat, bemerkt Sanders dankbar im Vorwort, „auch die Stellenverweise überprüft und so eine nicht unerhebliche Zahl von Versehen ausmerzen können" (XIV).

[52] Jüdische Theologie auf Grund des Talmuds und verwandter Schriften gemeinfaßlich dargestellt (Leipzig 1897, Repr. Hildesheim 1975).

[53] Die Religion des Judentums im späthellenistischen Zeitalter (hg. von H. Greßmann) (Tübingen ⁴1966).

[54] Kommentar zum Neuen Testament aus Talmud und Midrasch I–VI (München 1922–1961; mehrere Nachdrucke).

[55] Das Urchristentum im Rahmen der antiken Religionen (Zürich–Stuttgart ⁴1976).

[56] Aus den jüdischen Schriften der besagten Zeit werden von *Sanders* vor allem folgende Werke berücksichtigt: Qumranschrifttum, Jesus Sirach, äth. Henoch, Jubiläenbuch, Psalmen Salomos, 4 Esra, tannaitisches Schrifttum. – Kritische Stimmen zum Werk Sanders' blieben nicht aus. Vor allem wird ihm vorgeworfen, er habe sein Belegmaterial einseitig zugunsten seiner Thesen ausgewählt und das reiche Material für den „Verdienst"-Gedanken im jüdischen Schrifttum unterschlagen; so vor allem *G. W. Buchanan* auf der Tagung der Studiorum Novi Testamenti Societas in Trondheim (20.–22. August 1985). Die Diskussion wird weitergehen müssen. Man muß auf jeden Fall *Sanders* dankbar sein, daß er sie so entschieden angestoßen hat; man wird dabei von seiner Arbeit nicht mehr absehen können.

was ein Gläubiger Tag für Tag tut, sondern wie das *Hineingelangen und Darinverbleiben verstanden werden*" (18), gemeint ist: in den und in dem Bund, den Gott mit seinem erwählten Volk Israel geschlossen hat. Das ist die Grundfrage des palästinischen Judentums, wie Sanders an Hand eines riesigen Quellenmaterials nachweisen kann. Dabei zeigt Sanders, „daß die Position von Weber/Bousset/Billerbeck, soweit sie sich auf die tann[aitische] Literatur bezieht, auf einer massiven Verdrehung und Fehlinterpretation der Texte beruht" (54).

Erwählung und Bund sind unverdiente Gaben Gottes. Das wußte und weiß der Jude. „Gnade hast du an uns getan, denn nicht waren [sc. verdienstvolle] Werke in unseren Händen" (MekhSchirata 9, 145; zitiert bei Sanders, 81). Die Tora und die Halacha begleiten dabei den Bund. Sanders stellt fest, „daß an der Auffassung, Gott habe zunächst Israel erwählt und erst dann Gebote erlassen, denen zu gehorchen war, in der rabb. Literatur kein Mangel ist" (81), Sanders bringt den Nachweis dafür. Dabei wurde die Erwählung „als für alle Zeiten gültig betrachtet"; dies kommt im jüdischen Schrifttum „häufig zum Ausdruck" (97). „Selbst wenn die Vorstellung, daß Gott Israel nur aufgrund vergangener, gegenwärtiger oder zukünftiger Verdienste erwählte, ein rabb. Lehrsatz wäre (was sie nicht ist), würde dies noch immer nicht beweisen, daß der einzelne Israelit sein Heil verdienen müßte. Auch wenn die Erwählung in der Vergangenheit erworben worden war, bedeutete das nicht, daß die nachfolgenden Israeliten, jeder für sich, ihren Platz im Bund zu verdienen hatten oder daß der Bund in jeder Generation aufs neue erworben werden mußte. Aus welchem Grund auch immer Gott Israel in der Vergangenheit erwählt hatte: Die grundsätzliche Erwartung bestand darin, daß der Bund in den nachfolgenden Generationen wirksam bleiben und Gott sein Versprechen halten würde, sein Volk zu erlösen und zu bewahren" (95). Erlösung erfolgt durch die bleibende Mitgliedschaft im Bund, durch Sühne und Umkehr, so man den Willen Gottes übertreten hat (vgl. dazu 138–172).

Der rabbinischen Glaubensüberzeugung liegt nach Sanders folgende „Struktur" zugrunde: „Gott hat Israel erwählt, und Israel hat diese Erwählung akzeptiert. In seiner Rolle als König gab Gott Israel Gebote, die es so gut wie möglich halten soll. Gehorsam wird belohnt und Ungehorsam bestraft. Im Falle des Ungehorsams hat man jedoch Zugang zu von Gott verordneten Sühnmitteln, die sämtlich Buße voraussetzen. Solange wie jemand an seinem Wunsch festhält, innerhalb des Bundes zu bleiben, hat er Anteil an den Bundesverheißungen, einschließlich des Lebens in der zukünftigen Welt. Gehorsamsvorsatz und -anstrengung sind die *Bedingungen für das Verbleiben im Bund,* sie *erwerben* es aber nicht" (170). Dazu bemerkt Sanders: „Nur wenn man diese umfassende Struktur ignoriert, läßt sich der Eindruck erwecken, als seien die Rabbinen legalistisch – im strengen und herabsetzenden Sinne des Wortes. Ihre ‚Gesetzlichkeit' steht jedoch innerhalb eines größeren Zusammenhangs von Erwählung aus Gnade und zugesichertem Heil" (170).[57] Nur wer die jüdische „Gesetzlichkeit" von Erwählung und Bund lostrennt und isoliert, kommt zu den fatalen Fehlurteilen über das religiöse Leben des Juden, die bis heute in der christlichen Theologie anzutreffen sind.

Das Hauptergebnis des ersten Teils des Werkes von Sanders lautet: der „Bundesnomismus" muß „der in Palästina vor der Zerstörung des Tempels maßgebliche allgemeine Religionstypus gewesen sein" (406).

Mit Blick auf das Thema unseres Beitrags gehen wir auf den Paulus-Teil seines Werkes[58] nicht näher ein[59].

---

[57] *Sanders* bezeichnet den von ihm erarbeiteten „Religionstypus" des Judentums gern auch, wenn auch vielleicht nicht ganz glücklich, als „Bundesnomismus"; er beschreibt dessen „Struktur" auf S. 400 seines Werkes nochmals so: „1) Gott hat Israel erwählt und 2) das Gesetz gegeben. Das Gesetz beinhaltet zweierlei: 3) Gottes Verheißung, an der Erwählung festzuhalten, und 4) die Forderung, gehorsam zu sein. 5) Gott belohnt Gehorsam und bestraft Übertretungen. 6) Das Gesetz sieht Sühnmittel vor, und die Sühnung führt 7) zur Aufrechterhaltung bzw. Wiederherstellung des Bundesverhältnisses. 8) All jene, die durch Gehorsam, Sühnung und Gottes Barmherzigkeit innerhalb des Bundes gehalten werden, gehören zur Gruppe derer, die gerettet werden. Eine wichtige Interpretation des ersten und des letzten Punktes besteht darin, daß Erwählung und letztliche Errettung nicht als menschliches Werk, sondern als Tat der Barmherzigkeit Gottes verstanden werden."

[58] Nach *Sanders* läßt sich die „Struktur" des religiösen Gedankens des Apostels Paulus so zusammenfassen: „Gott hat Christus als Heiland für beide, Juden und Heiden, gesandt ...; man partizipiert am Heil, indem man eins wird mit Christus, mit ihm der Sünde stirbt und an der Verheißung seiner Auferstehung Anteil hat; diese Verwandlung wird jedoch nicht vollendet, bis der Herr wiederkommt; in der Zwischenzeit ist der, der in Christus lebt, von der Macht der Sünde und der Verunreinigung durch Gesetzesübertretungen befreit, und sein Verhalten sollte durch seine neue Situation bestimmt werden; da Christus starb, um alle zu erretten, müssen alle Menschen unter der

44

Herrschaft der Sünde gewesen sein – ,im Fleisch' im Gegensatz zur Existenz ,im Geist'" (510). *Sanders* nennt diese Denkweise, auch wieder nicht allzu glücklich, „partizipationistische Eschatologie". Er übt dabei im Anschluß an A. Schweitzer Kritik an der vorgeschobenen Rechtfertigungslehre der Reformation, weil nach seiner Überzeugung die Rechtfertigung des Sünders *sola gratia* nur ein „Nebenkrater" innerhalb der paulinischen „Christusmystik" ist. *„Was Paulus am Judentum für falsch hält, ist,* auf eine Kurzformel gebracht, *daß es kein Christentum ist"* (513). Dabei kommt bei Sanders Röm 9–11 viel zu kurz, wo Paulus lehrt, daß die Heidenkirche „Teilhaberin an der Wurzel" ist, die Heiden dem „Edelölbaum" Israel sola gratia „eingepfropft" worden sind und die Juden selbst „der Natur entsprechend" einst wieder in den „eigenen Ölbaum eingepfropft werden" (vgl. Röm 11, 17.24). Und hat Paulus wirklich das Gesetz gänzlich abrogiert, wie es nach Sanders zu sein scheint? Zur Kritik am Paulus-Teil im Werk von *Sanders* vgl. vor allem auch *H. Hübner,* Pauli Theologiae Proprium, in: NTSt 26 (1980) 445–473; dazu wiederum *Sanders,* Paul, the law and the Jewish People (Philadelphia 1983; vgl. auch den Beitrag von *Lambrecht* in dieser QD).

[59] Zu dem von mir behandelten Thema vgl. auch noch *R. Gradwohl,* Die Worte aus dem Feuer. Wie die Gebote das Leben erfüllen (Freiburg i. Br. ²1978) (mit einem Geleitwort von F. Mußner); *B. Feininger,* Das Judentum unter der Weisung Gottes. Toraverständnis in Geschichte und Gegenwart, in: *G. Biemer* u.a., Was Juden und Judentum für Christen bedeuten. Eine neue Verhältnisbesinnung zwischen Christen und Juden (= Lernprozeß Christen Juden 3) (Freiburg i. Br. 1984) 237–266.

III

Gesetzeskritik und Gesetzesgehorsam in der Jesustradition

Von Gerhard Dautzenberg, Gießen

Anton Vögtle, dem verehrten Anreger,
Kollegen und Freund zum 75. Geburtstag

Die Frage nach dem Verhältnis von Gesetzeskritik und Gesetzesgehorsam wird im allgemeinen unmittelbar an der Geschichte Jesu oder an bestimmten Jesustraditionen oder Jesusredaktionen diskutiert. Dabei entstehen, wie schon oft bemerkt wurde, sehr unterschiedliche Jesusbilder und auch sehr unterschiedliche Einschätzungen einzelner Phasen der Jesustradition. Das Spektrum der Deutungen umfaßt in der gegenwärtigen deutschsprachigen Exegese diametrale Gegensätze. F. Hahn hat vor unserer Neutestamentlervereinigung bei der Tagung in Wien 1973, ohne damals oder später auf Widerspruch zu stoßen, seine Skizze eines Gesamtbildes der vorösterlichen Geschichte Jesu mit einer knappen Zusammenfassung des Gegensatzes zwischen Jesus und dem Judentum seiner Zeit eingeleitet: der Konflikt betraf die Fundamente des jüdischen Glaubens, vor allem das Gesetzesverständnis; der Vorwurf der Gotteslästerung (Mk 2,7; 14,64; Joh 10,33) habe seinen geschichtlichen Anhalt weniger im messianischen Anspruch Jesu als darin, daß er sich der Norm der Tora nicht fügte, todeswürdige Grundverordnungen der Tora mit Absicht übertrat, daß er „nicht bereit war, als Jude jüdisch zu leben im Sinne des damaligen jüdischen Selbstverständnisses, gleich welcher Schattierung"[1]. S. Schulz dagegen stellt Jesus als einen „Toraausleger" vor, gestützt auf die von ihm der ältesten Traditionsschicht von Q zugewiesene „charismatisch-eschatologische Toraverschärfung"[2].

---

[1] *F. Hahn,* Methodologische Überlegungen zur Rückfrage nach Jesus, in: *K. Kertelge* (Hg.), Rückfrage nach Jesus (QD 63) (Freiburg i. Br. 1974) 11–77, hier 43.

[2] *S. Schulz,* Die neue Frage nach dem historischen Jesus, in: *H. Baltensweiler – B. Reicke* (Hg.), Neues Testament und Geschichte. FS O. Cullmann (Zürich – Tübingen 1972) 33–42, hier 38.41.

Aus meiner Sicht muß sich die Untersuchung der Gesetzesfrage in der Jesustradition vor zwei Gefahren hüten:

1. Einzelbeobachtungen oder Einzeltexte zu unvermittelt dem „Gesetz" als solchem gegenüberzustellen, ohne den Lebens- und Auslegungszusammenhang des Frühjudentums auf der einen und der urchristlichen Gruppierungen auf der anderen Seite genügend zu berücksichtigen und

2. damit zusammenhängend zu schnell zu einem Urteil darüber gelangen zu wollen, was jüdisch noch möglich oder vor allem unmöglich sei[3].

Beiden Gefahren, vor allem auch der in dieser Frage häufig arbiträren Echtheitsdiskussion[4] soll durch den Ansatz bei der Jesustradition entgegengewirkt werden.

I. Der paulinische Befund

In der Frage, ob und wie die Jesustradition zur Tora Stellung bezogen hat, kommt dem Zeugnis der Paulusbriefe eine gewisse Bedeutung zu, zumal sie etwa eine Generation älter sind als die Evangelien und zumal es nicht an Versuchen fehlt, eine sachliche Kontinuität zwischen dem Gesetzesverständnis Jesu von Nazaret und dem Gesetzesverständnis des Apostels Paulus aufzuweisen. U. Luz z. B., der sich erkennbar bemüht, die Frage des Gesetzes in einem weiteren, nicht von vornherein von antijüdischen Vorurteilen besetzten Horizont zu erörtern, kann nach der Besprechung der Antithesen und des Liebesgebots zunächst von „Jesu Relativierung des alttestamentlichen Gesetzes" sprechen, welche von seiner Gottesreichverkündigung her am ehesten verstehbar werde, und daraus folgern: „Es gibt also m. E. wohl eine Gemeinsamkeit, die Jesus mit dem paulinischen Satz, daß Christus das Gesetzes Ende sei (Röm 10,4), verbindet ... Für Jesus wie für Paulus gilt, daß Gott seine Israel geschenkte Liebe durch noch größere Liebe überbietet. Und wie Jesus, so weiß auch

---

[3] Das von *M. Hengel,* Jesus und die Tora, in: ThBeitr 9 (1978) 152–172, entworfene messianische Jesusbild bezieht seine Geschlossenheit aus der Gegenüberstellung zu einer ebenso geschlossen vorgestellten jüdischen Toraobservanz.
[4] Vgl. dazu *G. Dautzenberg,* Ist das Schwurverbot Mt 5,33–37; Jak 5,12 ein Beispiel für die Torakritik Jesu?, in: BZ NF 25 (1981) 47–66, hier 66.

Paulus, daß Gott sein Gesetz, dessen Gnade er überbietet, nicht abschafft."[5]

Ob wir Jesus dieses Ausmaß an Gesetzesreflexion zutrauen dürfen oder müssen, sei im Augenblick dahingestellt – daran hängt auf jeden Fall das theologische Recht der von Luz hergestellten Beziehung zwischen Jesus und Paulus, zunächst muß aber der historische Befund ernsthaft untersucht werden. Ich fasse die Ergebnisse einer solchen Untersuchung in zwei Thesen zusammen:

1. These: Paulus konnte sich weder in der Frage der Tischgemeinschaft von Judenchristen und Heidenchristen (Gal 2, 11–14) bzw. von Christen und Heiden (1 Kor 8–10) bzw. hinsichtlich der Geltung und Anwendung der levitischen Speisegesetze in den christlichen Gemeinden (1 Kor 8–10; Röm 14, 1 – 15, 13) noch in der Frage der Sabbatbeobachtung (Gal 4, 10; Röm 14, 5f) für seine Position auf eine Stellungnahme Jesu berufen, weil ihm die Traditionen von Mk 2, 23 bis 3, 6; 7, 1–15 nicht bekannt waren.

Daß Paulus sich auf Anordnungen des irdischen Jesus berufen konnte, eine solche Berufung nicht aus theologischen Gründen ablehnte, sondern unter Umständen sogar bedauern konnte, daß ihm keine Weisung Jesu bekannt sei, zeigt sich genügend deutlich im 1. Korintherbrief (7, 10f.12.25.40 vgl. Mk 10, 11f parr; 1 Kor 9, 14 vgl. Lk 10, 7 par; 1 Kor 11, 23–25 vgl. Mk 14, 22–24 parr). Die mit dem antiochenischen Zwischenfall (Gal 2, 11–14) offen ausbrechende Auseinandersetzung um die Geltung der Reinheitshalacha beim Kontakt zwischen Juden- und Heidenchristen hätte unter Berufung auf ein Herrenwort wie Mk 7, 15 autoritativ entschieden werden können, wenn ein solches Wort zur Verfügung gestanden hätte[6], bzw. wenn Mk 7, 15 von Anfang an die torakritische Stoßrichtung

---

[5] *R. Smend – U. Luz,* Gesetz (Stuttgart 1981) 69; vgl. *J. D. G. Dunn,* Mark 2, 1–3, 6: A Bridge between Jesus and Paul on the Question of the Law, in: NTS 30 (1984) 395–415, hier 412.

[6] Mit *H. Räisänen,* Jesus and the Food Laws, in: JSNT 16 (1982) 79–100, hier 87; *ders.,* Zur Herkunft von Mk 7, 15, in: *J. Delobel* (Hg.), Logia (Löwen 1983) 477–484, hier 479; *Dunn,* Mark 413, welcher der Meinung ist, daß die hinter Mk 2, 15 – 3, 6 stehenden Traditionen die vorpaulinische Heidenmission, wie sie in Apg 11, 14–26 gespiegelt sei, beeinflußt haben, muß annehmen, daß Paulus diese Tradition aus prinzipiellen Erwägungen nicht zitiert habe, da er seine eigene Autorität auf die direkte Christusoffenbarung (Gal 1) gegründet habe.

gehabt hätte[7], welche ihm in der deutschsprachigen Exegese vielfach beigemessen wird[8]. Die Formulierung von Röm 14, 14: οἶδα καὶ πέπεισμαι ἐν κυρίῳ Ἰησοῦ ὅτι οὐδὲν κοινὸν δι' ἑαυτοῦ zeigt vielmehr an, daßPaulus mit der jahrtausendealten kultischen Überlieferung von Reinheit und Unreinheit, welche in die levitische Reinheitstora eingegangen war, weitgehend brechen konnte, weil er in seiner von der Herrschaft des erhöhten Christus bestimmten Erfahrung neue theologische Kriterien (die Herrschaft des Christus 14, 1–9; die Unmittelbarkeit jedes einzelnen zu Gott und zu Christus 14, 4.10–12; die Wirkungen der Herrschaft Gottes in der Gemeinde 14, 17) gewonnen hatte[9].

2. These: Paulus wußte nichts von einem Konflikt Jesu mit der Tora. Das Wissen von einem solchen Konflikt hätte sein heilsgeschichtliches Konzept von der in Tod und Auferweckung Jesu gründenden Ablösung der Tora als Heilsweg und sein christologisches Konzept vom Sohn Gottes, der um der Ablösung der Tora willen selber die Bindung an die Tora auf sich nahm, unmöglich gemacht.

Diese These stützt sich vor allem auf Gal 4, 4 und Röm 15, 8. Da die Kommentare beide Stellen gewöhnlich in andere Richtungen befragen bzw. auslegen, ist eine kurze exegetische Erörterung notwendig. Gal 4, 4 f ist Teil einer längeren Ausführung über die vorübergehende heilsgeschichtliche Bedeutung des Gesetzes 3, 19 – 4, 7. Die

---

[7] Bestritten von *D. Lührmann*, … womit er alle Speisen für rein erklärte (Mk 7, 19), in: WuD 16 (1981) 71–92, hier 84: „Die Frage des Gesetzes ist daher keine programmatische; dazu wird sie im frühen Christentum"; 86: Es gehe noch um das *Wie* des Essens, nicht um das *Was*.

[8] Besonders wirkungsvoll und scharf durch *E. Käsemann*, Das Problem des historischen Jesus, in: *ders.*, Exegetische Versuche und Besinnungen I (Göttingen 1960) 187–214, hier 207; vgl. *J. Gnilka*, Das Evangelium nach Markus I (EKK II, 1) (Zürich – Neukirchen 1978) 284: „Wenn es keine äußere Einwirkung gibt, die den Menschen wirklich verunreinigen konnte, ist in der Tat der levitische Reinheitskodex im Kern erledigt".

[9] Eine Ableitung von Röm 14, 14 aus Mk 7, 15 ist unwahrscheinlich: *Räisänen*, Herkunft 480 f; *W. D. Davies*, Mt 5, 17.18, in: *ders.*, Christian Origins and Judaism (London 1962) 30–66, hier 53: „The earliest Christians did not understand Jesus to have demanded the abandonment of the Law … And it is of utmost significance that the Apostle to the Gentiles was not able apparently to appeal to any specific word or act of Jesus during His ministry which would clarify His championing of Gentile Christians. On the contrary, he is constrained to refer to Jesus as a διάκονος περιτομῆς". Vgl. auch die reich dokumentierte Stellungnahme von *F. Neyrinck*, Paul and the Sayings of Jesus (Colloquium Biblicum Lovaniense XXXIV, August 1984, Vortragsmanuskript) 2–18.

Verse 4,3–5 beleuchten diesen Gesichtspunkt und den Übergang vom Status unter dem Gesetz zum Status der Sohnschaft nach 3,19; 3,23–25 zum drittenmal, und zwar so, daß sie die heilsgeschichtliche Wende vom Status „unter dem Gesetz" zur Befreiung von diesem Status mit dem Weg und dem Werk des Sohnes Gottes verbinden. Paulus formuliert unter Anlehnung an das Sendungsschema: Gott sandte seinen Sohn γενόμενον ἐκ γυναικός, γενόμενον ὑπὸ νόμον, ἵνα τοὺς ὑπὸ νόμον ἀγοράσῃ. In den Kommentaren findet das γενόμενον ἐκ γυναικός / geboren aus einer Frau weitaus größere Aufmerksamkeit als das γενόμενον ὑπὸ νόμον / gestellt unter das Gesetz. Überlegungen zum traditionellen Charakter beider Wendungen sind selten[10]. Im allgemeinen nimmt man wohl paulinische Formulierung im Rahmen des Sendungsschemas an. Dennoch lohnt es sich, darüber nachzudenken, ob nicht diese Bestimmungen aus urchristlichen Diskussionen stammen. Im γενόμενον ἐκ γυναικός zeichnet sich die Verbindung von Sendungsschema bzw. -christologie mit der Inkarnationschristologie ab[11], während das ὑπὸ νόμον in der urchristlichen Diskussion über die Geltung des Gesetzes durchaus herangezogen worden sein könnte, um vom Status und Verhalten Jesu auf den notwendigen Status und das Verhalten seiner Gemeinde zu schließen. Nach Paulus wird aber gerade durch das ὑπὸ νόμον γενέσθαι des Sohnes die Befreiung der Christen vom νόμος bewirkt.

Welche Vorstellungen verbanden sich für Paulus mit dem γενόμενον ὑπὸ νόμον: Christus ist unter den Gesetzesgehorsam getreten[12]; die Unterstellung Christi unter das Gesetz geschah non obligatione sed observatione[13]; Jesus war nicht nur Mensch unter Menschen, sondern darüber hinaus Jude und als solcher dem Gesetz unterstellt[14] – damit sind allerdings die Akzente verschoben, es geht Paulus zentral um das ὑπὸ νόμον. Ich verstehe auch nicht, weshalb

---

[10] Vgl. aber *H. D. Betz,* Galatians (Philadelphia 1979) 205–208; *J. Becker,* Der Brief an die Galater, in: NTD 8 (Göttingen 1976) 48 f.

[11] Vgl. *W. Kramer,* Christos, Kyrios, Gottessohn (AThANT 44) (Zürich 1963) 109–111; *F. Mußner,* Der Brief an die Galater (HThK IX) (Freiburg i. Br. 1974) 269 f.

[12] *M. J. Lagrange,* Épître aux Galates (EtB) (Paris ⁴1942) 102.

[13] *H. Schlier,* Der Brief an die Galater (KEK 7) (Göttingen ¹²1962) 195, nach Estius.

[14] *Mußner,* Galater 270; vgl. *Betz,* Galatians 207: „This christology emphasizes Christ's existence as a human being, in particular his being a Jew".

F. Mußner sich in einer Anmerkung so kritisch mit der von E. Haenchen geäußerten Auffassung: „Daß Jesus für Paulus ‚unter das Gesetz getan' war, verschließt die Möglichkeit, daß er von einem ernsthaften Konflikt Jesu mit dem Gesetz wußte"[15] auseinandersetzt. Mußner weist demgegenüber darauf hin, es gehe dem Apostel um „die irdischen Bedingungen des menschgewordenen Sohnes Gottes, nicht um seine Konflikte mit Israel; der Sohn wurde Mensch und Jude"[16]. Vom Kontext[17] her geht es weniger um die Inkarnation als um die Befreiung vom νόμος durch das ὑπὸ νόμον γενέσθαι Jesu. „Konflikte mit Israel" sind dadurch gerade nicht ausgeschlossen, wohl aber ein prinzipieller Konflikt mit dem Gesetz. Noch stärker empfindet man die christliche Abwehrhaltung gegenüber dem Gedanken eines vom Status ὑπὸ νόμον geprägten Wirkens Jesu in der Kommentierung von Burton. Zunächst interpretiert er unter Berufung auf Gal 3,23 ὑπὸ νόμον als „Under law as a system of legalism" und fährt dann fort: „That Paul carried his conception of Jesus' subjection to the law to the point of supposing that he was in his own thinking a *legalist* is wholly improbable; the subjection to law was, doubtless, rather in the fact of his living under *legalistic judaism,* obliged to keep its rules and conform to its usages."[18] Mit der Qualifikation des νόμος als „legalistic judaism" ist der heilsgeschichtliche Gesichtspunkt aufgegeben, die christliche ἐλευθερία Freiheit vom Legalismus.

Γενέσθαι ὑπὸ νόμον (Gal 4,21) bzw. Beschnittensein bedeutet nach Gal 5,3 verpflichtet zu sein, den ganzen νόμος zu tun, so wie es Paulus für seine vorchristliche Zeit beteuert (Gal 2,14; Phil 3,5f). Der Tod Jesu, nicht seine Predigt, brachte für die Gläubigen die Lösung von dieser Bindung (Gal 2,16; Röm 7,4) und vom Fluch des Gesetzes über seine Übertreter (Gal 3,10–13). Eine Torakritik Jesu – welcher Art auch immer – ist mit dieser heilsgeschichtlich-christologischen Konzeption des Paulus unvereinbar. Das γενόμενος ὑπὸ νό-

---

[15] *E. Haenchen,* Die frühe Christologie, in: ZThK 63 (1966) 145–159, hier 151; zustimmend zitiert von *W. Schenk,* in: NTS 29 (1983) 474 Anm. 4.

[16] *Mußner,* Galater 270 Anm. 120.

[17] *Betz,* Galatians 207: „Only the second part of the statement (‚put under the Law') fits the argument in Galatians, while the first ... is never discussed in the letter"; vgl. *Bekker,* Galater 49.

[18] *E. de Witt Burton,* The Epistle to the Galatians (ICC) (Edinburgh 1921) 218.

μον würde seine Prägnanz verlieren, wenn mit ihm nicht angedeutet wäre, daß Jesus im schuldigen Gehorsam nach dem Gesetz gelebt hat (vgl. 2 Kor 5,21). Nur so konnte und sollte er nach dem Willen Gottes die, „die unter dem Gesetz waren", loskaufen und befreien (vgl. Gal 4,5).

Die Auslegung von Röm 15,8 λέγω γὰρ Χριστὸν διάκονον γεγενῆσθαι περιτομῆς ὑπὲρ ἀληθείας θεοῦ εἰς τὸ βεβαιῶσαι τὰς ἐπαγγελίας τῶν πατέρων ist nicht weniger kontrovers. Der hier interessierende Fragezusammenhang, welches Verhältnis Jesu zur Tora mit διάκονος περιτομῆς vorausgesetzt ist oder beschrieben werden soll, wird häufig zugunsten einer theologischen Auswertung anderer Textgehalte ausgeblendet. Der Vers gehört zum Schlußteil 15,7–13 der mit 14,1 einsetzenden paulinischen Ausführungen über das gegenseitige Verhältnis von Starken und Schwachen in der Gemeinde. Die Annahme, daß die von Paulus für Rom vorausgesetzte innergemeindliche Spannung aus unterschiedlicher Toraobservanz bzw. Toraabrogation einzelner Glieder oder Gruppen der Gemeinde resultiert, kann sich auf die Beobachtung stützen, daß sich das Verhalten der Schwachen am ehesten aus jüdischen Voraussetzungen und aus der Sorge vor kultischer Verunreinigung erklären läßt[19], weiter auf das Vorhandensein der Stichworte περιτομή und ἔθνη in 15,8f – diese gewöhnlich verstanden als Bezeichnungen für „Juden" und „Heiden". U. Wilckens hat die vorherrschende Exegese von Röm 15,7–9a prägnant zusammengefaßt: „Die ganze Mahnung an ‚Starke' und ‚Schwache' zu gegenseitiger Annahme mündet aus in den Gedanken, daß Christus sie beide angenommen habe, indem er nämlich für Juden und Heiden zum Retter geworden sei."[20]

Falls diese Auslegung zutreffend wäre, würde die Bezeichnung des Christus als eines διάκονος περιτομῆς / Dieners der Beschneidung zunächst nur eine Aussage über sein Wirken an Israel enthalten[21], dann in zweiter Linie erschließen lassen, daß dieser Dienst an

---

[19] *W. Schmithals,* Der Römerbrief als historisches Problem (Gütersloh 1975) 101–107; *U. Wilckens,* Der Brief an die Römer III (EKK VI,3) (Zürich – Neukrichen 1982) 112–115.

[20] *Wilckens,* Römer 113.

[21] *C. E. B. Cranfield,* The Epistle to the Romans II (ICC) (Edinburgh 1979) 740; *E. Käsemann,* An die Römer (HNT 8a) (Tübingen 1973) 368; *A. Schlatter,* Gottes Gerechtigkeit (Stuttgart 1935) 382; *H. Schlier,* Der Römerbrief (HThK VI) (Freiburg i. Br. 1977) 424; *Wilckens,* Römer 105.

Israel sich innerhalb der durch Gesetz und Beschneidung bestimmten Bundesordnung Israels bewegte bzw. bewegen mußte (vgl. die Aussage des Paulus über sein eigenes Verhalten zu Juden 1 Kor 9,20). Es wäre zwar nicht unmittelbar von einer Bindung Jesu an das Gesetz die Rede, aber ohne die Respektierung des Gesetzes hätte er seinen Dienst an Israel nicht leisten können. Eine Minderheit von Kommentaren faßt περιτομή / Beschneidung jedoch nicht als Bezeichnung Israels, sondern analog zu 2 Kor 3,6 διακόνους καινῆς διαθήκης / Diener des neuen Bundes als Bezeichnung des durch die περιτομή besiegelten Bundes, in dessen Rahmen Jesus gewirkt und die Forderungen des Gesetzes erfüllt habe[22] – eine prinzipielle Torakritik Jesu wäre dann gleichfalls unvorstellbar.

Eine Entscheidung über die eigentliche Zielrichtung der Aussage kann nur im Rahmen einer den Kontext berücksichtigenden Exegese gefällt werden. Wenn man erwartet, daß Paulus in 15,8–9a die christologische Begründung von 15,7b weiterbegründet und dies im Blick auf Juden (15,8) und Heiden (15,9a) tut, muß der vorliegende Text „seltsam gezwungen und zum Teil plerophorisch" erscheinen[23], denn an den beiden von λέγω γάρ abhängigen Infinitivkonstruktionen ist nahezu nichts parallel: Die Subjekte wechseln (Χριστός / Christus – ἔθνη / Völker), so daß in 15,9 nicht, wie nach 15,7b erwartet, vom Werk Christi die Rede ist und dies auch kaum herausgelesen werden kann, die Tempora wechseln (Perfekt, Präsens) und schließlich auch die Gewichtung: 15,9a ist für Paulus offensichtlicher wichtiger als 15,8, denn die Aussage vom Gotteslob der Heidenvölker wird durch die folgende Zitatenkette (15,9b–12) weiter ausgebaut und unterstrichen. Eine weitere Merkwürdigkeit wäre unter Annahme einer parallelen Aussageführung die Gegenüberstellung von περιτομή / Beschneidung und ἔθνη / Völker statt ἀκροβυστία / Vorhaut als Bezeichnung eines Kollektivs. Es ist auch noch zu fragen, in welcher Absicht Paulus unter Voraussetzung der kollektiven Bedeutung von περιτομή am Ende der Ausführungen über die Starken und die Schwachen den Gegensatz Juden/Heiden

---

[22] *W. Sanday – A. C. Headlam,* The Epistle to the Romans (ICC) (Edinburgh ⁵1902) 397 f, mit Hinweis auf Gal 4,4 f; *M. J. Lagrange,* Épître aux Romains (EtB) (Paris 1931) 346; *H. W. Schmidt,* Der Brief des Paulus an die Römer (ThHk 6) (Berlin 1963) 236: Jesus wird in den Zusammenhang jüdischer Religiosität gestellt.
[23] *Schlier,* Römerbrief 424.

bemüht, obwohl in Röm 14 nirgendwo eine jüdische oder im ethnischen Sinne judenchristliche Position angesprochen wurde.

Ich schlage daher vor, die Wendung λέγω γάρ in 15,8 entsprechend dem Gewicht dieser Einführung als Anfang einer weiteren argumentativen Stellungnahme zum Streit in Rom zu betrachten, welche in 15,8 auf die Vergangenheit blickt und ab 15,9a (δέ) eine Mahnung für die Gegenwart ausspricht. Wenn der Streit in Rom um die Gültigkeit der Tora in der christlichen Gemeinde geführt wurde, ist es nicht notwendig so, daß es zugleich ein Streit zwischen Juden- und Heidenchristen war, es konnte durchaus eine Auseinandersetzung unter Heidenchristen sein, in welcher möglicherweise Regelungen entsprechend dem Aposteldekret von Apg 15,20.28 f eine Rolle spielten. In diesem Streit hat möglicherweise, wie auch schon von H. W. Schmidt[24] vermutet wurde, die Berufung auf die Treue Jesu zur Tora eine bedeutende Rolle gespielt. Demgegenüber ist Paulus bestrebt, die heilsgeschichtliche Notwendigkeit (ὑπὲρ ἀληθείας θεοῦ) und den Erfüllungs- (εἰς τὸ βεβαιῶσαι τὰς ἐπαγγελίας τῶν πατέρων), aber auch den Vergangenheitscharakter (γεγενῆσθαι) dieses Verhaltens Jesu zu betonen, während die Römer als heidenchristliche Adressaten nicht von den Forderungen des Gesetzes betroffen sind, sondern Gott um seines Erbarmens und ihrer Erwählung willen lobpreisen sollen. Die Frage einer Geltung der Speisegesetze kann daher nicht Thema gemeindlicher Auseinandersetzung sein, sondern allenfalls zu respektierender Gegenstand persönlicher Gewissensbindungen. Die Wendung διάκονος περιτομῆς wäre dann Ergebnis des paulinischen Versuchs, der heilsgeschichtlichen Bindung Jesu und seines irdischen Wirkens an den Sinai-Bund und an die Tora gerecht zu werden und zugleich die Gesetzesfreiheit der Heidenchristen im Werk Jesu zu begründen.

II. Gesetzeskritik und Gesetzesgehorsam im Markusevangelium und in dessen Traditionen

Einer sachgerechten Erschließung des das Markusevangelium bestimmenden Gesetzesverständnisses steht der Umstand im Wege, daß nicht nur der Begriff νόμος / Gesetz keine Verwendung findet,

---

[24] *Schmidt*, Römer 239 f.

sondern daß es auch sonst an einer auf die Größe „Gesetz" als solches bezogenen Reflexion zu fehlen scheint. Stärker redaktionsgeschichtlich orientierte Befragungen des Evangeliums auf sein Gesetzesverständnis haben meiner Meinung nach kaum zu überzeugenden Ergebnissen geführt. Aus H. E. Hübners Darlegungen z. B. kann man mehr über die Messiasgeheimnis-Theorie als über den Fragegegenstand erfahren[25]. Wahrscheinlich liegt es an einer der Gesetzesthematik nicht angemessenen Fragestellung, wenn er nur zu dem eher resignierenden Resümee gelangt: „Markus denkt nicht im geringsten nomistisch. Eher sind Anzeichen dafür vorhanden, daß er das Gesetz als solches ablehnt. Doch kann diese Aussage nicht mit letzter Bestimmtheit gemacht werden."[26] Zwischen einer Distanz von einem „Nomismus" und einer „Ablehnung des Gesetzes" liegt ein weites Feld, welches es eigentlich zu erkunden gälte. Neuere Arbeiten von E. P. Sanders weisen nachdrücklich darauf hin, daß nicht einmal Paulus mit einer solchen Alternative sachgemäß beschrieben werden könnte[27]. Ebenso ist es natürlich unbefriedigend, wenn Markus unter Berufung auf die Streitgespräche, ohne Berücksichtigung der Lehrgespräche Mk 10, 17–22; 12, 28–34 summarisch unter die „gesetzeskritischen Autoren" des Neuen Testaments gerechnet wird[28].

Die offensichtlich unsystematische Art, in welcher das Markusevangelium und seine Traditionen sich der Gesetzesthematik stellen, hat eine gewisse Parallele in der Art und Weise, in welcher der Jakobusbrief nach U. Luck seine an einer in sich konsistenten Gesetzes- und Weisheitstheologie orientierte Paränese strukturiert. Dabei ist

---

[25] *H. E. Hübner*, Das Gesetz in der synoptischen Tradition (Witten 1973) 213–226.

[26] *Hübner*, Gesetz 226.

[27] *E. P. Sanders*, Paul, the Law and the Jewish People (Philadelphia 1983); *ders.*, Jesus, Paul and Judaism, in: ANRW II 25, 390–450.

[28] So *Luz*, Gesetz (s. Anm. 5) 116. Die Problematik der großen Arbeit von *K. Berger*, Die Gesetzesauslegung Jesu. Ihr historischer Hintergrund im Judentum und im Alten Testament. I. Markus und Parallelen (WMANT 40) (Neukirchen 1972), liegt in dem Versuch, eine traditionsgeschichtliche „Kontinuität zwischen dem in der Gemeinde geltenden Gesetzesbegriff ... und dem hellenistischen und häufig apokalyptisch beeinflußten Judentum" (581) nachzuweisen. Dennoch verdienen Bergers Überlegungen und Analysen mehr Beachtung als sie bisher in der neutestamentlichen Exegese gefunden haben. Zu möglichen Gründen für die bisher geübte Reserve vgl. *Berger*, Gesetzesauslegung 581 f.

sicher noch einmal der Unterschied der Gattungen wie auch der Traditionen zu beachten. Luck schließt sich bei dem Versuch, den theologischen Horizont des Jakobusbriefs zu beschreiben, zunächst einer Einsicht A. Schlatters an: „Es geht um das Leben, und es ist die Weisheit, die in das Leben führt." Dann aber fährt er wohl kaum zufällig in Anlehnung an Mk 10,17 ff fort: „Was muß ich tun, um das Leben zu gewinnen? Wir kennen die jüdische Antwort. Du kennst die Tora..."[29] – Freilich, genauso steht es nicht im Markusevangelium, dennoch ist es wichtig zu sehen, daß auch das Markusevangelium die in einem gewissen Sinne soteriologische Gesetzesauffassung der jüdischen Weisheitstheologie (vgl. Sprüche 4,4; 7,12) bezeugt, welche sich auf Worte der Tora (vgl. Dtn 4,1; 5,33; 8,1; Lev 18,5; vgl. dazu Röm 10,5; Gal 3,12) selbst stützen kann und welche auch bei Paulus noch in den Lasterkatalogen 1 Kor 6,9f; Gal 5,19–21 nachwirkt. Die paulinische Gesetzeskritik setzt aber eben bei dieser in der Weisheit positiv bewerteten Zuordnung von Gesetz und Leben an: „Ich lebte einmal ohne das Gesetz; als aber das Gebot kam, da lebte die Sünde auf, ich aber starb, und das Gebot, das zum Leben führen sollte, erwies sich für mich als den Tod bewirkend" (Röm 7,9f). Der alttestamentliche Satz: „Der Gerechte wird aus Glauben leben" (Hab 2,4 vgl. Röm 1,17; Gal 3,11) erhält so bei Paulus eine ganz neue Bedeutung, da er nun in ausdrücklicher Abgrenzung gegenüber dem Gesetzesgehorsam und dem Tun der Werke des Gesetzes verstanden wird. Von solcher Gesetzeskritik ist das Markusevangelium samt seinen Traditionen ebenso weit entfernt wie der Jakobusbrief.

Die Plazierung der Perikope vom „reichen Jüngling" (10,17–22) im Mittelteil des Markusevangeliums, näherhin in dem mit der zweiten Leidensansage einsetzenden Zusammenhang 9,30 – 10,31, der sich überwiegend mit Fragen des Gemeindelebens befaßt[30], zeigt die Bedeutung, welche diese Gesetzesauffassung für den Evangelisten und seine Tradition hat. Ich vermute, daß die Sprüche vom Ärgernis (9,43.45.47) die gleiche Auffassung in radikalisierter Form vertreten (Ärgernis = Gebotsübertretung). Und auch die Perikope „vom großen Gebot" (12,28–34) bezeugt mit ihrem Schluß: „Und als Jesus

---

[29] *U. Luck,* Die Theologie des Jakobusbriefes, in: ZThK 81 (1984) 1–30, hier 6.
[30] Vgl. *K.-G. Reploh,* Markus – Lehrer der Gemeinde (Stuttgart 1969) 87 f.

sah, daß er verständig geantwortet hatte, sagte er zu ihm: Du bist nicht weit vom Reiche Gottes", die gleiche Gesetzesauffassung (vgl. Lk 10,25.28.37). Es ist deutlich, daß sowohl die Perikope vom reichen Jüngling wie die vom großen Gebot diese alte und in einem gewissen Sinne soteriologische Gesetzesauffassung in den Rahmen der von der Botschaft Jesu bestimmten Reich-Gottes-Predigt und der Nachfolge Jesu im engeren und weiteren Sinne rücken wollen, ohne sie aufzugeben. Dabei mag ihnen im Unterschied zu Paulus keine klare systematische Lösung, sondern nur eine pragmatische Lösung gelungen sein[31], welche auf die Lehrautorität Jesu und auf die von ihm in den Vordergrund gerückten und bekräftigten alten Gebote und deren Inhalt abhebt: der eine Gott nach Dtn 6,4f, die Nächstenliebe nach Lev 19,8, die sozialen Gebote des Dekalogs.

Mit der Heraushebung gerade dieser Gebote stehen das Markusevangelium und seine Tradition in einem breiteren Traditionsstrom, welcher im Urchristentum besonders deutlich sich ausprägt, welcher aber auch schon für das hellenistische Judentum und für die palästinische Weisheitstradition nachweisbar ist. Die jüdischen Belege zeigen, daß diese Interpretation und Akzentuierung des Gesetzes und seiner Gebote im Sinne eines ethischen Monotheismus jüdisch möglich war und nicht notwendig mit der Beobachtung kultischer Bräuche und Gebote in Konflikt geraten mußte, obwohl die ethisch-monotheistische Akzentuierung eine eigene, den Kult abwertende und an den Rand drängende Dynamik entwickeln konnte[32]. Diese Problematik steht hinter Mk 12,28–34 und ist in dieser Perikope mit Hilfe des jüdischen Schriftgelehrten als des Dialogpartners Jesu sozusagen „auf den Begriff" gebracht worden. Ich sehe in der Perikope vom großen Gebot nach Markus eine großartige Leistung eines hellenistischen Judenchristentums. Dieses hat unter Berufung auf Jesus in einer Zeit, in welcher auf seiten des Judentums eine breite Diskussion über das Leben nach dem Gesetz stattfand und sich bereits Vorformen der späteren rabbinischen Prinzipien (Vorordnung des kultischen Denkens und der kultischen Bestimmungen) zeigten,

---

[31] *Berger*, Gesetzesauslegung 201.458f, interpretiert noch zu systematisch. Zur Analyse von Mk 10,17–22; 12,28–34 vgl. *H. Merklein*, Die Gottesherrschaft als Handlungsprinzip (FzB 34) (Würzburg 1978) 98–104 (vgl. aber u. Anm. 68).
[32] Vgl. *Berger*, Gesetzesauslegung 194–198.

in einer Zeit auch, in welcher im Urchristentum eine polarisierende Auseinandersetzung um den Rang und die Geltung der Tora stattfand, an dem Ertrag der theologischen Auseinandersetzung des Judentums mit dem griechischen Denken, an der Auffassung des Judentums als einer Religion für die Völker und der Tora als eines Buchs der Erkenntnis Gottes und seines Willens festgehalten. Daß diese Sicht sich weder im Christentum noch im Judentum durchgesetzt hat, steht auf einem anderen Blatt.

Die in Markus 10 und 12 erkennbare Gesetzesauffassung ist für den Evangelisten und seine Tradition bestimmend, auch für die in Mk 2,23 – 3,6; 7,1–23 und 10,2–12 dargestellten Konflikte bzw. Differenzen mit der pharisäischen Gesetzesauslegung. Sowohl an den Sabbatperikopen wie an der Reinheitsperikope ist in traditionsgeschichtlicher Hinsicht ein Ausgangspunkt (das Heilen Jesu am Sabbat, Mk 1,21f; 3,1.3.5b; die Jünger essen, ohne vorher ihre Hände zu waschen, 7,1–2.5) erkennbar, der zu Gesetzesdiskussionen einer Art Anlaß geben konnte, in welcher es auf beiden Seiten nicht um die Infragestellung der Gebote, sondern um deren Auslegung ging. Mk 2,27 gehört, auch wenn es ursprünglich nicht mit 2,23–26 verbunden war, noch auf die Seite der Auslegung des Sabbatgebotes; Mk 7,15 könnte, wenn es nicht prinzipiell genommen wird, ein Argument in der Diskussion um die Reichweite der kultischen Reinheitsbestimmungen gewesen sein[33]. Auf den folgenden Traditionsstufen wird aber nicht nur eine vermehrte Polemik gegen die (inner-)jüdischen Gegner (3,2.5a; 7,6–7.9–13), sondern auch eine zunehmende Entfremdung gegenüber der jüdischen Sabbatfrömmigkeit (2,23–26; 3,4) erkennbar[34]. Wahrscheinlich erfolgte in den überwiegend heidenchristlichen Gemeinden, in welchen die Markustradition ihre Gestalt gewann, gleichzeitig die allmähliche Loslösung von der Sabbatpraxis und von der Einhaltung der kultischen Speisegebote. Dieses Herauswachsen aus jüdischen Lebens-

---

[33] Vgl. *Lührmann,* Speisen (s. Anm. 7) 84. *J. D. G. Dunn,* The Incident at Antioch (Gal 2,11–18), in: JSNT 18 (1983) 3–57, hier 29–35, arbeitet die für den Juden und Heiden zur Zeit des antiochenischen Zwischenfalles bestehenden Optionen hinsichtlich einer graduell unterschiedlichen Einhaltung der Reinheitsbestimmungen und einer Tischgemeinschaft von Juden- und Heidenchristen heraus.
[34] Zur Analyse von Mk 3,1–6 vgl. *J. Sauer,* Traditionsgeschichtliche Überlegungen zu Mk 3,1–6, in: ZNW 73 (1983) 183–203.

formen könnte in der Zeit vor dem sogenannten Apostelkonzil und vor dem antiochenischen Zwischenfall anzusetzen sein[35]. Die in gewissem Sinne antijüdische, wenn auch nicht antigesetzliche Klärung der eigenen Position ist theologisch unabhängig von der von Paulus vertretenen Freiheit vom Gesetz, mag sie auch in Kenntnis der Praxis in paulinischen Gemeinden entwickelt worden sein[36]. Die Freiheit vom Sabbatgebot wird in Mk 2,28 in der Vollmacht Jesu als des Menschensohnes begründet, anders hätte sie bei der grundsätzlich weiter bestehenden Bindung an die Gebote auch nicht erlangt werden können. Auslegungen, welche in 2,28 einen Rückfall gegenüber der angeblich 2,27 bestimmenden Liberalität Jesu erkennen wollen[37], verkennen den qualitativen Unterschied zwischen einer Gesetzesinterpretation und einer Gesetzesabrogation, suchen bei Jesus, dem „Diener der Beschneidung" nach Röm 15,8, Anzeichen einer paulinischen Gesetzesfreiheit oder, besser noch, Anzeichen neuzeitlicher Liberalität und Autonomie, im frühen synoptischen Christentum dagegen eine ängstliche Rückkehr zur Heteronomie und Fremdbestimmung bzw. den Beginn des sogenannten „Frühkatholizismus". Falls Mk 7,15 ursprünglich einmal ein gnomischer Satz war, gewonnen vielleicht in urchristlichen Diskussionen über die Speisegesetze, im heutigen bereits vormarkinischen Zusammenhang gilt er als Erklärung Jesu, welche zwar an die Vernunft appelliert, aber ihre Gültigkeit nur kraft der Autorität Jesu gewinnt. Der Evangelist hat dies durch Einführung des Motivs des Jüngerunverständnisses und durch die Schlußbemerkung 7,19c καθαρίζων πάντα τὰ βρώματα kräftig unterstrichen. Der Sache nach liegt hier wie in der Sabbatfrage ein Bruch mit dem Gesetzesverständnis des antiken Judentums, soweit es uns bekannt ist, vor. In der Sicht des Markus und seiner Tradition aber setzt Jesus aufgrund seiner Autorität nur bestimmte Gebote außer Kraft, um die eigentliche Intention des Geset-

[35] Vgl. *H. Räisänen*, Legalism and Salvation by the Law, in: *S. Pedersen*, Die paulinische Literatur und Theologie (Århus–Göttingen 1980) 63–83, hier 78 f.

[36] Vgl. *Räisänen*, Jesus (s. Anm. 6) 89 f; *ders., Herkunft* 482 f.

[37] *Käsemann*, Problem (s. Anm. 8) 207: Mk 2,28 stelle eine deutliche von der Gemeinde vorgenommene Abschwächung und Einschränkung von 2,27 dar, weil diese „wohl ihrem Herrn, nicht aber jedermann die von ihm ergriffene Freiheit zubilligen konnte". Ähnlich *U. B. Müller*, Zur Rezeption gesetzeskritischer Jesusüberlieferung im frühen Christentum, in: NTS 27 (1981) 158–185, hier 172.183.

zes, die Bewahrung vor innerer Unreinheit und die Beobachtung der Gebote (7, 20–23), oder, beim Verbot der vom Gesetz geordneten Ehescheidung, entweder das Verbot des Ehebruchs (10, 11 f) oder den Willen Gottes zur lebenslangen Einehe (10, 6–9) zur Geltung kommen zu lassen.

Das Problem der Beschneidung bzw. der Freiheit von der Beschneidung hat in diesen Traditionen keine Spuren hinterlassen, wohl ein Hinweis darauf, daß die Frage einer Beobachtung der ganzen Tora (vgl. Gal 5, 3) für diese Tradition nie im Vordergrund stand, sondern immer die Frage der Beobachtung von als wichtig angesehenen Geboten. Dieser Umstand erklärt sich am ehesten daraus, daß diese Traditionen sich im Umkreis der beschneidungsfreien hellenistisch-judenchristlichen Mission ausformten, zu welcher ursprünglich auch Paulus gehörte und welche ihr Zentrum in Antiochien hatte. Nach Apg 6–8 besteht ein ursächlicher Zusammenhang zwischen der Vertreibung der Hellenisten aus Jerusalem, den Anfängen einer auch Nichtjuden einbeziehenden Mission und der Gründung der Gemeinde von Antiochien. Diese Darstellung ist jedoch zu einlinig. Ich halte es für unwahrscheinlich, daß das besondere judenchristlich-theologische Profil, welches zur Vertreibung der Hellenisten aus Jerusalem führte, während die Hebräer, also die palästinischen Judenchristen einschließlich des Petrus, des Johannes und des Jakobus, in Jerusalem bleiben konnten, sich in Jerusalem unabhängig von missionarischen Erfahrungen ausbildete[38]. Nachdem die Beteiligung des Paulus am Stephanusmartyrium nach Apg 7, 58 ohnehin kaum noch vertreten wird[39], ist es auch nicht notwendig, dieses Martyrium in der frühesten Zeit der Sammlung eines hellenistischen Judenchristentums vor der Bekehrung des Paulus anzusetzen (also vor etwa 32–35 n. Chr.). Wenn die Einstellung der Hellenisten zur Tora Anlaß für die Vertreibung ihrer Repräsentan-

---

[38] *G. Klein*, Gesetz III, in: TRE XIII, 62: „Das auslösende Moment dieser frühhellenistischen Gesetzesfreiheit müssen missionarische Erfahrungen gewesen sein"; ebd. ein gedrängter Überblick über das exegetische Meinungsspektrum zu den „Hellenisten" in Jerusalem.

[39] Die Verknüpfung der Saulus- mit der Stephanusgeschichte geht auf die lukanische Redaktion zurück: *G. Schneider,* Die Apostelgeschichte I (HThK V, 1) (Freiburg i. Br. 1980) 471 f (Lit.); *J. Roloff,* Die Apostelgeschichte (NTD 5) (Göttingen 1981) 126.128; *A. Weiser,* Die Apostelgeschichte, Kap 1–12 (ÖTK 5, 1) (Gütersloh – Würzburg 1981) 191.

ten aus Jerusalem war, so kann diese Einstellung dennoch kaum als „Antinomismus" bezeichnet werden[40]. Es ist auch unwahrscheinlich, daß sie von Anfang an unter Berufung auf eine „gesetzeskritische Haltung Jesu" auf die Beobachtung bestimmter Gebote der Tora verzichteten[41]. Diese Einstellung zur Tora muß sich vielmehr im Zusammenhang der bewußt aufgenommenen Mission unter den Völkern aller Wahrscheinlichkeit nach unter charismatischen Erfahrungen ausgebildet haben. Erst sekundär und wohl nachdem Paulus schon seine eigene Missions- und Gesetzestheologie entwickelt hatte, kam es zu einer entsprechenden Ausgestaltung der Jesustradition[42].

---

[40] Gegen *Klein,* Gesetz 62.

[41] So z. B. *F. Hahn,* Die Bedeutung des Apostelkonvents für die Einheit der Christen einst und jetzt, in: Auf Wegen der Versöhnung. FS H. Fries (Frankfurt 1982) 15–44, hier 21–23 unter Berufung auf Mk 10,2–9 und auf die „Antithesen" Mt 5,31 f.33–37.38–42. Immerhin ist auch bei Hahn in dieser Hinsicht eine Revision früherer Auffassungen (vgl. dazu o. Anm. 1) erkennbar. Er hat die Belege für eine Gesetzeskritik Jesu drastisch reduziert und gibt sogar zu bedenken: „Ob das für Jesus einen prinzipiellen Charakter hatte, wird man bezweifeln können, jedenfalls haben aber die Hellenisten, nicht zuletzt aufgrund des Oster- und Pfingstgeschehens, darin einen fundamentalen Neuansatz gesehen". In einem im gleichen Jahr, aber später erschienenen Aufsatz: Neutestamentliche Ethik als Kriterium menschlicher Rechtsordnung, in: *E. L. Behrendt* (Hg.), Rechtsstaat und Christentum I (München 1982) 377–399, hier 382–385 bespricht Hahn „Jesu Gesetzeskritik" auf der Basis der obengenannten Stellen, erweitert um Mk 7,1–23, und urteilt dann wieder prinzipieller: „In Jesu Botschaft kommt die *Spannung zwischen Recht und Liebe* in ihrer ganzen Schärfe zum Tragen" (384).
Zur Rolle der Hellenisten vgl. *M. Hengel,* Zwischen Jesus und Paulus, in: ZThK 72 (1975) 151–206, hier 197: Durch die „geistgewirkte Interpretation der Botschaft Jesu im neuen Medium der griechischen Sprache" habe „Jesu eschatologisch-kritische Deutung der Tora" und des Tempels „neue Konturen" erhalten; *H. E. Hübner,* Mark VII, 1–23 und das „jüdisch-hellenistische" Gesetzesverständnis, in: NTS 22 (1976) 319–345, hier 342; *Müller,* Rezeption 163–166; *N. Walter,* Apg 6,1 und die Anfänge der Urgemeinde in Jerusalem, in: NTS 29 (1983) 370–393, hier 376 f.384.386. Bestritten wird diese verbreitete Annahme von *G. Strecker,* Befreiung und Rechtfertigung, in: Rechtfertigung. FS E. Käsemann (Tübingen – Göttingen 1976) 479–508, hier 481: „Daß also die Gruppe judenchristlicher Hellenisten in Jerusalem ein gesetzesfreies Christentum lehrte und lebte, ist aus diesen Texten nicht zu ersehen" (zu Apg 6,13 f).

[42] *Dunn,* Mark (s. Anm. 5) 412: Markus 2,15 – 3,6 sei in Anlehnung an Auseinandersetzungen Jesu mit den Pharisäern in einem frühen Stadium der Heidenmission von hellenistischen Judenchristen gestaltet worden. Das ist, was den Ansatz bei Jesus angeht, vielleicht noch zu wenig kritisch. Zur mit dem Aufbruch zur Mission unter den Völkern erreichten theologischen Reflexionsstufe, welche diesen vielleicht erst ausgelöst hat, vgl. *G. Dautzenberg,* Der Wandel der Reich-Gottes-Verkündigung in der urchristlichen Mission, in: *ders. – H. Merklein – K. Müller,* Zur Geschichte des

III. Zum Gesetzesverständis der Logienquelle

Das Gesetzesverständnis der Logienquelle ist bisher meines Wissens nur in der großen Arbeit von S. Schulz zur „Spruchquelle der Evangelisten"[43] ausführlicher untersucht und dargestellt worden: Die ältesten Q-Gemeinden haben unter Berufung auf Jesus als den eschatologischen Toraausleger eine charismatische-eschatologische Toraauslegung bzw. Toraverschärfung vertreten, welche der Sache nach von der jüngeren hellenistischen christlichen Gemeinde ohne Abstriche übernommen wurde. Nur die Heimholung von Sündern und Zöllnern und die Unterordnung der Zeremonialgebote unter die radikalisierte Forderung der Nächstenliebe lassen auf eine „teilweise Entwertung des Ritualgesetzes" schließen, welche aber nicht zu einer Gesetzesdiskussion wie in den markinischen Streitgesprächen, noch weniger zu einer Außerkraftsetzung des Ritualgesetzes führte[44]. Schulz wird mit diesem Urteil dem Befund in der Logienquelle wohl wesentlich besser gerecht als H. E. Hübner, welcher dieser Frage in seiner Arbeit über das Gesetz in der synoptischen Tradition nur eine Seite[45] widmet, davon wieder etwa ein Drittel Überlegungen zur Christologie von Q, und dessen Ergebnis lautet: „In der ‚ältesten Quelle' zeigt sich, daß bereits vor ihrer Niederschrift hinsichtlich des Verhältnisses Jesus–Gesetz unterschiedliche, ja widersprüchliche Traditionen umliefen."[46] D. Zeller, Kommentar zur Logienquelle[47], widmet der Frage nach dem Verhältnis der Q-Gemeinde zum Gesetz einen eigenen kurzen Abschnitt, im Anschluß an die Besprechung der Weherufe über die Pharisäer und Schriftgelehrten Lk 11,39–52. Im Mittelpunkt dieses Abschnitts steht die Besprechung von Lk 16,17 als eines „Programmwortes, das ganz auf der Linie des Judentums die Unvergänglichkeit des Geset-

---

Urchristentums (QD 87) (Freiburg i. Br. 1979) 10–32, hier 22–24; die dort ins Auge gefaßte Textbasis kann und muß erweitert werden, einmal um Texte aus dem Bereich des sog. Schriftbeweises: z. B. die Katene Röm 15,9–12, ferner Zitate aus Deuterojesaja: Jes 42,1–4 (Mt 12,18–21); 45,13 (Röm 14,11); 49,6 (Apg 13,47); 52,12 (Röm 15,21) und um Texte, welche die Bekehrung zu dem einen Gott betonen, etwa: 1 Thess 1,9; Röm 3,29–30a (vgl. Mk 10,18; 12,29f); 15,18: ὑπακοὴ ἐθνῶν.
[43] Q. Die Spruchquelle der Evangelien (Zürich 1972) 94–141.
[44] *Schulz,* Spruchquelle 485.
[45] *Hübner,* Gesetz (s. Anm. 25) 212f.
[46] *Hübner,* Gesetz 213.
[47] Stuttgart 1984, 68–70.

zes" betone[48]. Zellers weitere Äußerungen zeigen, daß er Q in dieser Hinsicht ähnlich versteht wie Schulz. H. Schürmann hat sich in seinem großen Aufsatz: „Das Zeugnis der Redequelle für die Basileia-Verkündigung Jesu"[49] zur Gesetzesfrage nur soweit geäußert, wie es in diesem Rahmen nötig war. Schürmann erkennt in Lk 16,16–18 eine vor der endgültigen Sammlung anzusetzende Logienkomposition, welche die Basileia weniger als Heilsraum denn als Raum eines neuen (verschärften) Toraverständnisses vorstellt[50], während er aus Beobachtungen an den Weherufen[51] eine erste von gesetzestreuen Judenchristen gefaßte Redaktionsstufe (Lk 11,42. 39 ff), eine weitere von Kreisen, die mit dem Ritualgesetz, aber nicht mit der Judenschaft gebrochen haben, getragene Redaktionsstufe (Lk 11,44.46) und eine dritte antisynagogale kirchliche Redaktion, die mit der Judenschaft gebrochen hat (11,43.47.49 ff.52), erschließt, so daß in diesem Falle die Gesetzeskritik, falls vorhanden, einem späteren Stadium der Tradition zuzuweisen und aus einem bestimmten innerkirchlichen Sitz im Leben in die Jesustradition eingebracht worden wäre. Auch mit dieser Annahme steht Schürmann immer noch näher bei der Position von Schulz als bei jener von Hübner.

Ich selber konnte bis jetzt allerdings keine Anzeichen für einen von Q oder von den Weherufen vorausgesetzten Bruch mit dem Ritualgesetz finden. Die Rezeption von Q durch ein aus der Bindung an das Ritualgesetz herausgewachsenes hellenistisches Judenchristentum oder Heidenchristentum hat kaum Spuren hinterlassen. Etwas anders wäre es, wenn wir mit einer Q-Fassung des Lehrgesprächs vom großen Gebot Lk 10,25–28 rechnen könnten, welches dann aber kaum unabhängig von der in Mk 12,28–34 aufgenommenen Tradition entstanden sein dürfte. Die kultkritische Zuspitzung der Markusfassung (Mk 12,32–34) war entweder noch nicht ausgebildet, oder sie ist mit Absicht nicht übernommen worden. So kann die für Q vermutete Form von Lk 10,25–28 allenfalls die Integration

---

[48] *Zeller*, Logienquelle 69.
[49] In: *Delobel* (Hg.), Logia (s. Anm. 6) 121–194; hier zitiert nach *Schürmann*, Reich Gottes – Jesu Geschick (Freiburg i. Br. 1983) 65–152.
[50] *Schürmann*, Zeugnis 126.
[51] *Schürmann*, Zeugnis 130 f.

der Q-Überlieferung in den Horizont eines neuen Gesetzesverständnisses anzeigen[52].

Gerade wenn die Logienquelle bzw. ihre Traditionen aus einem gesetzestreuen Judenchristentum kommen, ist es auffällig, daß der Begriff νόμος/Gesetz nur in Lk 16,16.17 verwendet wird. Doch selbst dieser Bezug auf den νόμος ist nicht der inneren Bewegung der Q-Tradition zu verdanken, sondern steht in einem offensichtlichen Zusammenhang mit der Gesetzesdiskussion im hellenistischen Judenchristentum und in der Heidenmission bzw. mit den dadurch ausgelösten Irritationen im palästinischen Judenchristentum. Mt 5,18/Lk 16,17 beteuert demgegenüber unter Berufung auf die Autorität Jesu als des endzeitlichen Propheten die unverbrüchliche Geltung der ganzen Tora, solange dieser Äon besteht. Mt 11,12f/Lk 16,16 sieht zwar die heilsgeschichtliche Zeit von Gesetz und Propheten als mit Johannes dem Täufer vollendet an, jetzt ist schon die Zeit der Erfüllung und der Basileia – in Verbindung mit Lk 16,17[53] will der Spruch aber eher unterstreichen, daß die Tora auch in dieser Zeit unverändert gültig bleibt. Wenn Lk 16,16f auf andere Entwick-

---

[52] Die Zugehörigkeit der Überlieferung Lk 10,25–28 zur Logienquelle wird erwogen von *H. Schürmann*, Die Dublettenvermeidung im Lukasevangelium, in: *ders.*, Traditionsgeschichtliche Untersuchungen zu den synoptischen Evangelien (Düsseldorf 1968) 279–289, hier 280; *G. Sellin*, Lukas als Gleichniserzähler. Die Erzählung vom barmherzigen Samariter (Lk 10,25–37), in: ZNW 66 (1975) 19–60, hier 20–23; *Zeller*, Logienquelle 70; *Luz*, Gesetz (s. Anm. 5) 68. Gegen eine ursprüngliche Zugehörigkeit der Lukasfassung zu Q sprechen sich aus: *R. Laufen*, Die Doppelüberlieferungen der Logienquelle und des Markusevangeliums (Bonn 1980) 89; *A. Polag*, Fragmenta Q (Neukirchen 1979) 98; *W. Schenk*, Synopse zur Redequelle der Evangelisten (Düsseldorf 1981) 136; *R. Morgenthaler*, Statistische Synopse (Zürich – Stuttgart 1971) 85.87; *Schulz*, Spruchquelle 7–9; *F. Neyrinck*, Recent Developments in the Study of Q, in: *Delobel* (Hg.), Logia (s. Anm. 6) 29–75, hier 48. Vgl. zur Diskussion über das doppelte Liebesgebot ferner *Hahn*, Ethik (s. Anm. 41) 380–382, und die dort dokumentierte Literatur. Ich teile jedoch nicht die Auffassung, daß die Differenzen zwischen den drei Synoptikern einzig auf mündliche Tradition zurückzuführen seien, das Kriterium der vielfachen Bezeugung in diesem Sinne die Wichtigkeit dieses Elements der Jesusüberlieferung hervorhebe und die matthäische Fassung der Intention Jesu am nächsten stehe; gerade letztere dürfte auf der Grundlage der Markuspriorität und den unten in den abschließenden „Fragen" zu Matthäus angestellten Überlegungen erklärbar sein.

Die „Vermutung" (*Hübner*, Gesetz 213 Anm. 93) in Q sei eine Variante von Mk 2,23ff überliefert worden, hat keinen Anhalt an den Quellen und ist nur dazu geeignet, die theologischen Profile der verschiedenen urchristlichen Jesustraditionen abzuschleifen und zu verwischen. Zum Stand der Diskussion über die Zugehörigkeit von Lk 14,5 zu Q vgl. *Polag*, Fragmenta 73; *Schenk*, Redequelle 105; *Neyrinck*, Developments 36.

[53] *Schürmann*, Zeugnis 126: „Interpretationshilfe".

lungen im Judenchristentum reagiert, ergibt sich aber fast zwangs-
läufig die Folgerung, daß das hier sprechende gesetzestreue
Judenchristentum bis dahin ohne besondere Gesetzestheorie geset-
zesstreng war, daß es bis dahin, wenigstens sofern es die Jesustradition hütete und entwickelte, nicht zu einer eigenen Reflexion über
die Tora sich genötigt sah!

Etwas anders verhält es sich bei den Weherufen Lk 11,39.42. Ihre
Sprecher und die sie tradierenden Gemeinden bejahen nicht nur die
geschriebene Tora, sondern auch deren pharisäische Auslegung[54].
Die Kritik richtet sich nicht gegen das Zeremonial- oder das Zehnt-
gesetz und deren Anwendung, sondern gegen eine den Gegnern vor-
gehaltene einseitige Konzentration auf die sachlich-rituelle Geset-
zesbeobachtung zum Nachteil der ethischen Forderungen und
Aspekte der Tora. Hier zeigt sich bei aller Kenntnis halachischer
Probleme[55] ein eigenständiger prophetischer Ansatz, der auf ein umfassenderes, aus Prophetie und Weisheit gespeistes Toraverständnis
drängt[56]. Die Schwelle zur Außerkraftsetzung des Reinheitsdenkens
wie in Mk 7,15 wird nicht überschritten[57]. Das Wehe über die Pharisäer zeugt, bei allem Scheitern von Dialog und Mission, von dem
Versuch, Israel für die Botschaft Jesu zu gewinnen. Darf man vermuten, daß deren ethisches Zentrum und damit das Toraverständnis
Jesu mit der das Verhalten zum Nächsten bestimmenden Trias von
κρίσις, ἔλεος, πίστις / Recht, Barmherzigkeit und Treue sachgemäß
beschrieben ist?[58]

Und damit wären wir bei der für das Toraverständnis im Traditionskreis von Q entscheidenden Frage, in welcher Beziehung die
den Kern der Paränese von Q bildenden sogenannten „weisheitlichen Mahnworte" zum Leben nach der Tora stehen. Gewöhnlich
wird diese Frage allerdings zu direkt und zu unvermittelt gestellt, indem je ein „Gegentext" aus der Tora zu entsprechenden Q-Logien

---

[54] Vgl. *Schulz*, Spruchquelle 101.
[55] Vgl. dazu *J. Neusner*, „First cleanse the Inside". The „Halakhic" Background of a
Controversy Saying, in: NTS 22 (1976) 486–495.
[56] Vgl. *Schulz*, Spruchquelle 102, zu Lk 11,42c/Mt 23,23c.
[57] Gegen *Zeller*, Logienquelle 70; vgl. *Schulz*, Spruchquelle 103: Es werde zwar eine andere theologische Gewichtsbestimmung als bei den Pharisäern vorgenommen, aber es
könne keine Gegenüberstellung von Gottes Gebot und pharisäischer Paradosis wie in
Mk 7 geben.
[58] Zur Zusammenstellung vgl. Mi 6,8; Spr 14,22.

gesucht wird – ein Verfahren, welches sich bekanntlich auf das Vorgehen des Verfassers des ersten Evangeliums (vgl. Mt 5,31.33.38.43) berufen kann. So finden sich z. B. nach H. E. Hübner[59] in der Logienquelle „auch Aussagen, die Bestimmungen der Tora, ohne daß diese eigens genannt oder gar zitiert werden, außer Kraft setzen, so Dt 24,1 in Mt 5,32 oder das *ius talionis* in der Feldrede". S. Schulz faßt den gleichen Komplex von Logien unter der Überschrift „Die charismatisch-eschatologische Toraverschärfung" zusammen und ist der Auffassung, daß die vermeintliche Aufhebung der Tora dialektisch interpretiert werden müsse: „Und gerade dort, wo man eine planmäßige Aufhebung alttestamentlicher Gesetze zu sehen meinte, am radikalen Verbot der Ehescheidung, dem Gebot der Feindesliebe und dem rigorosen Verzicht auf das eigene Recht, da findet nichts anderes als eine Toraverschärfung statt als Rückgang vom Wortlaut auf die Intention des alttestamentlichen Gesetzes, nämlich für den Nächsten in Liebe da zu sein, da wird die Mose-Tora radikalisiert, aber nicht bewußt gesprengt."[60]

Meiner Meinung nach kann man von „Toraverschärfung" nur da sprechen, wo wirklich Bezug auf die Tora genommen wird. Das ist bei den in diesem Zusammenhang genannten Beispielen nur in Mt 5,32/Lk 16,18 der Fall, also nicht bei einem weisheitlichen Mahnwort. Hier wird tatsächlich ein Wort der Tora näherhin und bezeichnenderweise ein Wort aus dem Dekalog (Ex 20,13: οὐ μοιχεύσεις / du sollst nicht ehebrechen) aufgenommen und in verschärftem Sinne neu interpretiert. Schon wer seine Frau entläßt oder wer eine Entlassene heiratet, begeht Ehebruch (μοιχεύει). Das Verhältnis zur Dtn 24,1 geregelten Praxis der Ehescheidung kann differenzierter gesehen werden, als dies weithin[61] geschieht. Die Bestimmungen in CD 4,20 – 5,5; Tempelrolle 57,15–19 erweisen die Möglichkeit einer progressiven Weiterentwicklung oder Verschärfung von Torabestimmungen zur Ehe in frühjüdischen Gruppierungen. E. P. Sanders

---

[59] Gesetz 212.
[60] *Schulz,* Spruchquelle 170.
[61] *Hahn,* Überlegungen (s. Anm. 1) 43: Jesus konnte im Streitfalle ausdrücklich gegen das Gesetz und Gesetzestradition Stellung nehmen; vgl. *ders.,* Apostelkonvent (s. Anm. 41) 21–23 (zu Mk 10,2–9); *G. Bornkamm,* Jesus von Nazareth (Stuttgart ⁴1960) 90 f: „Offen erklärte Kritik am Gesetz des Mose".

urteilt: „Jesus statements on divorce do not go outside the limits of debate which took place within Judaism", Jesus habe eine mosaische Erlaubnis eingeschränkt, aber eben nicht erlaubt, was Mose verboten hatte[62]. Es ist mir ähnlich wie D. Zeller[63] sehr zweifelhaft, daß das grundsätzliche Verbot der Ehescheidung humanitären Erwägungen – es gehe Jesus um den Schutz der Frau – entspringt. Der in Mk 10,1–9 analog zu CD 4,21 vollzogene Rückgriff auf die Schöpfungsordnung dürfte sich ebenfalls wieder analog zu CD 4,21 einer sekundären Rationalisierung des Verbots verdanken. Die eigentlichen Antriebe sind aller Wahrscheinlichkeit nach auf beiden Seiten eher im Umkreis des jüdischen und priesterlichen Reinheitsdenkens zu suchen[64].

Die überragende Bedeutung der Tora für Judentum und Frühjudentum ist nicht in Zweifel zu ziehen. Dagegen ist sehr in Zweifel zu ziehen die Annahme, es habe im Frühjudentum nur eine Form der Torafrömmigkeit, der Lebensgestaltung nach der Tora und der Toraauslegung gegeben, welche sich noch aus der rabbinischen Überlieferung – oder aus dem Kommentar von Strack-Billerbeck erschließen lasse[65]. Auch D. Zeller unterliegt noch dieser Engfüh-

---

[62] *Sanders,* Jesus (s. Anm. 27) 216 f (mit Verweis auf CD 4,20 f); vgl. *J. Maier,* Jesus von Nazareth und sein Verhältnis zum Judentum. Aus der Sicht eines Judaisten, in: *W. P. Eckert – H. Henrix* (Hg.), Jesu Jude-Sein als Zugang zum Judentum (Aachen ²1980) 69–113, hier 95: Es liege kein grundsätzlicher Konflikt mit dem Gesetz vor; 101: „Auf keinen Fall kann man aus einer derartigen Verschärfung der Ehemoral eine Aufhebung der Tora und eine grundsätzliche Aufhebung der Autorität des Mose folgern wollen." Vgl. auch *M. McNamara,* Palestinian Judaism and the New Testament (Dublin 1983) 146: „It may well be that the Essenes excluded polygamie and divorce for king and commoner alike. If such was the case, then Jesus was merely enforcing the Essene position in excluding divorce", unter Berufung auf *J. A. Fitzmyer,* The Matthean Divorce Texts and some New Palestinian Evidence, in: TS 37 (1967) 197–226.
[63] Logienquelle 69.
[64] Vgl. *McNamara,* Judaism 147; *Fitzmyer,* Divorce Texts 223–226.
[65] Wir stehen erst am Anfang einer von jüdischen und christlichen Forschern vorangetriebenen historischen und theologischen Neuentdeckung und Neubewertung des Frühjudentums; vgl. vor allem *M. Stone,* Scripture, Sects and Visions (Oxford 1982); *G. W. E. Nickelsburg – M. Stone,* Faith and Piety in early Judaism. Text and Documents (Philadelphia 1983); ferner: *J. Neusner,* Das pharisäische und talmudische Judentum (Tübingen 1984); *J. Maier – J. Schreiner* (Hg.), Literatur und Religion des Frühjudentums (Würzburg 1973); *Sanders,* Paul 33–428; *ders.,* Jesus (s. Anm. 27) 391–402; *C. Thoma,* Christliche Theologie des Judentums (Aschaffenburg 1978). Zu den bisher in der christlichen exegetischen Forschung dominierenden Tendenzen vgl. *K. Müller,* Das Judentum in der religionsgeschichtlichen Arbeit am Neuen Testament (Frankfurt – Bern 1983); *E. P. Sanders,* Paul and Palestinian Judaism (London 1977)

rung, wenn er aus der Tatsache, daß die Beschäftigung mit dem *Gesetz* in den weisheitlichen Mahnsprüchen Jesu nirgends zum Gegenstand der Belehrung wird, folgert, dies passe „zum souveränen Umgang Jesu mit der Tora", wie er sich aus anderen literarischen Gattungen erschließen lasse[66]. Zunächst ist zur Kenntnis zu nehmen, daß es weitere mit Toraobservanz gepaarte Frömmigkeitstypen gab, in deren Mittelpunkt nicht die Gesetzesbelehrung stand. M. Küchler beschreibt aufgrund größerer Traditionsstücke der Zwölfertestamente eine weisheitlich geprägte nicht essenische und nicht pharisäische frühjüdische Laienfrömmigkeit, deren „ethische Vorstellungen sich ohne weiteres in den größeren Rahmen eines strikten Toragehorsams einordnen lassen"[67]. Weshalb sollte man das Verhältnis der Jesustradition zur Tora bzw. der weisheitlichen Mahnung zur Tora im Prinzip anders bewerten? Zweifellos liegt das ethische Zentrum der Jesustradition bei diesen Mahnungen und nicht bei gelegentlichen Ausgriffen in den Bereich der Gesetzesdiskussion, ohne daß sich schon daraus eine besondere Freiheit gegenüber der Tora erschließen ließe[68]. Der „strikte Toragehorsam" lag für die Tradenten von Q wie auch für Jesus sozusagen „in der Luft", er prägte die Gesellschaft, in welcher sie lebten, und deren Verhaltensweisen, nötigte aber nicht zu einer fortwährenden Gesetzesdiskussion. Die Frage nach dem Weg zum Leben kann, wie Zeller in seiner Arbeit verdienstlicherweise zeigt, auch mit weisheitlichen *mişwot* beantwortet werden[69]. Dies war eine der Formen, in welchen das Frühjudentum seinen Toragehorsam unter den Herausforderungen der Zeit lebte.

Ergebnis:

Für die ältesten Stufen der Jesustradition ist weder eine prinzipielle noch eine partielle Infragestellung der Tora oder einzelner ih-

---

1–12. 33–59: The persistence of the view of Rabbinic religion as one of legalistic work-righteousness.

[66] D. *Zeller,* Die weisheitlichen Mahnsprüche bei den Synoptikern (FzB 17) (Würzburg 1977) 149.

[67] M. *Küchler,* Frühjüdische Weisheitstraditionen (Freiburg/Schweiz – Göttingen 1979) 530–534.552.

[68] Oder ein die „Tora als Handlungsprinzip" überlagerndes „Handlungsprinzip Basileia" – gegen *Merklein,* Gottesherrschaft 105. Zum Folgenden vgl. *E. P. Sanders,* Jesus and the Sinners, in: JSNT 19 (1983) 5–36.

[69] *Zeller,* Mahnsprüche 152 f.

rer Bestimmungen nachweisbar. Alle Beobachtungen sprechen für die Annahme, daß der Toragehorsam den Lebensraum des palästinischen Judenchristentums bestimmte und daß Diskussionen über leitende Gesichtspunkte der Toraauslegung zunächst noch innerhalb der vom Toragehorsam bestimmten innerjüdischen Solidaritätsgemeinschaft geführt wurden. Im Rahmen der hellenistisch-judenchristlichen Heidenmission wurden vermutlich aufgrund neuer Erfahrungen unter Berufung auf die Autorität Jesu Teile des Ritualgesetzes außer Kraft gesetzt, ohne die Autorität und Heilsbedeutung der „Gebote" in Frage zu stellen. Während in Q der Toragehorsam seine besondere Prägung durch die radikalen weisheitlichen Mahnungen der „programmatischen Rede" erhalten hat, verbindet das Markusevangelium den Gehorsam gegenüber den Geboten mit der Aufforderung zur Übernahme der Nachfolge Jesu. Wenn es der Jesustradition aus der Perspektive des rabbinischen Judentums an einer eigentlichen Gesetzesdiskussion mangelt, so sollte man dies nicht als Ausdruck der Souveränität und Freiheit Jesu oder des Urchristentums gegenüber dem Gesetz werten, sondern eher als Ausdruck eines ursprünglich weisheitlich und prophetisch geprägten innerjüdischen Ansatzes, welcher sich sozusagen „bekenntnismäßig" vom Ansatz der pharisäischen Gesetzeslehre unterschied[70], welcher allerdings unter den Bedingungen der nachösterlichen Mission die Lösung von jüdischer Torafrömmigkeit und Toraobservanz ermöglichte, ohne die Tora doch bewußt aufzugeben[71].

Fragen:

Die in diesem Vortrag nachgezeichnete Entwicklung würde aller Wahrscheinlichkeit nach durch Einbeziehung des lukanischen Doppelwerks und des Matthäusevangeliums weiter bestätigt werden.

---

[70] S. Westerholm, Jesus, the Pharisees, and the Application of Divine Law, in: Eglise et théologie 13 (1982) 191–210.208: „Thus Jesus contests the belief that compliance with the terms of Torah, understood as a code of prescribed observances, represents an adequate fulfilling of God's will ... There is a fundamental difference in the ways the Pharisees and Jesus applied the Divine Law ... By way of contrast, Jesus shows little interest in applying the statutes of Torah as regulations of a theocratic society."

[71] Vgl. U. Luz, Jesus und die Tora, in: EvErz 34 (1982) 111–124, hier: 116: „Das Grundgesetz geschichtlicher Kontinuität erfordert, daß vom Gesetzesverständnis Jesu her verständlich wird, warum sich sowohl gesetzestreue Judenchristen als auch gesetzesfreie Heidenchristen auf ihn berufen konnten."

Zu Lukas: Hat H. E. Hübner recht mit seiner These[72], es gehe im lukanischen Doppelwerk unter anderem darum zu zeigen, daß Jesus während seines Erdenlebens in *keiner* Weise auch nur eine einzige Bestimmung der Tora außer Kraft gesetzt habe? Hübner stützt sich auf folgende Beobachtungen: Mk 7,1–23 ist nicht von Lk übernommen worden; Lk 16,16b.17; ferner Lk 2,2,22.24.26f.36f.49. Auf der anderen Seite bestimmt ja die Auseinandersetzung um die Geltung oder wenigstens teilweise Respektierung der Reinheitsgesetze wichtige Passagen der Apg (10,1 – 11,18; 15). Wenn Hübner Lukas richtig interpretiert, kann man fragen, wie dieser zu seiner vom Markusevangelium abweichenden Position gekommen ist. War die Haltung Jesu zur Tora in seiner Tradition ähnlich gedeutet worden wie bei Paulus und in Q? D.h., war ihm eine partielle Außerkraftsetzung der Tora durch Jesus überhaupt erst durch das Markusevangelium bekannt geworden, und hat er dabei den Widerspruch zu den in der Apg aufbewahrten Traditionen erkannt?

Ähnlich könnte auch der Umgang des Matthäusevangeliums mit den gesetzeskritischen Stoffen des Markusevangeliums zu deuten sein[73]: diese waren ursprünglich dem Verfasser des Evangeliums und seiner Gemeinde fremd, wurden aber mit dem gesamten Markusevangelium rezipiert und soweit wie möglich der stärker judenchristlich bestimmten Perspektive des Matthäusevangeliums eingefügt. Das kanonische Matthäusevangelium ließe sich dann als erstes Zeugnis einer Einwanderung oder Rückwanderung im hellenistischen Judenchristentum ausgeprägter Jesusstoffe in den Traditionsraum eines stärker die Kontinuität mit dem Judentum betonenden Judenchristentums verstehen. Weitere Etappen dieser Aneignung von Jesusstoffen durch das Judenchristentum lägen dann in den judenchristlichen Evangelienbüchern vor: im Nazaräer-, Ebionäer- und Hebräerevangelium[74].

---

[72] *Hübner*, Mark VII (s. Anm. 41) 335.
[73] Zur Diskussion vgl. *I. Broer*, Freiheit vom Gesetz und Radikalisierung des Gesetzes (SBS 98) (Stuttgart 1980).
[74] Vgl. dazu *P. Vielhauer*, Judenchristliche Evangelien, in: *E. Hennecke – W. Schneemelcher*, Neutestamentliche Apokryphen I (Tübingen ³1959) 75–109.

IV

Die Tora bei Jesus und in der Jesusüberlieferung

Von Peter Fiedler, Freiburg i. Br.

Die Beurteilung der Jesusüberlieferung in Sachen „Gesetz" geht – wie schon dieser Begriff andeutet – bis heute überwiegend von Paulus aus, begreiflicherweise vor allem auf evangelischer Seite. Ich möchte an einem (sicher extremen) Beispiel die dabei angewendete Argumentationsstruktur vor- und in Frage stellen. Es handelt sich um den TRE-Artikel von G. Klein über „Gesetz" im Neuen Testament[1]. Der Autor geht darin von „einer durchreflektierten Lehre vom Gesetz" bei Paulus aus[2] und tut nahezu alles, um von der Jesus-Seite her die paulinische „Gesetzeskritik" gegen heute sich aufdrängende Fragen abzuschirmen.

Zwar steht auch für Klein fest, daß „Jesus die Freiheit gegenüber dem Gesetz ‚nicht als ein theoretisches Programm' vertritt" (mit G. Ebeling). Aber es „drohen" eben doch „falsche Alternativen, wenn man Jesus von der Absicht freispricht, ‚den in der Tora offenbarten Willen Gottes einfach aufzulösen'" (gegen P. Stuhlmacher). Solche für Klein „falsche Alternativen" (59) zwischen einem jedenfalls grundsätzlich toratreuen Jesus und einem s. E. prinzipiell „gesetzeskritischen" Paulus von vornherein abzublocken, scheint um so notwendiger, je stärker Paulus mittlerweile schon bei seinen eigenen Widersprüchen in der Frage des „Gesetzes" angepackt wird[3]. Da

---

[1] TRE 13 (Berlin – New York 1984) 58–73 (Literaturangaben: 73–75). Neben den im Artikel berücksichtigten Gewährsleuten *Kleins* ist etwa noch zu nennen *H. Merkel,* Jesus im Widerstreit, in: Glaube und Gesellschaft. FS für W. F. Kasch (Bayreuth 1981) 207–217.

[2] So in der Einführung zum Paulus-Abschnitt, der am umfangreichsten ist (64–72).

[3] So etwa durch *H. Räisänen* – neben den von *Klein* genannten Publikationen s. jetzt sein Buch: Paul and the Law (WUNT 29) (Tübingen 1983) – und *U. Luz* in: *R. Smend – U. Luz,* Gesetz (Kohlhammer Tb 1015) (Stuttgart – Berlin – Köln – Mainz 1981) 89–112; vgl. auch *E. P. Sanders,* Paul, the Law, and the Jewish People (Philadelphia 1983) 85.147–149.

läßt sich eine offene Flanke von der Jesusüberlieferung her nicht auch noch gebrauchen.

Kleins Vorgehen ist einerseits durch eine bestimmte Auswahl des Materials gekennzeichnet, andererseits dadurch, daß er naheliegende Fragen nicht stellt. Die folgende Erörterung wird dies im einzelnen verdeutlichen, und zwar zunächst (I) bei Kleins „Erhebung von Jesu Gesetzesverständnis", dann – als Ergänzung dazu (II) – bei seinem Blick auf „vorpaulinische Entwicklungsfelder", wo es primär um unterschiedliche Jesustraditionen geht.

I. Jesus[4]

Als jesuanisch wertet Klein sämtliche Antithesen von Mt 5, auch diejenigen, wo von der unantithetischen Formulierung bei Lk her Zurückhaltung geboten wäre. So dekretiert er nach Abweisung von Positionen, die sich in unterschiedlicher Weise um Differenzierungen bemühen: „Erst recht gilt von den Antithesen V. 31 f. 38 ff, daß hier das alttestamentliche Gebot bündig ‚aufgehoben wird‘ " (mit F. Hahn)[5]. Dabei bleiben mögliche jüdische Parallelen außer Betracht – die heute üblicherweise in Synopsen und Kommentaren registriert werden, auch bereits im Jesus-Buch G. Bornkamms[6]. Freilich – Bornkamm läßt sich deswegen noch lange nicht als Kronzeuge gegen Klein aufbieten. Denn schon beim nächsten Punkt herrscht Übereinstimmung, nämlich bei den „Sabbatkonflikten", „deren innerer Grund in Mk 2, 27 erscheint" (Klein mit W. Schrage).

Für Bornkamm ist dieser Satz „nach den gültigen Maßstäben der damaligen Zeit eine Blasphemie". Daran ändere „auch der ver-

---

[4] Die Zitate in diesem Abschnitt aus *Kleins* Artikel 58–61.
[5] Die mit den Antithesen gestellten Probleme erörtert jetzt umsichtig *U. Luz*, Das Evangelium nach Matthäus (EKK I/1) (Zürich – Einsiedeln – Köln – Neukirchen-Vluyn 1985) 244–250. Sein Haupteinwand gegen *I. Broers* Rückführung sämtlicher Antithesen auf den Evangelisten, daß nicht alle zu Mt 5, 17–20 paßten, erledigt sich durch die frühjüdischen Parallelen, die Luz selbst zu den beiden von ihm als jesuanisch anerkannten Antithesen (der ersten und der zweiten) beibringt (254 f. 264 f). Auf jeden Fall – ob antithetisch oder unantithetisch formuliert – bleibt Jesus mit den Bergpredigt-Stoffen im Rahmen jüdisch legitimer Tora-Auslegung.
[6] Jesus von Nazareth (Zehnte, neubearbeitete und ergänzte Aufl.) (Urban-Tb 19) (Stuttgart – Berlin – Köln – Mainz 1975) 86, vgl. 85–87.

einzelte, ganz ähnlich klingende Rabbinenspruch nichts: ‚Euch ist der Sabbat übergeben, und nicht seid ihr dem Sabbat übergeben‘, denn seine Pointe ist, wie aus dem Kontext ersichtlich, den Sabbat als Segen und Geschenk für den Menschen zu preisen und damit zur bereitwilligen Observanz dieser, wie es anderwärts heißt, von Gott selbst und seinen Engeln im Himmel eingehaltenen heiligen Ordnung aufzurufen."[7] Immerhin erkennt Bornkamm an, daß es um den Preis des Sabbats „als Segen und Geschenk für den Menschen" in diesem Rabbinenspruch geht – bloß: Wo bleibt da die Blasphemie im Jesuswort? Meines Wissens ist genau das die immer wieder – ich denke: zu Recht – behauptete Auffassung Jesu vom Sabbat.

Klein erspart sich Probleme dieser Art einfach dadurch, daß er eben mögliche Parallelen übergeht[8]. So kann er mit Schrage ausschließlich für Jesus „die ‚grundsätzliche Dominanz‘ des zwischenmenschlichen Verhaltens über die torakonforme Observanz" behaupten, darüber hinaus mit J. Becker den „Sabbat seiner apriorischen göttlichen Qualität beraubt" werden lassen. Ich frage mich nur, wo das im Text steht.

Am deutlichsten soll dann „die Radikalität von Jesu Einstellung zur Tora" beim „Reinheitsgesetz" zutage treten. Mit Hilfe „des entscheidenden Belegs Mk 7,15" will Klein wie E. Käsemann „grundsätzlich Voraussetzungen und Wortlaut der Tora samt der Autorität des Mose im ganzen angetastet" sehen. In Kleins ganzem Artikel sucht man allerdings vergeblich nach einer Behandlung der Frage, wieso dieser „entscheidende Beleg" von Jesus her, der in der Tat hätte hochbedeutsam sein müssen, in den nachösterlichen Auseinandersetzungen um die Heidenmission keine Wirkung zeigt, nicht zu existieren scheint (s. u. II). Will man deshalb nicht – wie schon

---

[7] Ebd. 88 f. Zu den Sabbat- (und anderen angeblichen Tora-) Konflikten Jesu vgl. meine Überlegungen in G. Biemer – A. Biesinger – P. Fiedler (Hg.), Was Juden und Judentum für Christen bedeuten (Freiburg i. Br. 1984) 22–31, sowie meinen Beitrag „(Die) Pharisäer in der synoptischen Tradition" (demnächst in einem Sammelband der QD).

[8] „Zweifellos wäre es … optimal, wenn in den fächerübergreifenden Artikeln interdisziplinär kooperiert würde": Wäre Klein diesem seinen Wunsch – Neues Testament – enzyklopädisch, in: VF 29 (1984) 75–85, hier 77 – gefolgt, hätte er von den durch K. Koch (40–52 zum AT) und J. Amir (52–58 zum Judentum) gemachten Vorgaben aus seinen Artikel anders schreiben müssen.

längst J. Jeremias und neuerdings U. Luz[9] – den „ungrundsätzlichen" Charakter von Mk 7,15 anerkennen, dann bleibt nur die Alternative einer erst nachösterlichen Entstehung als jesuanischer Rechtfertigung für eine inzwischen im konkreten Trägerkreis entstandene Praxis[10].

Einigermaßen erstaunt es, danach zu lesen, daß dieser für Klein „hinreichend breit gestreute Befund" nun noch außer auf die „Antriebskräfte dieser Gesetzeskritik" auch auf die „Reichweite" hin zu befragen sei. Ist sie denn nicht klar genug? Wie auch immer – Klein wehrt hier, worin ich ihm zustimme, Stuhlmachers Versuch ab, Jesus eine messianische Tora als Ablösung der Sinai-Tora proklamieren zu lassen.

Nicht nachvollziehen kann ich dagegen Kleins Beschäftigung mit der Sicht von U. Luz. Dieser will u. a. mit Lk 18,9–14 begründen, daß „die durch das Gesetz Israel geschenkte Heilsmöglichkeit" nicht bestritten, sondern nur überboten wird[11]. Zwar scheint mir die Entgegenstellung von Gottes Tora und seiner Liebe nicht begründet, nicht begründbar[12]. Wenn jedoch Klein Luz entgegenhält, er dürfe „den schroff polemischen V. 14" nicht ignorieren, „der die Rechtfertigung des torakonformen Pharisäers bestreitet", so ist zum einen Klein zu bestreiten, daß der Pharisäer dieser Beispielerzählung „torakonform" sei: Er ist, wie etwa die im Talmud wiederholt belegte Selbstkritik erweist, ein Zerrbild von Pharisäer, weit weg vom Ideal des Pharisäers aus Liebe[13].

Zum andern überrascht die Behendigkeit, mit der methodische

---

[9] Gesetz 60; zur Frage der von *Luz* befürworteten Aufnahme von Mk 7,15 durch Röm 14,14 (ebd. 149 Anm. 112) vgl. den Beitrag von *G. Dautzenberg* in diesem Band.

[10] Gegen das auch von mir vertretene „ungrundsätzliche" Verständnis von Mk 7,15 im Munde Jesu – so in: Jesus und die Sünder (BET 3) (Frankfurt – Bern 1976) 249–255 – hat *H. Räisänen* mit seiner Frage nach einem Tradentenkreis den m. E. ausschlaggebenden Einwand – zugunsten einer Bildung durch Judenchristen, „die in der Heidenmission engagiert und ihren alten Traditionen weithin entfremdet waren – Christen wie Paulus, von denen er aber kaum der einzige war": Zur Herkunft von Mk 7,15, in: LOGIA. Mémorial J. Coppens, ed. by J. Delobel (BETL LIX) (Leuven 1982) 477–484.

[11] Gesetz 66, vgl. 58–75.

[12] Vgl. etwa nur *U. Luz,* Mt 241: „Einzelvorschriften und Intensivierung des Gesetzes von der Liebe her sind kein Gegensatz, sondern gehören zueinander und konkretisieren das *Angebot* des Willens Gottes. Matthäus wurzelt in diesem Verständnis von Gottes Willen als Gnade im Judentum."

[13] Dieser schon längst festgestellte Befund nötigt m. E. dazu, die Beispielgeschichte Jesus abzusprechen: Jesus und die Sünder 228–233.

74

Grundeinsichten um eines angestrebten Ergebnisses willen über Bord geworfen werden. Denn daß in Jesu Verkündigung die „Rechtfertigung" des Sünders – als Kehrseite der Nicht-„Rechtfertigung" des Pharisäers – thematisiert worden sei, gibt Lk 18,14 nun wirklich nicht her und wird auch von Klein sonst nirgendwo geltend gemacht[14].

Entsprechende Vorbehalte erheben sich gegenüber Kleins Behandlung der Frage nach den „Antriebskräften" der behaupteten „Gesetzeskritik" Jesu. Daß „dem Gebot der Feindesliebe bzw. dem Liebesgebot ... in der ursprünglichen Jesusüberlieferung irgendein positiver Bezug zur Gesetzesmotivik eignete", ist ihm von vornherein „mehr als unsicher" – an Röm 12,20 braucht Klein wohl nicht zu denken[15]. Und da „Mt 5,43 ff par. dafür natürlich nicht in Anspruch genommen werden (kann)" – natürlich! –, „bleibt als einzig möglicher Beleg" Mk 12,28–34 parrs. Wenn Klein auch das von F. Hahn neuerdings – kaum zufällig – vertretene Postulat einer „wechselseitige(n) Unabhängigkeit aller drei Textformen ... wegen der massiven Kollision mit der Zwei-Quellen-Theorie" zurückweist, so trifft er sich schließlich doch wieder mit Hahn. Denn Klein schließt sich den Befürwortern einer eigenen Q-Fassung für Mt 22,34–40//Lk 10,25–28 und ihres höheren Alters als die Mk-Fassung an, wodurch er nun ebenfalls in die Lage kommt, in der eindeutig antipharisäischen Gestalt bei Mt „die archaischste Fassung bewahrt" zu sehen[16]. So kann er sein Schlußresümee vorbereiten: „Daß es vermutlich eine von Hellenismen freie, auf Jesus selbst zurückgehende Fassung der Überlieferung vom Doppelgebot gegeben haben

---

[14] Vgl. das eingangs gebrachte Zitat vom untheoretischen Charakter der jesuanischen „Gesetzesfreiheit".

[15] Das muß natürlich nicht so weit gehen, wie es jetzt *J. Sauer* vorschlägt: Traditionsgeschichtliche Erwägungen zu den synoptischen und paulinischen Aussagen über Feindesliebe und Wiedervergeltungsverzicht, in: ZNW 76 (1985) 1–28.

[16] Für die Vertreter einer eigenen Q-Fassung hat *J. Schmid,* Matthäus und Lukas (BSt, F, 23, 2–4) (Freiburg i. Br. 1930) 143–147, nachgewiesen, daß nicht von Mt, sondern von Lk auszugehen ist; der entsprechende Hinweis *Ch. Burchards* in seinem Beitrag zur FS für J. Jeremias (Göttingen 1970) 41 Anm. 4 wird *Klein,* der diesen Aufsatz zitiert, nicht entgangen sein. Ansonsten bleibt es bei *G. Schneiders* Feststellung: „Für die Annahme, daß Lukas in den VV 25–28 Mk 12,28–34 und keine Sondervorlage benutzt hat ..., gibt es wohl die besten Argumente": Das Evangelium nach Lukas (ÖTK 3/1) (Gütersloh – Würzburg 1977) 247; vgl. die Tabellen von *F. Neirynck,* Recent Developments in the Study of Q, in: LOGIA 29–75, 36 und 53, auch 38 Anm. 38.

wird" – so sein sonstiger Gewährsmann Schrage –, „dürfte jedenfalls methodisch schwer zu sichern sein."

Bei den dazwischen liegenden Absicherungsversuchen, die dementsprechend eher auf die Mk-Fassung zielen, erkennt Klein bemerkenswerterweise an, daß auch im damaligen Judentum das Liebesgebot universal verstanden werden konnte. Doch wird der s. E. „offenkundig unter dem Einfluß des Doppelgebots formulierte Text" TestIss 7, 6 nicht bloß entschärft[17], sondern durch die Behauptung geradezu auf den Kopf gestellt, es sei im hellenistischen Judentum „zu einem spezifischen Gesetzesverständnis gekommen, das nicht an der Schrift, sondern an der Summierbarkeit des Gesetzes zu einem Doppelgebot als zureichender Zusammenfassung des Gotteswillens interessiert war und das in der Konfrontation mit orthodoxer Gesetzesauffassung geradezu torakritische Funktion gewann." Offenbar übersieht Klein, daß er den Kontrast, der ihm am Herzen liegt, auf den Gegensatz zwischen einem „orthodoxen" und einem liberalen Judentum reduziert[18]. Denn ein Judentum, das ein „nicht an der Schrift" interessiertes „Gesetzesverständnis" ausbilden soll, ist ein Unding[19]. Wie unhaltbar Kleins Argumentation ist, zeigt etwa TestGad 4, 1 f. 7 mit seinem direkten Bezug aufs „Gesetz":

„Hütet euch nun, meine Kinder, vor dem Haß, denn er begeht gegen den Herrn selbst Gesetzlosigkeit. Er will nämlich seine Gesetzesworte über die Liebe zum Nächsten nicht hören, und (darum) sündigt er gegen Gott … Denn der Geist des Hasses wirkt durch den Kleinmut mit dem Satan in allen (Angelegenheiten) zusammen zum Tode der Menschen. Der Geist der Liebe jedoch wirkt in Langmut zusammen mit dem Gesetz Gottes zur Rettung des Menschen."[20]

Und was ist, wenn im Talmud selbst jene 613 Ge- und Verbote letztlich auf das eine von Amos 5, 4 bzw. von Hab 2, 4 (!) zurückgeführt

---

[17] Warum verzichtet *Klein* eigentlich nicht auf ein solches Wort, wenn es ihm nur unter christlichem Einfluß formulierbar vorstellbar ist?

[18] Zum Klischee vom „orthodoxen" (durchweg = pharisäischen) Judentum als dem Gegenüber Jesu s. den Beitrag von *K. Müller* in diesem Band.

[19] „Auch im hellenistischen Judentum steht das Toragesetz im Mittelpunkt … Nur bei *Philo* tritt, wie die ganze Sinnenwelt, das konkrete Gesetz hinter dem übersinnlichen Seelenaufstieg zurück, aber dessen auch buchstäbliche Verpflichtungskraft bleibt nichtsdestoweniger bestehen (Migr 89–93)": *J. Amir,* Art. „Gesetz. II. Judentum": TRE 13, 53.

[20] Übersetzung von *J. Becker,* Die Testamente der zwölf Patriarchen (JSHRZ III/1) (Gütersloh ²1980) 108 f.

werden?[21] Da scheint das „orthodoxe" Judentum selbst „torakritisch" zu werden!

Immerhin ist Klein das Bemühen um Folgerichtigkeit nicht zu bestreiten, wenn er alles, was nach „Gesetz" und Gebot aussieht, aus der Botschaft des irdischen Jesus zu eliminieren sucht. Denn offensichtlich ist ihm bewußt, was sich in Anwendung eines Gedankens A. Harnacks[22] so ausdrücken läßt: Wenn auch nur dieses eine Gebot der Nächsten- oder Feindesliebe Jesu – und sei es „als das organisierende Zentrum" seiner angeblichen „Gesetzeskritik" – gehalten werden muß, dann ist es eben doch ein Gebot, dann ist das Gesetz nicht grundsätzlich außer Kraft gesetzt, dann steht die paulinische Bestreitung der Toratreue als gültiger Weg zu Gott von Jesus her in Frage.

Infolgedessen sieht sich Klein zum Fazit ermächtigt, die für „Jesu Gesetzeskritik ... maßgebende(n) Triebkräfte aus seiner Verkündigung der Herrschaft Gottes ... herzuleiten." Sie stelle „mit allem Überkommenen auch das Gesetz ‚unter den Gesichtspunkt des Wertzerfalls‘, wie denn die mögliche Zugehörigkeit zur Gottesherrschaft in den authentischen Traditionsstücken nie an das Halten des Gesetzes gebunden wird, die Unheilssituation des Menschen nicht mittels der Tora dingfest gemacht und das Heilsangebot nicht im heilsgeschichtlichen Horizont von Bund und Gesetz, sondern aus der schöpferischen Vorgabe des kommenden Gottes entwickelt wird" (so mit J. Becker).

---

[21] Leicht zugänglich ist der ganze Abschnitt bMakkot 23b/24a in: Der Talmud. Ausgewählt, übersetzt und erklärt von *R. Mayer* (Goldmann-Tb 7571) (München 1980 u.ö.) 258–262.

[22] Bei seinen Überlegungen zur Trennung der Heidenkirche vom Judentum kommt *Harnack* auch darauf zu sprechen, daß sich die Heidenchristen dem letztlich judenchristlichen Standpunkt des Paulus (Röm 11,25–29 als des Apostels „letztes Wort" zum Israelproblem) entzogen, indem sie „sich ausschließlich durch das Mittel der Allegorie von dem Buchstaben der alttestamentlichen Religion und von dieser selbst befreiten". Dies sei nur konsequent gewesen; „denn blieb (die paulinische Betrachtung) auch nur an *einem* Punkt bestehen, so war damit das Recht der allegorischen Auffassung und damit das Recht der Heidenkirche überhaupt in Frage gestellt. Kommt dem Volke Israel noch *ein* Sonderrecht zu, bedeutet auch nur *eine* Sonderverheißung irgendetwas, muß auch nur *ein* Buchstabe in Kraft erhalten bleiben – wie darf das übrige spiritualisiert und auf ein fremdes Volk übertragen werden?": Die Mission und Ausbreitung des Christentums in den ersten drei Jahrhunderten (Leipzig [4]1924 = Nachdruck Wiesbaden o.J.) 72f.

Dagegen wäre jetzt nicht nur für die als authentisch zu sichernden Jesustraditionen (auch in den von Klein herangezogenen Stoffen) auf der Unlösbarkeit von Basileia-Botschaft und Tora-Treue zu bestehen[23], eine Verbindung, die auch in nichtauthentischen Traditionen unbestreitbar ist (s. u. II). Nehmen wir nur die „Antithesen": Selbst wenn Jesus „die Autorität des Mose" angetastet hätte, wäre es ja eindeutig im Sinn einer Verschärfung (und nicht Abschaffung) der betreffenden Gebote gewesen. Entsprechend läßt sich bei unbefangener Betrachtung auch das Vaterunser nur in diesem Horizont angemessen verstehen[24].

Was die „Unheilssituation des Menschen" angeht, können gerade etwa Gleichnisse, die den Schuldennachlaß thematisieren, aufgrund biblischer Vorgaben und frühjüdischer Parallelen allein „im heilsgeschichtlichen Horizont von Bund und Gesetz" sinnvoll ausgelegt werden[25]. Davon abgesehen, braucht man sich die Vorstellung nur einmal etwas zu verdeutlichen, daß in Jesu Offenheit für Sünder der Bezug zur Tora weder für ihr zurückliegendes noch für ihr weiteres Leben eine Rolle gespielt haben sollte, um die Unmöglichkeit einer derartigen Position zu erkennen. Schließlich ist der „Bundesgott" und der Schöpfergott gerade in der damaligen Zeit alles andere als eine Alternative[26]. Vielmehr: Wenn ein Jude – wie auch Jesus – vom Schöpfer spricht, dann geht es für ihn und seine Zuhörer um eben den Gott, der sein Volk erwählt und ihm als Zeichen der Erwählung die Tora geschenkt hat. Dies alles wird von Klein nicht bedacht bzw. ignoriert.

---

[23] „Mir scheint, daß das Gesetz ... die selbstverständliche Voraussetzung der Verkündigung Jesu war und daß er in diesem Rahmen wie ein Prophet wirkte, der Gottes Recht zur Geltung bringen will; es ging darum, wie Israel mit dem ihm bekannten Gotteswillen umgeht": *D. Lührmann*, ... womit er alle Speisen für rein erklärte (Mk 7,19), in: WuD NF 16 (1981) 71–92, hier 84.

[24] Dazu etwa *P. von der Osten-Sacken,* Grundzüge einer Theologie im christlich-jüdischen Gespräch (ACJD 12) (München 1982) 74–81.

[25] Ich brauche mich hier nicht zu wiederholen: vgl. die entsprechenden Abschnitte in „Jesus und die Sünder". Daß Jesus sich den Sündern zugewendet habe, „weil er in ihnen die *wahren Exponenten Israels* sieht, das sich als Unheilskollektiv vor-findet" – so *H. Merklein,* Jesu Botschaft von der Gottesherrschaft (SBS 111) (Stuttgart 1983) 81, vgl. 77–83 –, hat an den Texten keinen Anhalt, sondern ist dem „Unheilskollektiv" zuliebe konstruiert (vgl. dazu meine Kritik in: ALW 27 [1985] 340).

[26] Das hat *M. Limbeck,* Die Ordnung des Heils. Untersuchungen zum Gesetzesverständnis des Frühjudentums (Düsseldorf 1971), für einzelne Schriften exemplarisch herausgearbeitet; vgl. dazu noch „Jesus und die Sünder" 79f.

II. Zur Wirksamkeit der Jesusüberlieferung[27]

Die Darstellung und Bewertung dessen, was Klein „vorpaulinische Entwicklungsfelder" nennt (eine suggestive Kennzeichnung!), unterstreicht, daß seine Beurteilung der Einstellung Jesu zur Tora nicht aufrechterhalten werden kann. Vor der Erörterung einzelner „Richtungen" im Urchristentum erkennt er – wohl oder übel – den „Tatbestand" an, daß Jesu angeblich „pointierte Gesetzeskritik der weiteren Entwicklung nicht das einheitsstiftende Maß setzte." Hier stellt bereits die Beschreibung des für Kleins Sicht Jesu natürlich sehr mißlichen Tatbestands eine Verharmlosung des Problems dar. Denn angemessen wäre die Feststellung (wie auch die folgende Erörterung im einzelnen noch zeigen wird), daß dem ältesten Christentum eine grundsätzlich positive Einschätzung der Tora selbstverständlich war.

Um diesem Tatbestand von vornherein die Spitze zu brechen, beruft sich Klein auf die österlich begründete „Transformation der Eschatologie", die „den Tradierungsdruck der vorösterlichen Jesusbotschaft von Anfang an in Grenzen" gehalten habe. Das Argument stellt eine arge Zumutung dar: Eben (am Schluß des Jesusteils) war noch behauptet worden, daß infolge von Jesu Ausrichtung auf die Zukunft der Gottesherrschaft „das Gesetz seine schicksalsregulierende Rolle ausgespielt" hätte. Nun nach Ostern, wo „mit Jesu Tod und Auferstehung die von ihm noch erwartete Weltenwende als eingetreten geglaubt wurde", wo sich also der Akzent von der Zukünftigkeit auf die Gegenwart des Heils verlagert hätte, soll dies nicht – wie allein sinnvoll – das Wirksamwerden von Jesu „Gesetzeskritik" beschleunigt, sondern behindert haben. Genauer wäre es zu sagen: verhindert.

Bei der anschließenden Einzelerörterung wird nämlich gleich für die „Frühphase der ‚Hebräer'" (2.1), also für die in Apg 6 identifizierbare Gemeinde, anerkannt, daß in ihrem „Einflußfeld ... Beschneidung und Gesetzesgehorsam unangefochtene Elemente des Christseins waren", daß hier also „zunächst das Gesetz als Problem überhaupt nicht bewußt wurde." Dies habe sich erst mit dem Auf-

---

[27] Die Zitate in diesem Abschnitt aus *Kleins* Artikel 61–64 (mit seiner oben übernommenen Zählung der Unterabschnitte 2.1 bis 2.4).

treten der „Hellenisten" und dem Stephanusmartyrium geändert (s. u.).

„Archaische judenchristliche ‚Gesetzlichkeit'" (2.2) ortet Klein sodann bei Gruppierungen, die sich ihm „wenigstens verschwommen" abzeichnen: eine, die „für das Missionsprogramm Mt 10, 5b–6 mit seiner bei den Jerusalemer ‚Hebräern' unvorstellbaren intransigent partikularistischen Ausrichtung auf das einzig rettungswürdige alttestamentliche Gottesvolk"[28] verantwortlich gemacht wird; weiter eine „freilich sehr hypothetische Trägergruppe von Q mit einer auf Toraverschärfung basierenden Interimsethik"[29]; schließlich „ein eventuell hinter der Bergpredigt erkennbar werdendes antipharisäisches, der Tora in der Auslegung Jesu verpflichtetes Judenchristentum, für das denn bei aller Kultkritik[30] ‚Gesetz und Evangelium sehr eigentümlich ineinander' lägen" (so mit H. D. Betz). Diese Anerkenntnis einer judenchristlichen Gruppierung, die „der Tora in der Auslegung Jesu" verpflichtet ist, verblüfft am meisten – wie oben zitiert, hat Klein Jesus „das alttestamentliche Gebot" mit (den) Antithesen „bündig" aufheben lassen (59). Was gilt denn nun? Nimmt man die Ausführungen über die antipaulinische Ausrichtung (bestimmter Aussagen) der Bergpredigt hinzu (73)[31], so scheint dieser eklatante Selbstwiderspruch zugunsten eines die Tora doch wohl auslegenden, aber eben nicht außer Kraft setzenden Jesus korrigiert werden zu müssen.

Wie auch immer – es bleiben neben all den Gruppierungen, die Jesu „Gesetzeskritik" nach Kleins Auffassung nicht verstanden oder gar verdrängt und jedenfalls faktisch in ihr Gegenteil verkehrt haben, allein die „Hellenisten" (2.3) übrig, die sich auf jener von Jesus eröffneten Bahn fortbewegt hätten[32]. „Das theologische Profil dieser

---

[28] War dann nicht auch Jesus „intransigent partikularistisch"? Daß die Respektierung der Vorrangstellung Israels die „Rettungswürdigkeit" der anderen Völker nicht beeinträchtigt, läßt sich z. B. an der Erwartung der endzeitlichen Völkerwallfahrt zum Zion erkennen; s. auch u. Anm. 37.

[29] Hier vermißt man Präzisierungen: Welche der hinter Q stehenden Gruppen ist gemeint? Was heißt hier „Interimsethik"?

[30] Sollte *Klein* Mt 5, 23 f als „Kultkritik" (miß-)verstehen?

[31] Hier macht es sich *Klein* im übrigen allzu leicht, wenn er Mt mit der Bemerkung abtun zu können meint, daß „mit der Rezeption der Bergpredigt durch Matthäus über dessen Gesetzesverständnis noch nicht entschieden ist". Vgl. dagegen etwa *R. Mohrlang,* Matthew and Paul – a comparison of ethical perspectives (SNTS.MS 48) (Cambridge 1984) 44(–47), und *Luz,* Mt 69 f.

hellenistischen Gemeinde" lasse sich „mit Vorsicht aus der Anklage gegen Stephanus Act 6, 11 ff, mit Sicherheit aus der Tatsache seines Martyriums (Act 7, 54 ff), zumal im Lichte von dessen unmittelbarer Nachgeschichte, erheben." Denn: „Die der Stimmigkeit des lukanischen Geschichtsbildes abträglichen Notizen Act 8, 1; 9, 31; 11, 19 f lassen keinen anderen Schluß zu, als daß die ‚Hellenisten' eine allgemeine Verfolgung traf, während die ‚Hebräer' unbehelligt blieben... Das aber bedeutet, daß sogar in der Außenansicht der Verfolger beide Christengemeinden sich gerade in ihrer Einstellung zum Gesetz markant unterschieden."

Allerdings überzeichnet Klein mit der Behauptung: „Verständlich werden die Vorgänge nur unter der Voraussetzung, daß die ‚Hellenisten' das Gesetz grundsätzlich für aufgehoben erklärten und damit jegliche religiöse Vorrangstellung Israels bestritten". Denn die für ihn „undenkbar(e)" Möglichkeit, „daß beide Gemeinden in einem affirmativen Gestzesverständnis relativ übereingestimmt" haben, schließt keineswegs tiefgreifende Differenzen hinsichtlich der Tora (und ihrer Verwirklichung) aus – wie es bekanntlich vom Judentum der damaligen Zeit insgesamt bestätigt wird.

Unter diese Kritik fällt dann auch alles, was Klein aus der vermeintlichen „frühhellenistischen Gesetzesfreiheit" folgert, auch im Blick auf die weiteren Beziehungen zur Jerusalemer Gemeinde der „Hebräer" und deren Entwicklung (2.4). Wenn dieser Gemeinde nämlich in Anbetracht der „späteren Kontakte mit dem hellenistischen Missionschristentum (Gal 1, 18; 2, 1 ff)" großmütig zugestanden wird, „daß nomistische Intransigenz jedenfalls nicht durchweg waltete" und daß – wie der „Jerusalemer Konvent" zeigt – „die innerjerusalemer Abgrenzungen zunächst fließend waren", dann läßt sich das sinnvoll überhaupt nur vertreten, wenn es bei den „Hellenisten" noch nicht „zur Einsicht in die soteriologische Entmächtigung des jüdischen Gesetzes" gekommen, sondern die prinzipielle Gültigkeit der Tora Gottes unbestritten war.

Zweifellos ist dann auch „die Umorientierung des Petrus" in An-

---

[32] Irgendeine Verbindung zwischen den „Hellenisten" und Jesus herzustellen, wie es sich von *Kleins* Anordnung und Bearbeitung des Materials nahelegen kann, wird von ihm – selbstverständlich – vermieden. Vielmehr: Die „Stephanusgemeinde" kann kein „endogener Sproß der Jerusalemer Urgemeinde" gewesen sein.

tiochien „theologisch begründet". Aber seine offensichtliche Unsicherheit wird allein dann begreiflich, wenn das vorausgehende Jerusalemer Abkommen eine grundsätzliche Infragestellung der Tora nicht einschloß – von allem anderen abgesehen: Welche Erfolgsaussichten hätte Petrus sonst auch für seine Christusverkündigung unter Juden (Gal 2, 7–9) haben können! Was den Abgesandten der Antiochener Gemeinde bewilligt wurde, war die Fortführung der dort aufgekommenen Praxis, Heiden die Christusbotschaft zu verkünden, ohne von ihnen den vollen Übertritt zum Judentum – vollzogen durch die Beschneidung – zu verlangen. Die Tischgemeinschaft, die bei einer geringen Zahl von Heidenchristen in einer judenchristlich dominierten Gemeinde – wie sie die in Antiochien zunächst sicher blieb – nicht als drängendes Problem empfunden werden mußte (es sei denn, man unterstellte ihr pharisäische Ambitionen), war offenbar in Jerusalem kein Verhandlungsgegenstand, jedenfalls kein direkter. Das Schweigen des Paulus über dieses Thema in seiner Darstellung Gal 2, 1–10 – ebenso, daß er Petrus in Antiochien nicht auf eine diesbezügliche Klausel in der Jerusalemer Abmachung ansprach: Gal 2, 14 (ff) – ist beredt genug.

Zum Problem machten die Tischgemeinschaft zwischen Juden- und Heidenchristen in Antiochien erst die Judenchristen aus Jerusalem. Sie müssen ein – wenn man so will – ‚konservativeres' Toraverständnis als etwa Petrus gehabt haben und scheinen die stärkeren Argumente haben vorbringen zu können. Denn nicht bloß Petrus, sondern auch – und das ist ein noch gewichtigerer Einwand gegen Kleins Rekonstruktion – der Mentor und Lehrer des Paulus, der hellenistische Judenchrist Barnabas erkennt die von den Jerusalemern geltend gemachten Gesichtspunkte an (Gal 2, 13). Bezeichnenderweise übergeht Klein diesen in seiner Diktion ‚gesetzlichen Rückfall' des Barnabas, der doch wohl neben Paulus als ein Hauptvertreter „der soteriologischen Insuffizienz des Gesetzes" zu gelten hätte, mit Schweigen.

Allerdings verdient auch das Verhalten des Petrus in Antiochien und die Reaktion des Paulus darauf noch ein paar Überlegungen mehr, als Klein dafür übrig hat. Denn angenommen, es hätte eine Entwicklung gegeben, die von Jesu grundsätzlicher, aber durch Ostern in ihrem „Tradierungsdruck" zunächst an Wirksamkeit gehemmter „Gesetzeskritik" zu einer Einstellung in der Jerusalemer

„Hebräer"-Gemeinde geführt hätte, derzufolge in der Zeit des „Jerusalemer Konvents" noch nicht bei allen Gemeindemitgliedern – also auch bei Petrus noch nicht – „nomistische Intransigenz waltete" (eine schon sehr kuriose Entwicklung, fürwahr!): Dann hätten doch Petrus spätestens bei der Zuspitzung der Lage in Antiochien die Augen für die Tragweite der „Gesetzeskritik" Jesu aufgehen und er entschlossen die Partei Pauli ergreifen müssen. Für die vorausgehenden Verhandlungen beim Jerusalemer Konvent oder gar für die viel weiter zurückliegende erste Begegnung zwischen Petrus und Paulus (Gal 1,18) mag man diese Frage gar nicht aufwerfen – obwohl doch Paulus, wenn man mit einer „seit seiner Bekehrung datierenden grundsätzlichen Gesetzesfreiheit" rechnet[33], brennend daran hätte interessiert sein müssen, aus erster Hand über entsprechende Aussagen und Handlungen Jesu informiert zu werden[34]. Anscheinend gab es die nicht – im Gegenteil! Der irdische Jesus stand grundsätzlich auf dem Boden der Tora. Das wird durch die verschiedenen judenchristlichen Bezeugungen unterstrichen, die ja auch Klein gelten läßt, und Paulus selbst bestreitet diese Tatsache nicht[35].

Deshalb läßt sich nicht behaupten: „Das auslösende Moment dieser frühhellenistischen Gesetzesfreiheit müssen missionarische Erfahrungen gewesen sein. Überlieferungen wie Mk 7,24–30; Lk 17,11–19; Mt 8,5–10"[36] und „die programmatische Feststellung Mt 8,11 f par[37] ... illustrieren einen von der Dynamik des Evangeliums angetriebenen Lernprozeß, der die missionierende Gemeinde gegen ihr eigenes Vorverständnis zum Universalismus und damit zur Ein-

---

[33] Für *Klein* ist diese Konsequenz aus der Sicht der „Hellenisten" und aufgrund der eigenen Prämissen unvermeidlich und unverzichtbar.

[34] *J. D. G. Dunn,* Mark 2.1 – 3.6: A Bridge between Jesus and Paul on the Question of the Law, in: NTS 30 (1984) 395–415, geht sehr zuversichtlich für Paulus von „tradition received from Peter and others (Gal. 1)" aus (413). Was nützt das, wenn Paulus keinen Gebrauch davon macht (ebd.)? Besonders delikat muß das Verhältnis Paulus – Jakobus gewesen sein (Gal 1,19; 2,9), wenn man mit einem „gesetzesfreien" Paulus von Anfang an rechnet.

[35] Vgl. dazu den Beitrag von *G. Dautzenberg* in diesem Band.

[36] Daß diese Texte „keine Ausnahme-, sondern exemplarische Fälle schildern" wollen, dürfte *Klein* kaum plausibel machen können.

[37] Entgegen *Kleins* Verständnis zeigt das Wort, „daß Q der alttestamentlichen Tradition der Völkerwallfahrt folgend das Herbeikommen der Heiden in der Endzeit als ein von der Mission unabhängiges Geschehen ansah": *P. Hoffmann,* Die Anfänge der Theologie in der Logienquelle, in: Gestalt und Anspruch des NT (Würzburg 1969) 134–152, hier 138.

sicht in die soteriologische Entmächtigung" der Tora geführt habe. Das einzig Akzeptable an diesem Resümee besteht darin, daß der irdische Jesus aus dem Spiel gelassen, somit der Gegensatz zu den Ausführungen des Jesus-Teils bekräftigt wird und stattdessen auf missionarische Erfahrungen abgehoben ist, die zu einem Lernprozeß führten – bloß daß dabei „Gesetzesfreiheit", wenn man einmal diesen irreführenden Begriff verwenden will, zuerst bei Paulus in einem späten Stadium seines missionarischen Wirkens, nämlich nach dem Antiochenischen Zwischenfall, hervortritt.

Einer unvoreingenommenen Betrachtung, die bereit ist, die Texte zu ihrem Wort kommen zu lassen, kann das Vorhandensein einer grundlegenden Differenz zwischen Jesus (sowie nachösterlichen Trägern der Jesusüberlieferung) und Paulus in der „Gesetzesfrage" nicht verborgen bleiben, ebensowenig die Tatsache, daß die Heidenmission durch Angehörige der vertriebenen „Hellenisten"-Gemeinde keiner theologischen Grundsatzentscheidung (ihrem „Antinomismus", wie Klein will) entsprang, sondern einer bestimmten historischen Konstellation: Daß solche „Hellenisten" für ihren Christusglauben bei Heiden in Antiochien Interesse fanden, ist ganz normal, wenn man bedenkt, daß der Universalismus keine Entdeckung dieser Judenchristen, sondern Wesenselement des jüdischen Glaubens ist (vgl. die Proselyten und die Gottesfürchtigen in den Synagogengemeinden besonders der Diaspora).

Derartige Missionserfahrungen in einer hellenistisch-judenchristlichen Gemeinde, deren Toraverständnis man im wesentlichen als (je nach Standpunkt des Urteilenden) laxer oder freier als das bei den „Hebräern" in Jerusalem vorherrschende bezeichnen kann, haben Probleme entstehen lassen, die sich erst nach und nach als solche zeigten und dann auch verschärften, so daß mit der Zeit grundsätzliche Klärungen erforderlich wurden. Das ging jedoch – wie auch später in der Kirchengeschichte, wo bekanntlich eine erreichte Lösung oft schon das nächste Problem hervorrief – nicht auf einmal, sondern in einem konfliktreichen, von unterschiedlichsten Faktoren beeinflußten Klärungsprozeß. Paulus ist daran (zwar nicht von Anfang an, dann aber je länger, desto stärker) beteiligt. Doch als Beteiligter wie als Zeuge ist er eben Partei – was Klein außer acht läßt. Das braucht hier allerdings nicht weiter verfolgt zu werden.

Vielmehr genügt es festzuhalten: Die Überprüfung der frühen

nachösterlichen (keineswegs nur auf Paulus hinlaufenden)[38] Entwicklung auf der Grundlage der Argumentation Kleins zeigt eindeutig, daß die im Mutterland faßbare Jesusüberlieferung keine „Gesetzesfreiheit" hergibt, sondern daß sich ihre Träger mit unterschiedlicher Konsequenz zur Toratreue verpflichtet wissen. Dies wiederum bestätigt, was für Jesus festgestellt wurde, nämlich daß seine Basileia-Botschaft prinzipiell auf·dem Boden der Tora verankert ist.

III. Ausblick

Ein solches Ergebnis läßt als Alternative zu der von Klein forcierten Anpassung Jesu an die paulinische „Rechtfertigungslehre" kein harmonisierendes Verfahren zu, das etwa Jesus nur ,ein bißchen grundsätzlich' die Tora in Frage stellen läßt und die paulinische „Gesetzeskritik" nicht ganz so grundsätzlich nehmen will, wie sie sich an verschiedenen Stellen seiner Briefe äußert. Einen solchen Versuch hat kürzlich J. D. G. Dunn unternommen[39]. Er will Mk 2,15 – 3,5 als eine – vorpaulinische – „Brücke zwischen Jesus und Paulus in der Gesetzesfrage" verstehen. Zu diesem Zweck ist er aufgrund der Argumente von E. P. Sanders bereit, die „Gesetzes"-Aussagen des Paulus in eine bestimmte Richtung umzubiegen, wodurch ihre Tragweite eingeschränkt wird: Paulus habe keine Einwände gegen „das Gesetz an sich" erhoben, sondern gegen „das Gesetz, sofern es als Beweis und Kennzeichen der Erwählung Israels gesehen wird"; dementsprechend wolle seine Anprangerung von „Gesetzeswerken" nicht „,gute Werke' als solche herabsetzen, sondern Gesetzesbeobachtungen, die als Bestätigung der Mitgliedschaft im Gottesvolk gelten – insbesondere Beschneidung, Speisegebote und Sabbatheiligung."[40]

---

[38] Für *Klein* hat „in Jerusalem ein prinzipieller Nomismus das Feld behauptet". Ob man hier nun die „Jakobus-Klauseln" mit einbezieht oder nicht – *Klein* läßt es offen, ob sie „zur unmittelbaren Nachgeschichte des antiochenischen Zwischenfalls" gehören oder „zur Zeit des Lukas in Geltung stehende Regelungen" widerspiegeln –, jedenfalls unterstreicht dies, daß Jesus nicht für Paulus auszuwerten ist.

[39] NTS 30 – als Ergänzung einer vorangehenden Untersuchung, die von Paulus ausgeht: 396f.414 Anm. 3. Vgl. oben 83 Anm. 34.

[40] Ebd. 396. Aus der Begründung, daß diese „Gesetzeswerke" „in effect confined the grace of God to members of (the Jewish) nation", zeigt sich die Unhaltbarkeit von

Gleichsam als Widerlager der Brücke auf der Jesus-Seite will Dunn aus den in Mk 2, 15 – 3, 5 erzählten Ereignissen, die „empfindliche Nerven im Selbstverständnis des typischen frommen Juden jener Zeit berührten", einen Angriff Jesu auf dieses Selbstverständnis erschließen. Doch soll die Tragweite dieses angeblichen Angriffs Jesu noch offen sein, also auch dahin, daß die Auslegung der untersuchten Traditionen innerhalb des Rahmens von Bund und Tora bleibt[41]. Bei einem solch eklatanten Mangel an Eindeutigkeit bleibt allerdings die Beweislast bei denen, die die ungebrochene jüdische Identität Jesu in seiner Einstellung zur Tora bestreiten, wie immer dann konkrete „gesetzliche" Fragen zu beantworten wären und wie unterschiedlich, ja widersprüchlich man sie auch im Urchristentum unter Berufung auf Jesus beantwortet hat[42].

Darüber hinaus ist kaum zu erwarten, daß sich G. Klein und andere Verfechter von Positionen auf seiner Linie zu einer Abschwächung der Sicht Pauli im Sinn des Vorschlags von J. D. G. Dunn bereit finden. Dagegen läßt sich eben durchaus mit Recht einwenden, daß hier manche Spitzenaussagen des Paulus zum Thema „Gesetz" (und somit: Rechtfertigung allein aus Glauben) nicht ernst genug genommen werden.

Deshalb halte ich es für geboten, die Konsequenz zu ziehen, gegen die sich Klein mit aller Macht sträubt, nämlich die (ohnehin in sich widersprüchliche) Sicht des „Gesetzes" bei Paulus von Jesus und der urchristlichen Jesusüberlieferung her in Frage zu stellen. Das heißt nichts anderes als Paulus zu entmythologisieren.

Wie berechtigt diese Forderung ist, bestätigt Klein – natürlich ungewollt – mit aller Deutlichkeit, wenn er gegen H. Räisänen und U. Luz, die mit Nachdruck auf das verzerrte Bild des Judentums bei

---

Dunn's Hypothese besonders deutlich. Denn die Universalität von Gottes Gnade ist von der Hebräischen Bibel her geläufig.

[41] Ebd. 403, vgl. 400–409. Das Gegenüber zur pharisäischen Halacha, das *Dunn* als gegeben ansieht, braucht hier nicht weiter erörtert zu werden (vgl. o. Anm. 18).

[42] Für die *nach*österliche Entwicklung sieht *Dunn* zweifellos Richtiges. Denn um es pointiert auszudrücken: Wenn man nicht wie Paulus die eigene apostolische Autorität in die Waagschale werfen konnte (aber mit wie wenig Erfolg, jedenfalls zunächst einmal!), dann blieb hellenistischen Judenchristen gar nichts anderes übrig als Jesustraditionen umzuformen und neu zu bilden, wenn sie für eine ‚liberale' Torapraxis oder sogar für den Verzicht darauf (s. o. Anm. 10) dem Druck standhalten wollten, der von ‚konservativen' Judenchristen mit ihren (historisch fundierten) Jesustraditionen dagegen gesetzt wurde.

Paulus hinweisen, diesen grundsätzlichen Einwand formuliert: „Die Frage, wieweit sich die paulinische Kritik an der nomistischen Verfassung des Judentums phänomenologisch bewahrheiten lasse, geht ins Leere. Versucht man, paulinische Kritik frommer Selbstbegründung an der Toraverschärfung frühjüdischer Gruppen einleuchten zu lassen ..., begibt man sich ins Feld der Geistesgeschichte, wo die Phänomene vieldeutig sind und womöglich auch die Gegenthese erlauben ..." (69). Eine solche Denunzierung geistesgeschichtlicher Arbeit um des Festhaltens am Mythos von „der nomistischen Verfassung des Judentums" willen ist für einen Autor wahrhaft erstaunlich, der sein Paulusbild durch den Aufweis geistesgeschichtlicher Zusammenhänge von Jesus her und über „vorpaulinische Entwicklungsfelder" historisch abzusichern bemüht ist.

V

Gesetzesverständnis bei Paulus

Von Jan Lambrecht SJ, Leuven

Einleitung

,Paulus und das Gesetz' ist und bleibt bis in unsere Tage ein vieldiskutiertes Thema[1]. Dabei stoßen wir natürlich auf die nicht zu unterschätzende Schwierigkeit, näher zu bestimmen, was Paulus an den verschiedenen Stellen in seinen Briefen präzis mit seinen verschiedenartigen Aussagen über das Gesetz meinte. Diese Arbeit ist noch lange nicht beendigt. Jedoch sieht es danach aus, daß in der nächsten Zukunft von neuem und wahrscheinlich mehr als früher darüber debattiert werden wird, ob Paulus in allen Aussagen ,konsistent' zu verstehen ist. Viele Exegeten – bei weitem die Mehrheit – verteidigen ohne Zweifel auf Wohl oder Weh die Auffassung, daß Paulus ein gut durchdachtes Gesetzesverständnis hatte, auch wenn manchmal auf eine Entwicklung bei Paulus hingewiesen wird und wenn die großen Unterschiede darin, worauf Paulus das Gewicht legt, als Folge jeweils veränderter Umstände und Fragestellungen erklärt werden. Gleichwohl ist unlängst der innere logische Zusammenhalt des Gesetzesverständnisses des Paulus radikal in Frage gestellt worden[2]. Es heißt, was Paulus zum großen Apostel der Heiden

---

[1] Vgl. den Satz, mit dem *U. Wilckens,* Zur Entwicklung des paulinischen Gesetzesverständnisses, in: NTS 28 (1982) 154–190, seine Studie beginnt: „Das Gesetzesverständnis des Paulus ist in letzter Zeit wieder in den Brennpunkt der Diskussion getreten." Als „wichtigste Gesprächspartner" nennt er in Anm. 1: C. K. Barrett, A. v. Dülmen, F. Hahn, K. Kertelge, G. Klein, U. Luz, E. P. Sanders und P. Stuhlmacher. Wilckens veröffentlichte eine kürzere Fassung dieser Studie auf Englisch: Statements on the development of Paul's view of the Law, in: *M. D. Hooker – S. G. Wilson* (Hg.), Paul and Paulinism. FS C. K. Barrett (London 1982) 17–26. Für eine gute neuere Bibliographie siehe *G. Klein,* Art. Gesetz III, in: TRE XIII 58–75, hier 73–75.

[2] Wir denken hier in erster Linie an die Veröffentlichungen von *H. Räisänen,* Paul's Theological Difficulties with the Law, in: *E. A. Livingstone,* Studia Biblica (1978) III.

gemacht habe, liege im Bereich des Praktischen und nicht des Theo-
retisch-Theologischen.

Wie gehen wir am besten in diesem Vortrag vor? Zunächst werden
wir uns kurz und eher einleitend und etwas einlinig dem Gesetzesverständnis in der vorpaulinischen Tradition zuwenden. Der zweite
Teil gibt eine knappe, selektive Übersicht über die wichtigsten exegetischen Positionen, die seit 1970 bezüglich des Gesetzesverständnisses des Paulus vertreten wurden[3]. In einem dritten und letzten
Teil untersuchen wir sodann einen paulinischen Text, Gal 3,10–14,
der unserer Ansicht nach sehr bedeutend ist, um ein besseres Verständnis der Gesetzeskonzeption bei Paulus zu gewinnen.

I. Gesetzesverständnis in der vorpaulinischen Tradition

„Die Frage des Gesetzes ist im Urchristentum in sehr verschiedenem
Grade als Problem bewußt geworden."[4] Den Begriff ‚vorpaulinisch'
aus der Überschrift verstehen wir folgendermaßen. Der vorpaulinische Zeitraum erstreckt sich von Christus bis etwa in die fünfziger
Jahre (so daß das Gesetzesverständnis von Markus, Matthäus und
Lukas sowie auch das des Jakobus nicht untersucht zu werden
braucht). Die paulinische Zeit – wenn wir so sagen dürfen – beginnt
mit den Paulusbriefen. Vor allem die Briefe aus den Jahren um 55, in
denen über das Gesetz reflektiert wird, geben den Ausschlag. Der
rückblickende Inhalt von Gal 2 legt es jedoch nahe, die typisch paulinische Zeit mit den Ereignissen, die zum Apostelkonvent führten,
anfangen zu lassen. Schematisch können wir in unserer Analyse drei
Gestalten unterscheiden: Jesus (als Anfang), Stephanus und Paulus
(als Endpunkt).

Papers on Paul and Other New Testament Authors (JSNT, Suppl. Ser. 3) (Sheffield
1980) 301–320; *ders.*, Legalism and Salvation by the Law. Paul's portrayal of the Jewish
religion as a historical and theological problem, in: *S. Pedersen* (Hg.), Die Paulinische
Literatur und Theologie, Århus-Göttingen 1980) 63–83, und das kürzlich veröffentlichte Buch: Paul and the Law (WUNT 29) (Tübingen 1983).

[3] Vgl. die Diskussion im Jahre 1968 „Warum sagt Paulus: ‚Aus Werken des Gesetzes
wird niemand gerecht'?" mit *U. Wilckens* und *J. Blank* als Referenten, veröffentlicht
in: EKK Vorarbeiten 1 (Zürich – Neukirchen 1969) 51–95 und 104–107 (Zusammenfassung der Diskussion).

[4] *G. Klein*, Art. Gesetz 58.

1. Jesus

Mit großer Wahrscheinlichkeit können wir davon ausgehen, daß sich der irdische Jesus bei verschiedenen Gelegenheiten nicht nur anti-Halacha, sondern auch anti-Tora, d.h. gesetzeskritisch, verhielt. Wir verweisen dazu auf Jesu radikale Haltung bezüglich des Sabbats, der Ehescheidung, der kultischen Reinheit und des Tempels. Man braucht dabei gar nicht anzunehmen, daß Jesus bewußt revolutionär handelte und das jüdische Gesetzesverständnis so oft als möglich vorsätzlich angriff. Seine nicht seltene Kritik am Gesetz war jedoch ohne Zweifel historisch grundlegend für die wachsende Opposition von seiten der jüdischen Obrigkeit. Hierbei müssen wir uns eines klar vor Augen halten: Jesus stand, was seine Gesetzesauffassung anging, nicht unter dem Einfluß der einen oder anderen liberalen jüdischen Tendenz, die das (kultische) Gesetz spiritualisierte oder die Vielzahl von Vorschriften im Liebesgebot zusammenfaßte. Jesu Haltung gegenüber dem Gesetz hängt zutiefst mit seiner Erfahrung als Gesandter Gottes zusammen; sie entspringt seinem Sendungsbewußtsein, daß nämlich in ihm und durch ihn Gottes Königsherrschaft sich Bahn bricht. Das Gesetz als Heilsweg ist nicht mehr zentral. Gottes neue Initiative rechtfertigt die Sünder, d.h. die Übertreter des Gesetzes[5].

---

[5] Vgl. zu diesem Absatz *J. Lambrecht,* Jesus and the Law. An Investigation of Mk 7, 1–23, in: EThL 53 (1977) 24–82. Wenn Jesus bewußt stellvertretend für die Menschen gestorben ist, dann muß er selbst auch in seinem Tod die Heilsbedeutung von Tempel und Gesetz relativiert haben. Vgl. z.B. *H. Schürmann,* Jesu ureigener Tod. Exegetische Besinnungen und Ausblick (Freiburg i. Br. 1975); *M. Hengel,* Der stellvertretende Sühnetod Jesu. Ein Beitrag zur Entstehung des urchristlichen Kerygmas, in: IKZ 9 (1980) 1–25.135–147, vor allem 141–147 (eine etwas längere und teilweise neu bearbeitete Fassung dieser Untersuchung, die auch mit Anmerkungen versehen ist, liegt in englischer Übersetzung vor: The Atonement. The Origins of the Doctrine in the New Testament [London 1981]). In seinem neuesten Buch „Jesus and Judaism" (London 1985), vor allem 245–269, verteidigt *E. P. Sanders* eine positive Haltung Jesu: „We have found one instance in which Jesus in effect demanded transgression of the law: the demand to the man whose father had died. Otherwise the material in the Gospels reveals no transgression by Jesus. On the other hand, there is clear evidence that he did not consider the Mosaic dispensation to be final or absolutely binding" (267).

2. Die Urkirche

Nach M. Hengel[6] haben die ‚Hellenisten' (hellenistische Judenchristen) in Jerusalem Jesu Kreuzestod mit unmißverständlichen Formeln als universales Sühnopfer gedeutet. In ihren Augen waren Tempel und Gesetz nicht mehr der Weg zum Heil. Der Jude Saulus widersetzte sich dieser revolutionären Auffassung mit rohen und repressiven Maßnahmen. In Jerusalem brach eine Verfolgung aus. Stephanus wurde umgebracht. Die Hellenisten mußten die Stadt verlassen. Ihre Zerstreuung sollte jedoch zum Missionswerk beitragen. Die Lebensweise der Christen ist ‚gesetzesfrei' geblieben. Es wäre jedoch falsch, für diese Lebensweise an erster Stelle eine Beeinflussung durch die Diasporajuden zu postulieren, die ihr Gesetz im Blick auf die heidnische Umgebung „spiritualisierten". Der wichtigste Impuls kam vom Evangelium selbst.

Nicht nur Hellenisten, auch Judenchristen aus Palästina mußten von der Tragweite von Jesu stellvertretendem Sühnopfer überzeugt gewesen sein. Eines der Argumente, mit denen Hengel diese gewagte Behauptung stützt, ist für diesen Vortrag von großer Bedeutung. Paulus weist wiederholt darauf hin (siehe vor allem 1 Kor 15, 1–11), daß es kein ‚anderes Evangelium' gibt. Offenbar ist nicht die Tatsache, daß Jesus für uns, für unsere Sünden gestorben ist, umstritten, „wohl aber die Folgerungen, etwa in bezug auf die Tora und die in ihr geforderten Werke"[7]. Es fällt auf, daß Hengel im Gegensatz zu einer ganzen Reihe von Exegeten urteilt, daß die christlich-kritische Haltung hinsichtlich Tempel und Gesetz sehr wohl unmittelbar nach Christi Tod entstanden ist.

Zu einem bestimmten Zeitpunkt muß es dann in der Urkirche zu einer Krise gekommen sein. Es sind nicht mehr nur Außenstehende, Juden, die bestimmte Christen aus dem Judentum angreifen und anklagen, es sind Judenchristen selbst, die das Verhalten und die Grundsätze anderer Christen aus dem Judentum und aus dem Heidentum nicht akzeptieren können.

Nach einer kürzlich veröffentlichten Studie von J. Dunn[8] ist es

---

[6] *Hengel,* Sühnetod. Vgl. auch z. B. *Wilckens,* Entwicklung 155–156.

[7] *Hengel,* aaO. 24.

[8] *J. D. G. Dunn,* Mark 2.1–3.6: A Bridge between Jesus and Paul on the Questions of the Law, in: NTS 30 (1984) 395–415.

mit Hilfe der vormarkinischen Tradition in Mk 2, 15–3, 5 möglich, etwas über die Situation, die dieser Krise vorausging, auszumachen. Denn die Tradition „ermöglicht uns einen faszinierenden Blick in die frühe Geschichte und Entwicklung des Judenchristentums"[9]. Hellenistische Judenchristen scheinen unter Berufung auf die Jesustradition von der Tischgemeinschaft mit Sündern (2, 15–17), vom Nicht-Fasten (2, 18–22) und vom Brechen des Sabbats (2, 23–28 und 3, 1–5) auf der Suche nach ihrer eigenen Identität zu sein. Hier handelt es sich nicht mehr um einen apologetischen Disput mit nichtchristlichen Juden; auch geht es noch nicht um den innerkirchlichen Dialog, der aus der Spannung zwischen Judenchristen und Heidenchristen entstand – in Mk, 2, 15–3, 5 findet sich nichts über die Beschneidung der Heiden –, vielmehr „reflektiert die Formulierung der vormarkinischen Texteinheit wahrscheinlich ein Stadium innerhalb des reifenden judenchristlichen Selbstverständnisses, innerhalb des judenchristlichen Versuches, sich selbst zu definieren…"[10]. Am Anfang seiner Studie erwähnt Dunn „the tunnel period" zwischen Jesus und Paulus[11]. Er schließt seine Untersuchung mit folgenden Worten ab: „Kurz, die Tradition hinter Markus 2, 15–3, 6 liefert uns eine unschätzbare Brücke zwischen Jesus und Paulus und zeigt etwas von der Entwicklung im christlichen Denken über das Gesetz, die den Weg für den entscheidenden Beitrag des Paulus bereitet haben muß."[12]

Offenbar bestanden in der späteren innerkirchlichen Krise zwei geographische Pole: Jerusalem und Antiochien. Von Antiochien macht man sich auf nach Jerusalem, damit die Sache dort entschieden werde. Kann man, ja, muß man die Heiden, die Christen werden, dazu zwingen, als Juden zu leben? Es geht darum, was als Grundgegebenheit des Gesetzes angesehen wird: Beschneidung und

---

[9] Ebd. 411.
[10] Ebd. 409.
[11] Ebd. 397.
[12] Ebd. 413. Auch nach Dunn war Paulus demnach nicht der erste in seiner christlich-kritischen Haltung gegenüber dem Gesetz. Paulus hat die vormarkinische Jesustradition nicht direkt benutzt. Das Problem hatte sich in seinen Tagen aufgrund der Heidenchristen und der Beschneidungsfrage verschärft. Darüber hinaus zieht Paulus es vor, sich auf die an ihn ergangene ‚Offenbarung' zu berufen. Aber „the tradition behind Mark 2.15–3.6 must have had some influence on the thinking and visions of (the) unknown precursors of Paul" (413).

andere Gesetzesverpflichtungen, die den Juden in heidnischer Umwelt als Juden auszeichnen. Es gibt deutlich mehr als zwei Richtungen. Wir müssen uns allerdings vor übertriebener Systematisierung hüten, wenn auch nur deshalb, weil die Positionen der angesprochenen Personen zu Beginn wahrscheinlich noch nicht festlagen und innerhalb derselben Richtung Schattierungen bestanden. Man sucht, hört zu, denkt nach und ändert vielleicht den einen oder anderen Gedanken. In dem Buch „Antioch and Rome" unterscheidet R. Brown vier Gruppen in der vorpaulinischen und paulinischen Zeit[13]. Alle Gruppen bestehen nach ihm aus Christen aus dem Judentum und aus dem Heidentum; alle Gruppen sind auch außerhalb Palästinas missionarisch aktiv. (1) Da sind zuerst die extrem traditionsbewußten Judenchristen (vgl. Gal 2, 4) und ihre Bekehrten aus dem Heidentum. Der Auffassung innerhalb dieser ersten Gruppe zufolge müssen Heiden Juden werden, um Christen sein zu können. (2) Es gibt auch gemäßigtere Judenchristen und Bekehrte, die den Heiden zwar nicht die Beschneidung, aber doch eine Reihe von Gesetzesverpflichtungen auferlegen (vgl. Apg 15 und Gal 2, 11–14). Zu dieser zweiten Gruppe gehören Jakobus und Petrus. (3) Die dritte Gruppe besteht aus liberaleren Judenchristen und ihren Bekehrten, die die Heidenchristen nicht zum Halten bestimmter Gesetzesvorschriften (z. B. Speisevorschriften) verpflichten. Jedoch verhalten sich innerhalb dieser Gruppe die Judenchristen bezüglich Beschneidung, ritueller Reinheit, Festtage und des Tempels noch als Juden. Brown tritt mit großem Nachdruck dafür ein, daß (der spätere) Paulus hierher und nicht in die folgende Gruppe gehört[14]. (4) Die vierte Gruppe besteht schließlich aus stark gräzisierten Judenchristen (‚Hellenisten') und ihren Bekehrten, die das jüdische Gesetz

---

[13] R. E. Brown – J. Meyer, Antioch and Rome. New Testament Cradles of Catholic Christianity (London 1983) 1–9 (siehe auch 109–122). Eine gute Rezension gibt: R. Penna, in: Bib. 66 (1985) 139–142. Vgl. bezüglich der ersten Gruppe J. L. Martyn, A Law-observant Mission to Gentiles: The Background of Galatians, in: Michigan QR 22 (1983) 221–236; jetzt auch in: SJTh 38 (1985) 307–324.
[14] Siehe vor allem Brown, in: Brown – Meyer, Antioch and Rome 4–6. Auf S. 110–111 vertritt er die anfechtbare Hypothese, daß „the dominant Christianity at Rome had been shaped by the Jerusalem Christianity associated with James and Peter (also Gruppe 2), and hence was a Christianity appreciative of Judaism and loyal to its customs" (110). Von solchen Christen konnte Paulus bei seiner Reise nach Jerusalem Hilfe erwarten (vgl. Röm 15, 30–31).

und den jüdischen Kult radikal für abgeschafft erachten. Stephanus gehört in diese Gruppe.

So läßt sich in etwa – nach einigen neueren Autoren und mit gewissen hypothetischen Implikationen – die historische Situation der Urkirche beschreiben, in der Paulus gelebt hat. Etwa vom Jahr 50 ab wird dieser schließlich in der Auseinandersetzung um das Gesetz eine führende Rolle spielen.

II. Gesetzesverständnis bei Paulus: heutige Positionen

Hinsichtlich der zahlreichen, auf den ersten Blick nur schwer zu versöhnenden Aussagen des Paulus über das Gesetz sind großflächig gesehen drei Positionen möglich: (1) Paulus hat eine Entwicklung durchgemacht; wer das genügend berücksichtigt, kann auf die Dauer für die schwierigen Texte wohl eine Auslegung finden. (2) Paulus hatte von Anfang an seit seiner Bekehrung das für ihn so typische Gesetzesverständnis; seine Grundeinsichten blieben unverändert. Von dieser Grundauffassung aus können die vielen Aussagen, wie unterschiedlich sie auch sein mögen, verstanden und untereinander harmonisiert werden. Von einer eigentlichen Entwicklung bei Paulus ist nicht die Rede. (3) Auch die dritte Position lehnt eine Entwicklung ab, allerdings aus einem entgegengesetzten Grund. Paulus hat sich selbst in seinen häufigen Aussagen über das Gesetz mehrere Male widersprochen. Sein Gesetzesverständnis ist nicht logisch-schlüssig. Die Aussagen lassen erkennen, daß Paulus zeit seines Lebens kaum zu einer ruhigen, wohl durchdachten Ansicht gekommen war.

Das Folgende hält sich diese drei Positionen vor Augen, legt der Übersicht jedoch eine etwas andere Ordnung zugrunde. Wir stellen drei Fragen. Änderte Paulus seine Auffassung bezüglich des Gesetzes (A)? Worin besteht nach einigen Exegeten der Kerngedanke hinsichtlich des Gesetzes (B)? Besteht ein logischer Zusammenhang zwischen den zahlreichen Aussagen über das Gesetz im Denken des Paulus (C)?

A. Eine sich entwickelnde Sicht?

In der Frage, ob Paulus im Laufe seines Lebens als Christ seine Sicht des Gesetzes änderte, gehen die Meinungen auseinander.

1. Eine spät entstandene Sicht

Einige Exegeten sind der Auffassung, daß das eigentliche Gesetzesverständnis des Paulus nicht aus der Zeit seiner Bekehrung stammt. Die Bekehrung bestand vielmehr in der Erkenntnis, daß gerade der gekreuzigte Jesus der wahre Messias war, sie ist ‚christologisch'. Erst später entdeckte Paulus die ‚soteriologische' Bedeutung des Todes Jesu, daß Jesus für unsere Sünden gestorben ist und daß das Heil nicht durch das Halten des Gesetzes, sondern durch den Glauben an Jesus Christus kommt [15]. Der Übertritt von Heiden zum Christentum und die Schwierigkeiten vor, zur Zeit von und nach dem Apostelkonvent in Jerusalem und die Krise in Galatien bringen Paulus dazu, seine Haltung hinsichtlich des Gesetzes näher zu bestimmen.

---

[15] Ein klarer status quaestionis ist zu finden bei *J. Dupont,* La conversion de Paul et son influence sur sa conception du salut par la foi, in: Foi et salut selon S. Paul (Epître aux Romains 1,16) (AnBib 42) (Rom 1970) 67–88 (Diskussion auf S. 88–100). Engl. Übers.: The Conversion of Paul and Its Influence on his Understanding of Salvation by Faith, in: *W. W. Gasque – R. P. Martin* (Hg.), Apostolic History and the Gospel. FS F. F. Bruce (Grand Rapids 1970) 176–194. Dupont selbst verteidigt die soteriologische Dimension der Bekehrung des Paulus: „La vision de Damas l'a persuadé que le rôle de la Loi est bien achevé et que le temps est venu d'annoncer aux Gentils le salut par la foi au Christ" (87). Vgl. z.B. auch *S. Kim,* The Origin of Paul's Gospel (WUNT 2/4) (Tübingen 1981) 269–273 und 335; *P. Stuhlmacher,* „Das Ende des Gesetzes". Über Ursprung und Ansatz der paulinischen Theologie, in: ZThK 67 (1970) 14–39 (auch in: *ders.,* Versöhnung, Gesetz und Gerechtigkeit. Aufsätze zur biblischen Theologie [Göttingen 1981] 146–191). Andere Exegeten erklären die Bekehrung des Paulus nur christologisch; so z.B. *G. Strecker,* Befreiung und Rechtfertigung. Zur Stellung der Rechtfertigungslehre in der Theologie des Paulus, in: *J. Friedrich – W. Pöhlmann – P. Stuhlmacher* (Hg.), Rechtfertigung. FS E. Käsemann (Tübingen – Göttingen 1976) (auch in: *ders.,* Eschaton und Historie. Aufsätze [Göttingen 1980] 229–259): „Grund und Inhalt von Berufung und Beauftragung des Apostels ist das Christusgeschehen, das von Paulus im Zeitpunkt seiner Damaskuserfahrung als das eschatologische Heilsereignis erkannt worden ist" (484). *U. Wilckens,* Die Bekehrung des Paulus als religionsgeschichtliches Problem, in: ZThK 56 (1959) 273–293 (auch in: *ders.,* Rechtfertigung als Freiheit. Paulusstudien [Neukirchen 1974] 11–32) verteidigt die soteriologische Bedeutung der Bekehrung des Paulus. Dies ist in seiner 1976 erschienenen Studie nicht mehr in gleichem Maße der Fall. Paulus hat seine Rechtfertigungslehre „als solche erst in der letzten Zeit seiner Wirksamkeit im Osten entwickelt": siehe *Wilckens,* Christologie und Anthropologie im Zusammenhang der paulinischen Rechtfertigungslehre, in: ZNW 67 (1976) 64–82, hier 68.

So ist H. Räisänen der Meinung, daß Paulus nicht am Anfang, bei seiner Berufung, sondern später, reagierend gegen konservative Judenchristen, seine radikale Gesetzeskonzeption entwickelte. In dieser Zeit sammelte er Argumente „for a total rejection of the law, ending up with a negative theology with an emphasis on its alleged negative, sin-engendering and sin-enhancing nature"[16]. Ähnlich und sehr dezidiert urteilt auch G. Strecker in seinem Beitrag zur Käsemann-FS: „Entgegen einer verbreiteten Anschauung gibt es kein Zeugnis, das die Ansicht nahelegen könnte, daß schon in dieser Zeit [= der Bekehrung] die Rechtfertigungslehre in ihren wesentlichen Bestandteilen durch Paulus konzipiert und entfaltet worden sei."[17]

2. Entwicklung innerhalb einer engeren Zeitspanne

J. W. Drane[18] und H. Hübner[19] z. B. sehen die Entwicklung bei Paulus innerhalb einer engeren Zeitspanne. Drane zeichnet die Entwicklung von Gal über 1 Kor (und 2 Kor) zu Röm nach. In Konfrontation mit den Judaisten in Galatien gleicht Paulus häufig den ‚Libertinisten', gegenüber den gnostisierenden korinthischen Christen „handelt er unter dem Deckmantel eines Pseudo-Legalismus"[20]. Röm kann als „eine Synthese der These in Gal und der Antithese in 1 Kor"[21] verstanden werden. Hübners Interesse gilt dem Verhältnis von Röm zu Gal. Bekanntlich entwickelt sich die Po-

---

[16] *Räisänen,* Legalism 81 und auch ebd. Anm. 84. Auf S. 78–82 rekonstruiert er den Ursprung der negativen Sicht des Judentums bei Paulus.

[17] *Strecker,* Befreiung 480. Vgl. noch: „Eine Reflexion über die Bedeutung des Gesetzes und der Rechtfertigung findet sich erst im Galaterbrief, veranlaßt durch judenchristliche Gesetzeslehrer, die in den paulinischen Gemeinden die Beschneidung auch von Heidenchristen forderten" (481).

[18] *J. W. Drane,* Paul Libertine or Legalist? A Study in the Theology of the Major Pauline Epistles (London 1975).

[19] *H. Hübner,* Das Gesetz bei Paulus. Ein Beitrag zum Werden der paulinischen Theologie (FRLANT 119) (Göttingen ²1980). Vgl. auch den Epilog seiner kürzlich erschienenen Monographie „Gottes Ich und Israel. Zum Schriftgebrauch des Paulus in Römer 9–11" (FRLANT 136) (Göttingen 1984), 127–135: Israel und das Gesetz in der theologischen Entwicklung des Paulus. Bezüglich ‚Israel' wird Röm vor allem mit 1 Thess 2,14–16 verglichen.

[20] *Drane,* Paul 3.

[21] Ebd. 135. Die Entwicklung des Paulus ist seinem energischen Temperament zuzuschreiben und war außerdem in hohem Maße durch die Umstände bestimmt: „In his enthusiasm for his vocation Paul made many blunders, as we would expect from even

sition des Paulus nach Hübner von einem ‚quantitativen' Gesetzesverständnis in Gal (das Gesetz rechtfertigt nicht, weil nicht alle seine
Vorschriften befolgt werden können) in eine ‚qualitative' Sichtweise
in Röm (das Gesetz rechtfertigt unter keinen Umständen, auch wenn
es ganz eingehalten würde). Hübner vertritt die Meinung, daß „ein
so gravierender Unterschied zwischen Gal und Röm im Blick auf die
Aussagen über das Gesetz besteht, daß die Annahme einer allein aus
Kontinuität verstandenen Explikation oder einer je unterschiedlichen Adressatensituation nicht hinreicht"[22]. Hübners Einzelexegese
wird aber in vielen Punkten angefochten[23].

Doch auch U. Wilckens postuliert eine Entwicklung. Er behandelt nacheinander „die Zeit bis zur selbständigen Heidenmision",
1 Kor, 2 Kor, Gal, Phil und Röm. Er unterstreicht den Neuansatz in
Gal und Phil (Beschneidung und Gesetz), und bezüglich Röm
schreibt er: „Dabei hat er (Paulus) manche Thesen der früheren
Briefe nicht wiederholt bzw. diese korrigiert. Im ganzen ist die Position des Römerbriefes eine Revision der Kampfposition des Philip-
per- und Galaterbriefes."[24] Auch R. Brown verteidigt „die Möglichkeit, daß Paulus reifer geworden war und im Vergleich zum früheren
Paulus des Gal in Röm wirklich seine Meinung geändert hatte"[25]. Er
vergleicht die veränderte Auffassung des Paulus hinsichtlich der
Speisegebote, der Beschneidung, der Sendung zu den Juden, des Gesetzes und, was nach seiner Meinung sehr einschneidend ist, hinsichtlich der Heilsgeschichte[26].

---

the best of men. He wrote many things that could be construed as either antinomian or
legalistic, things which, on later reflection, he may have expressed quite differently, or
not have expressed at all" (135).

[22] *Hübner,* Gesetz 13.

[23] Z.B. seine Sicht des Unterschieds zwischen ὁ πᾶς νόμος (Gal 5,14) und ὅλον τὸν
νόμον (Gal 5,3); vgl. *Hübner,* Das ganze und das eine Gesetz. Zum Problemkreis Paulus und die Stoa, in: KuD 21 (1975) 239–256.

[24] *Wilckens,* Entwicklung 180. Siehe vor allem S. 184–186, wo er Röm 7 mit Phil 3 und
Gal 3,19–20, Röm 8,2–4 mit Gal 5,13 ff., und Röm 9–11 mit Gal 4,21–31 vergleicht.
Doch wird „die Grundposition der Glaubensgerechtigkeit" (180) nicht preisgegeben:
siehe ebd. 154–157 (im Denken des Paulus schloß das Kreuz Christi von Anfang an die
Geltung des Gesetzes aus).

[25] *Brown,* in: *Brown-Meyer,* Antioch and Rome 120. Siehe die Darstellung 111–114 und
120–122.

[26] Ebd. 120–122: „Unlike Galatians which focuses on the obsolescence of the Law, Romans concentrates on the relation of two peoples in God's plan of salvation" (122).

3. Keine eigentliche Entwicklung

Die Entwicklung, die die meisten neueren Autoren anzunehmen scheinen, bezieht sich nach den Vertretern dieser Position nicht auf eine echte Veränderung im Gesetzesverständnis des Paulus[27]. Es geht vielmehr um eine Verdeutlichung seiner Position, wozu Paulus durch die Umstände und durch persönliche Reflexion veranlaßt wird. Nach dieser Sicht war das eigentliche Gesetzesverständnis im Kern schon immer, wenn auch anfänglich latent, vorhanden, doch wird die Position verschiedene Male ‚aktualisiert‘. Diese zeitlich aufeinanderfolgenden und einander näher erläuternden Aktualisierungen braucht man sich nicht in geradliniger Anordnung oder als einander systematisch ergänzend vorzustellen. Paulus betont in Gal, Phil und Röm zum Teil sehr verschiedene Aspekte. Man braucht bei den verschiedenen Ausführungen aufgrund des Mangels an logischen Verbindungslinien nicht sofort an Widersprüche zu denken. Die konkreten Umstände in den adressierten Kirchen bedingen die Unterschiede und machen Anpassung nötig; die je neuen Fragen bezüglich des Gesetzes veranlaßten so verschieden geartete Antworten.

F. Hahn arbeitet in seinem Vergleich von Röm und Gal „die weitgehende Gemeinsamkeit der Ausführungen" und auch „die Unterschiede" heraus. Er betont allerdings „die innere Einheit des paulinischen Gesetzesverständnisses"[28]. Und was das Gesetz selbst angeht: „Von Bedeutung ist... vor allem, daß die *innere Einheitlichkeit* des νόμος-Begriffes gesehen wird, weil nur dann seine für Paulus bezeichnende Dialektik verstanden werden kann."[29] F. Mußner schreibt in einer seiner neuesten Studien: „Von Widersprüchen in der Gesetzestheologie kann bei einem Vergleich des Röm mit dem Gal keine Rede sein... Paulus bleibt sich selbst treu. Man kann hinsichtlich der paulinischen Gesetzesthematik auch nicht gut von einer ‚Entwicklung‘ reden. Was danach aussieht, ist im Röm bedingt

---

[27] Vgl. z. B. *K. Kertelge,* Gesetz und Freiheit im Galaterbrief, in: NTS 30 (1984) 382–394: „Allerdings bleiben die aufgezeigten Unterschiede im paulinischen Gesetzesverständnis im Galater- und Römerbrief graduell" (383).
[28] *F. Hahn,* Das Gesetzesverständnis im Römer- und Galaterbrief, in: ZNW 67 (1976) 29–63, bes. 29 und 30.
[29] Ebd. 60.

durch den größeren Rahmen und den universaleren Horizont, in die hier der Apostel die Gesetzesthematik hineinstellt"[30]. P. Stuhlmachers These über „den prinzipiellen Charakter der Berufung des Paulus für seine eigene Theologie"[31] ist wünschenswert klar und deutlich: „Mit der Damaskusepiphanie gewann Paulus... die Erkenntnis Jesu Christi als des Endes des Gesetzes und vollzog sich, zugleich und ineins mit dieser Christuserkenntnis, die Rechtfertigung des Gottlosen ohne Werke des Gesetzes allein aus Gnaden am Apostel selbst."[32]

Doch es sei noch einmal betont, das Gesetzesverständnis des Paulus verändert sich nach diesen zuletzt genannten Autoren eigentlich kaum. Ist es demzufolge möglich, die Ansichten des Paulus zu systematisieren? Das ist unsere zweite Frage.

B. Eine wohl durchdachte Konzeption?

Gleichgültig ob man eine Entwicklung im Gesetzesverständnis des Paulus annimmt oder nicht, betrifft die Frage, um die es in diesem zweiten Abschnitt geht, die Struktur des paulinischen Denkens. Wenn auch Paulus nirgends in seinen Briefen seine Position logisch geordnet dargestellt hat, ist dennoch eine Untersuchung gerechtfertigt, ob im Geist des Paulus eine uns einsichtige Gedankenstruktur vorliegt. Was sind etwa deren Grundelemente[33]? Ist es möglich, ein Element anzugeben, das bei Paulus – vielleicht mehr oder weniger unbewußt – als ein Schlüsselbegriff fungiert hat? Die neueren Veröffentlichungen lassen meines Erachtens eine Gliederung in vier Gruppen zu, die sich alle um die Kernfrage drehen, die man an Paulus in diesem Zusammenhang regelmäßig stellt: „Warum rechtfertigen die Gesetzeswerke nicht?"[34]

[30] F. Mußner, Gesetz-Abraham-Israel, in: Kairos 25 (1983) 200–220, hier 203.
[31] Stuhlmacher, „Ende" 20–21.
[32] Ebd. 30.
[33] Vgl. die Aufgabe, die P. Stuhlmacher, Das Gesetz als Thema biblischer Theologie, in: ZThK 75 (1978) 251–280 (auch in: ders., Versöhnung, Gesetz und Gerechtigkeit [Göttingen 1981] 136–165), sich stellt: „zunächst die in allen genannten Briefen vorherrschenden Grundlinien aufzuzeigen und anschließend so zu bündeln, daß sich eine Einheit ergibt, die sich vom apostolischen Sendungsauftrag des christgewordenen Pharisäers Paulus her biblisch denken und gedanklich nachvollziehen läßt" (272).
[34] Vgl. das in Anm. 3 genannte Thema der Diskussion.

1. Die faktischen Sünden

Seit Jahren verteidigt U. Wilckens[35] hartnäckig eine Position, die man als eher ‚katholisch'[36] bezeichnet hat. Nach Wilckens ist Paulus der Überzeugung, daß das Gesetz deswegen nicht rechtfertigt, weil es faktisch nicht gehalten wird. Nur die faktischen Sünden schließen eine Gerechtigkeit aus Werken aus. Der Mangel an ‚Gesetzeswerken', die fehlenden ἔργα νόμου also, machten Gottes neue Initiative in Christus notwendig. Dieses Gesetzesverständnis wird manchmal ‚quantitativ'[37] genannt, weil niemand imstande ist, alle Gebote, d. h. deren große Quantität zu halten. Falls das möglich wäre und auch tatsächlich geschähe, würde das Gesetz wirklich rechtfertigen. Das wirkliche Sündigen durch Übertretung des Gesetzes verursacht somit den unerlösten Zustand des Menschen. In einer solchen Situation kann das Gesetz allein bloß das ‚Wissen' um die Sünde bringen, die Sünde verurteilen und das Bewußtsein des Verlorenseins schärfen; Erlösung bringt das Gesetz nicht[38].

2. Leistungsgerechtigkeit

Nach einer ganzen Reihe von vor allem protestantischen Exegeten, z. B. R. Bultmann[39], liegt die Ohnmacht des Gesetzes jedoch tiefer. Das Gesetz kann unter keinen Umständen rechtfertigen, auch nicht wenn es ganz gehalten würde. Gerade indem der Mensch nach dem

---

[35] *U. Wilckens,* aaO. (Anm. 3); *ders.,* Der Brief an die Römer (EKK VI, 1–3) (Zürich – Neukirchen 1978–82); *ders.,* Entwicklung.

[36] Vgl. *R. Pesch,* in der Zusammenfassung der Diskussion, in: EKK Vorarbeiten 1, 104: „das (als ‚katholischer' empfundene) Referat", so wohl im Vergleich zu Blanks Beitrag.

[37] Zu dieser Terminologie siehe z. B. *E. P. Sanders,* Paul, the Law, and the Jewish People (Philadelphia 1983) 17.

[38] Vgl. z. B. *Wilckens,* Entwicklung 181, wo er Röm 2–3 bespricht: „So ist das Ergebnis im Blick auf die Tora dieses: Unter ihrem allein entscheidenden Kriterium, nämlich daß nur ein ἐξ ἔργων νόμου Gerechter durch die Tora als solcher erkannt wird, ‚wird *kein Fleisch* vor Gott gerechtfertigt werden'. Denn nach diesem Kriterium der Tora sind *alle* Sünder; und so hat faktisch die dem Juden gegebene Tora auch für diesen nur die Funktion, ihn zu der Erkenntnis zu bringen, daß er ‚unter der Sünde' ist" (3.20).

[39] Eine kurze, auf das Wesentliche bedachte Darstellung der Position Bultmanns bei *D. Zeller,* Der Zusammenhang von Gesetz und Evangelium im Römerbrief. Kritischer Nachvollzug der Auslegung von Ulrich Wilckens, in: ThZ 38 (1982) 193–212, hier 194–195; oder bei *Räisänen,* Legalism 68–71. Siehe aber auch *Cranfield,* Röm (ICC 18) passim und vor allem 845–862: ein Exkurs über „the OT Law".

Gesetz leben will, strebt er nach seiner eigenen Gerechtigkeit. Die ἔργα νόμου sind das Ergebnis dieses Strebens und erweisen sich immer als unzureichend; die eigene Werkgerechtigkeit ist niemals imstande, Gottes Gerechtigkeit zu erwirken. Das menschliche Streben ist bis zur Wurzel pervertiert. Diese zweite ‚qualitative' Position kommt sogar zu der bekannten paradoxen Aussage: Das Halten des Gesetzes ist Sünde par excellence; es ist sündiger als die Sünde der Gesetzesübertretung[40]. Nach R. Bultmann[41] und vielen, die ihm folgen, nennt G. Klein diese Charakterisierung des paulinischen Gesetzesverständnisses im Ansatz anthropologisch gezielt. Das ‚heilige' Gesetz ist durch die Sünde grundlegend verdorben. Für Paulus ist „das derart in seine eschatologische Krise geratene Gesetz" eine die „menschliche Verlorenheit konstituierende Macht"[42].

---

[40] Vgl. *Räisänen*, Legalism 68, zu Bultmann: „One gets the impression that zeal for the law is more damaging than transgression". Räisänen selbst unterscheidet begriffsmäßig zwischen ‚hard legalism' (anthropocentric, self-righteous, boasting) und ‚soft legalism' (torah-centric observance). Beide Formen des Legalismus geben der Befolgung des Gesetzes eine soteriologische Bedeutung. Paulus hat sich nach Räisänen nicht gegen einen ‚hard legalism' der Juden gewandt, sondern gegen den ‚soft legalism'. Das Judentum war ‚covenantal' (vgl. *Sanders*) und nicht legalistisch eingestellt, aber es vollzog sich ein „unconscious shift in Paul's vision of the Jewish way gradually and in good faith" (77). Des Paulus „all-pervasive concern for the Gentiles just compelled him to see things from a Gentile perspective, which did less than justice to the Jewish point of view" (82).

[41] Sehr bekannt ist *R. Bultmann*, Römer 7 und die Anthropologie des Paulus, in: *ders.*, Exegetica. Aufsätze zur Erforschung des Neuen Testaments (Tübingen 1967) 198–209. Er legt hier dar, daß das Tun und das Wollen des Menschen (Röm 7,14–15) ‚transsubjektiv' sind. Das Tun „bezieht sich gar nicht auf die empirische Tat der Übertretung, sondern auf das Ergebnis des Tuns, das für die gesetzliche Existenz bei *jeder* Tat herauskommt, auf den Tod" (207). Vgl. z. B. auch *J. Blank,* Warum sagt Paulus: „Aus Werken des Gesetzes wird niemand gerecht?" in: EKK Vorarbeiten 1, 79–95, bes. 87–90 (auch in: *ders.,* Paulus. Von Jesus zum Christentum. Aspekte der paulinischen Lehre und Praxis [München 1982] 42–68), wo er sich gegen „das *ethische* Verständnis der Gesetzesproblematik" wendet, und kürzlich sehr programmatisch *H. Weder,* Gesetz und Sünde. Gedanken zu einem qualitativen Sprung im Denken des Paulus, in: NTS 31 (1985) 357–376, illustriert an Röm 5,12–21 (vgl. z. B. die Behauptung: es gibt ein Tun des Gesetzes, „das in Wahrheit von der Sünde beherrscht ist" [369]).

[42] *Klein,* Gesetz 64–75, 66. Vgl. auch die neuere Studie: *ders.,* Sündenverständnis und theologia crucis bei Paulus, in: *C. Andresen – G. Klein* (Hg.), Theologia crucis – signum crucis. FS E. Dinkler (Tübingen 1979) 249–282.

3. Gesetzeswerke sind ‚identity markers'

J. Dunns Position, die er in einer Reihe von Studien und Diskussionen[43] vertreten hat, muß getrennt erwähnt werden. Dunn wendet sich gegen die zweite Position, die er, wie folgt, charakterisiert: „Die traditionelle lutherische Sicht beschreibt Paulus in einem frontalen Konflikt mit dem Gesetz und spricht davon, daß Paulus das Gesetz ablehnt oder daß er mit dem Gesetz bricht."[44] Dunns eigene Position ist folgendermaßen: „Paulus ist nicht gegen das Gesetz als solches, sondern gegen das Gesetz als Beweis und Garantie für die Erwählung Israels; indem er sich gegen ‚Gesetzeswerke' aussprach, wollte Paulus nicht ‚gute Werke' als solche verunglimpfen, sondern den Gesetzesgehorsam, der als Beweis der Zugehörigkeit zum Volk Gottes gewertet wurde – insbesondere Beschneidung, Speisevorschriften und Sabbat... [Paulus] wandte sich gegen Gesetzeswerke, insofern sie die Gnade Gottes einengten, *nicht* weil sie unmögliche Ansprüche darstellten, die Verdienste sicherstellten, sondern weil sie so nachdrücklich als charakteristische Merkmale [‚distinctive markers'] der jüdischen Nation identifiziert wurden und die Gnade Gottes so unumstößlich auf die Glieder jener Nation beschränkten."[45]

---

[43] *Dunn*, Mark 2.1–3.6; The Incident at Antioch (Gal 2.11–18), in: JS NT (1983) Nr. 18, 3–37; The New Perspective on Paul, in: BJRL 65 (1983) 95–122. Vgl. auch seinen Vortrag im Seminar über Paulus und Israel in Basel 1984 (SNTS). Works of the Law and the Curse of the Law (Gal. 3.10–14), in erweiterter Fassung veröffentlicht in NTS 31 (1985) 523–542 (seine aaO. 532–538 vorgetragene Analyse von Gal 3, 10–14 konnten wir leider nicht mehr berücksichtigen).

[44] *Dunn*, Mark 2.1–3.6 395.

[45] Ebd. 396. Neben „distinctive markers" gebraucht er für ‚Gesetzeswerke' Ausdrücke wie „Jewish distinctives, covenant works, identity markers, marks of racial identity, badges of covenant membership, what marks out the Jews as God's people, indices of jewishness, badges betokening race and nation". Vgl. jetzt die kritische Reaktion von *H. Hübner*, Was heißt bei Paulus „Werke des Gesetzes"? in: *E. Gräßer – O. Merk* (Hg.), Glaube und Eschatologie. FS W. G. Kümmel (Tübingen 1985) 123–133, der hier vor allem Dunn's Interpretation von Gal 2,16 verwirft.

4. Christus, der neue Heilsweg

Fast alle Paulusspezialisten, gleichgültig welche Grundposition sie vertreten, stimmen darin überein, daß die Überzeugung des Paulus hinsichtlich des Gesetzes auf seine Christuserfahrung zurückgeht[46]. Für Paulus war es eine Binsenweisheit geworden, daß alle die, die sich auf das Gesetz als Heilsweg versteiften, Christus, das einzige Heil, verwarfen. In diesem Sinne sagt man, daß das Gesetzesverständnis des Paulus christologisch bestimmt ist[47]. So sahen wir bereits, daß nach M. Hengel[48] die soteriologische Deutung des Todes Jesu – eine Deutung, die die Heilsbedeutung des Tempels und des Gesetzes unvermittelt in Frage stellt – nicht erst bei den Hellenisten entstand. „Es ist meines Erachtens darum wahrscheinlich, daß die Judenchristen gegenüber dem Kult an sich eine grundsätzlich kritische Stellung einnahmen, jedoch mit Rücksicht auf ihre Umwelt zu Kompromissen bereit waren."[49] Soteriologisches Verständnis und kritische Haltung gegenüber dem Gesetz lagen natürlich auch bei Paulus vor[50]. Weiterhin ist auch die Position von P. Stuhlmacher bekannt, nach dem das Gesetzesverständnis des Paulus durch den zentralen Gedanken des Sühnopfers beherrscht wird[51]. Nach diesem Autor wäre Paulus nie zu dem Schluß gekommen, daß Christus das Ende des Gesetzes ist, wäre er nicht davon überzeugt gewesen, daß Gott Christus zu Sünde und Fluch machte, so daß dieser, indem er so unseren Platz einnahm, Sühnopfer wurde und Gott so uns mit sich

---

[46] Vgl. z. B. *Kertelge*, Gesetz 383: „[Die Unterschiede im paulinischen Gesetzesverständnis im Galater- und Römerbrief] verweisen von der jeweiligen unterschiedlichen Briefsituation her auf den gleichen Ansatz der paulinischen Theologie, nämlich auf den Ansatz bei der christologischen Erkenntnis, daß Gott sich am Gesetz vorbei in Jesus Christus zum Heil der Menschen geoffenbart hat, und zwar zum Heil aller, Juden und Heiden."

[47] Dies wird z. B. von *Stuhlmacher*, „Ende" 25–34 gut herausgearbeitet: „Wenn Paulus von ‚Evangelium' spricht, geht es ihm um die Botschaft vom gekreuzigten und auferstandenen Christus. Der Auferstandene wird von Paulus gepredigt als der Gekreuzigte, als das Ende des Gesetzes" (33). Das Evangelium ist „für Paulus ein primär christologisch bestimmtes Phänomen" (25).

[48] *Hengel*, Sühnetod, vor allem 24–25 und 135–136.

[49] Ebd. 135. Die Tradition, die in Mt 17,24–27 überliefert ist, besagt schließlich, „daß auch die Judenchristen im palästinischen Mutterland an der grundsätzlichen Heilsbedeutung des Todes Jesu als des sündlosen Messias festhielten und dem Opfer im Heiligtum keine Sühnewirkung mehr zuschrieben" (136).   [50] Ebd. 1–25.

[51] Z. B. *Stuhlmacher*, Gesetz. Vgl. auch *Wilckens*, Christologie, und *ders.*, Röm. I, 233–242.

versöhnte[52]. Stuhlmacher wird, unseres Erachtens nicht ohne Grund, zum Vorwurf gemacht, daß er in seiner Systematisierung zu sehr harmonisiert, und zwar sowohl im Neuen Testament als auch zwischen Altem und Neuem Testament. Auch seine Behauptung, daß für Paulus das Gesetz Christi gegenüber dem alten, minderwertigen Sinai-Gesetz das neue eschatologische Zion-Gesetz konstituiert, wird von vielen angefochten[53].

Wer die Christuserfahrung des Paulus mit in Betracht zieht, kann die Machtlosigkeit des Gesetzes noch auf verschiedene Weise auslegen. Jedoch für E. P. Sanders[54] ist die Christologie des Paulus der determinierende, alles beherrschende Faktor. Sanders kann, was Paulus im tiefsten meint, in keiner der drei oben dargestellten Positionen wiederfinden. Was Paulus am Gesetz auszusetzen hat, ist ganz einfach die Tatsache, daß das Gesetz nicht Christus ist. Die Erfahrung der Heilszuwendung in Christus war für Paulus so überwältigend, daß er den alten jüdischen Heilsweg des Gesetzes einfachhin ablehnen mußte: Gesetz und Christus werden einander ausschließende Pole[55]. Die verschiedenen Ursachen, die er für die Ohnmacht des Gesetzes in seinen Briefen gibt, sind sozusagen nur spätere Erklärungen und können daher in keiner Weise als Grundüberzeugung des Paulus gelten[56]. Aber akzeptiert diese starke Betonung der Christologie des Paulus nicht implizit das Fehlen eines einheitlichen Gesetzesverständnisses[57]?

---

[52] *Stuhlmacher,* aaO.: „Jesus ist unter der Mosetora „den Gehorsams- und Fluchtod am Kreuz gestorben... Die ‚Tora des Christus' ist die Zionstora, die Jesus heraufführt, indem er in der Erfüllung der Sinaitora den Sühnetod erleidet und sie so von dem auf ihr und den Sündern seit dem Sündenfall lastenden Fluch befreit" (158).

[53] Vgl. z.B. *Klein,* Gesetz 60: „Für die Promulgation einer messianischen bzw. ‚Zionstora'... durch Jesus ermangelt es jeglicher Belege."

[54] *Sanders,* Paul; vgl. auch *ders.,* Paul and Palestinian Judaism: a Comparison of Patterns of Religion (London 1977). Siehe für eine grundlegende, kritische Besprechung des ganzen Werkes von Sanders über Paulus jetzt vor allem *R. H. Gundry,* Grace, Works, and Staying Saved in Paul, in: Bib 66 (1985) 1–38 (diesen christologischen Aspekt betreffend vgl. insbesondere 11–20).

[55] Siehe z.B. *Sanders,* Paul 47: „What is wrong with the law, and thus with Judaism, is that it does not provide for God's ultimate purpose, that of saving the entire world through faith in Christ, and without the privilege accorded to Jews through the promises, the convenants, and the law."

[56] Siehe auch *Sanders,* aaO. 144–148, wo er unterstreicht, „that Paul held a limited number of basic convictions, which when applied to different problems, led him to say different things about the law" (147).

C. Gedanklicher Zusammenhang?

Ist es vielleicht vergeblich, bei Paulus eine ‚Intuition‘ zu suchen, die er logisch konsequent durchdacht und jeweils angepaßt hat? Sind die zahlreichen Aussagen wirklich alle miteinander zu versöhnen? Drei verschiedene Positionen finden sich heute zu dieser Problematik. Im folgenden beschränken wir uns nicht länger auf die Frage, warum die Gesetzeswerke nicht rechtfertigen. Die ganze Gesetzesproblematik steht zur Diskussion.

1. Notwendige Distinktionen

E. P. Sanders hat in seinen Publikationen stark herausgestellt, daß wir hinsichtlich des Paulus zwischen ‚getting in‘ und ‚staying in‘ unterscheiden müssen[58]. Der Mensch erhält unverdientermaßen Zugang zur Rechtfertigung, d. h. er wird nicht durch Gesetzeswerke, sondern durch Gottes Gnade gerechtfertigt. Im Stand der Rechtfertigung aber bleibt der Mensch, indem er das Gesetz hält[59].

---

[57] Paulus ist nach *Sanders,* aaO. 147, „on the whole ‚coherent‘ although not a ‚systematic thinker“. Eine der ‚basic convictions‘ ist natürlich „salvation by faith in Jesus Christ“. Für Sanders ist ‚in Jesus Christ‘ außerordentlich wichtig. Zu Sanders und besonders zu diesem speziellen, betonten Aspekt siehe die Zusammenfassung und die kritischen Bemerkungen von *Dunn,* New Perspective 97–103 und 119–121: bei Sanders „the Lutheran Paul has been replaced by an idiosyncratic Paul who in arbitrary and irrational manners turns his face against the glory and greatness of Judaism's covenant theology and abandons Judaism simply because it is not Christianity“ (101).

[58] Siehe vor allem *Sanders,* Paul 3–15.

[59] Außer dem ‚transfer‘ gibt es auch das ‚behavior‘ im neuen ‚state‘. Vgl. z. B. *Sanders,* aaO. 7: „Those who do transfer are to live in a certain way.“ *Dunn,* New Perspective 106, kritisiert *Sanders:* Gal 2, 16 sagt, daß „to be justified‘ in Paul cannot... be treated simply as an entry or initiation formula“ (vgl. auch 122). Unsere weitere Darlegung wird darauf hinweisen, daß Paulus in Gal 2–3 die Judaisierungsgefahr für die Heidenchristen erläutert, indem er darauf hinweist, was beim Christ-Werden geschieht, so daß uns *Dunns* Kritik unrichtig erscheint. Auch *Räisänen* hat in seinem SNTS Seminarpaper (Basel 1984) „Galatians 2.15–21 and the ‚New Perspective on Paul‘. A Reply to James Dunn“, 1–3, Dunns Exegese an diesem Punkt angegriffen (jetzt veröffentlicht unter dem Titel „Galatians 2, 16 and Paul's Break with Judaism“, in: NTS 31 [1985] 543–553). Siehe nun jedoch die radikalere und allgemeinere Kritik an Sanders' Distinktion bei *Gundry,* Grace 8–11, der unserer Meinung nach das Christ-Werden und das Christ-Bleiben zu Unrecht gleichsetzt.

In einer ausführlichen Besprechung von Wilckens' Römerbrief-kommentar führt D. Zeller noch mehr Distinktionen ein. „Die Aussagen über das Gesetz sind, wie man längst beobachtet hat, bei Paulus ‚nicht einlinig‘. Das kommt jedoch daher, daß sie in vier verschiedenen Kontexten stehen…: (1) Die Lage vor und außer Christus; (2) der Vorgang der Rechtfertigung; (3) die Verkennung der Gerechtigkeit Gottes im Evangelium; und (4) das Leben des Gerechtfertigten."[60] Der vierte Kontext entspricht Sanders' ‚staying in‘; der zweite dessen ‚getting in‘. Auch der erste und der dritte Kontext stehen mit diesem ‚getting in‘, d. h. mit dem Zugang zur Rechtfertigung, in Zusammenhang.

2. Verschiedene Situationen

Eine zweite, sehr verbreitete Betrachtungsweise zieht mehr die Briefkontexte und die jeweilige Situation der Adressierten in Betracht. In erster Linie ist hier die umfangreiche Studie von J. C. Beker zu erwähnen, die mit viel Nachdruck zwischen der tiefen ‚coherence‘ der Einsichten des Paulus und ihrer vielfältigen ‚contingency‘ unterscheidet, die von den konkreten Umständen abhängig ist[61]. Seinerseits vertritt H. Hübner, daß Paulus in Gal das Gesetz noch sehr unnuanciert verwirft, weil er gegen Judaisten schreibt, während derselbe Paulus in Röm gegenüber den Antinomisten das richtig verstandene Gesetz (Liebe) verteidigt[62]. F. Hahn auf der anderen Seite betont, daß Paulus in Gal „die Gesetzesfrage unter jüdischen Prämissen in den Blick" faßt, daß „das Problem des Gesetzes und der Gesetzeswerke im wesentlichen ein spezifisch jüdisches ist" und daß „die antijüdische Argumentation darauf zielt, festzustellen: die Heiden hatten nichts und haben nichts mit dem Gesetz zu tun"; derselbe Paulus aber behauptet in Röm konkret mit Blick auf die

---

[60] *Zeller,* Zusammenhang. Zum vierten Kontext vgl. auch *F. Bovon,* L'homme nouveau et la loi chez l'apôtre Paul, in: *U. Luz – H. Weder* (Hg.), Die Mitte des Neuen Testaments. FS Schweizer (Göttingen 1983) 22–33; *Kertelge,* Gesetz 383–391.

[61] *J. C. Beker,* Paul the Apostle. The Triumph of God in Life and Thought (Edinburgh 1980): „We can say then that the hermeneutical interaction between the coherent center of the gospel and its contingency – that is, the manner in which the one gospel of ‚Christ crucified and risen‘ in its apocalyptic setting achieves incarnational depth and relevance in every particularity and variety of the human situation – constitutes Paul's particular contribution to theology" (35).

[62] Zu *Hübner* siehe Anm. 19.

Heiden, daß diese das Gesetz sehr wohl angeht, „daß nicht nur Sünde und Tod, sondern auch Gesetz und Gesetzeswerke alle Menschen betreffen..., ganz gleich, ob sie Heiden oder Juden sind"[63].

3. Kein einheitlicher Zusammenhang

In dem bereits zitierten Buch „Antioch and Rome" schreibt R. Brown: „Natürlich... vertrete ich eine Meinung, die in den Augen vieler Paulusforscher geradezu Häresie ist, nämlich, daß Paulus in seinen Hauptbriefen nicht immer konsistent war; daß sogar Paulus seine Meinung änderte."[64]

In Zukunft wird niemand, der das Gesetzesverständnis des Paulus studiert, die zum Nachdenken und zur Diskussion anregende Theorie von H. Räisänen unbeachtet lassen können, die dieser ausführlich in seinem 1983 erschienen Buch „Paul and the Law" dargelegt hat[65]. Nach Räisänen ist es vergeblich, das Gesetzesverständnis des Paulus systematisieren zu wollen. Es ist schlechterdings keine ‚stichhaltige‘, logisch zusammenhängende Position bei Paulus zu erkennen. Fünf Widersprüche oder wenigstens Unklarheiten untersucht Räisänen genauer[66]. (1) Der Begriff ‚Gesetz‘ ist undeutlich, u. a. weil Paulus ihn auch auf die Heiden anwendet und auch weil nirgends erläutert wird, inwiefern das jüdische Gesetz für die Christen reduziert ist. (2) Paulus sagt an einigen Stellen, daß das Gesetz außer Kraft sei, aber anderswo heißt es, das Gesetz sei noch in Kraft. (3) Paulus vertritt, daß das Gesetz nie ganz gehalten wird, behauptet jedoch auch, daß einige Heiden (und die Christen) tun, was das Gesetz vorschreibt[67]. (4) Über Ursprung und Bedeutung des Gesetzes sind bei Paulus mehrere einander entgegengesetzte Aussagen anzu-

---

[63] *Hahn,* Gesetzesverständnis, bes. 59.

[64] *Brown,* in: *Brown–Meyer,* Antioch and Rome 114.

[65] *Räisänen,* Paul. *A. von Dobbeler* veröffentlichte eine lange Rezension in: NT 26 (1984) 374–376; vgl. *G. de Ru,* in: Kerk en Theologie 36 (1985) 64–66 und z. B. auch *J.-N. Aletti,* in: Bib 66 (1985), oder den Artikel von *R. Yates,* Saint Paul and the Law in Galatians, in: IThQ 51 (1985) 105–124, und viel positiver *A. J. M. Wedderburn,* Paul and the Law, in: SJTh 38 (1985) 613–622.

[66] Siehe die ersten fünf Kapitel in *Räisänen,* Paul.

[67] Nach Räisänen ist Paulus der Überzeugung, daß das Gesetz nicht rechtfertigt, nicht nur deshalb, weil es nie ganz befolgt wird, sondern auch aus einem fundamentalen Grund. Zu dieser paulinischen Spannung siehe weiter unten in unserem Text.

treffen. (5) Paulus geht fälschlicherweise davon aus, daß das Gesetz im Judentum ein Heilsweg war, und verkennt die jüdische Überzeugung von der Unverdientheit der Gabe Gottes.

Räisänen plädiert daher dafür, Paulus in erster Linie als einen Missionar zu verstehen, einen Mann der Tat und nicht länger als einen großen Theologen oder systematischen Denker. Doch stoßen wir natürlich auf typisch paulinisches Gedankengut. Aber Räisänen kommentiert: „Der Ausgangspunkt des Denkens des Paulus über die Tora ist das Christusereignis, nicht das Gesetz. Diese Gedankenstruktur ist ihm mit anderen frühchristlichen Schriftstellern gemeinsam. Jedoch kommt kein anderer Autor zu so radikalen und negativen Ergebnissen hinsichtlich des Gesetzes wie Paulus..."[68] Die Ursache dafür war die Opposition bestimmter Judenchristen gegen seine Missionsmethode. Die Argumentation des Paulus in dieser Konfliktsituation ist im Grunde nicht mehr als „secondary rationalization"[69].

Räisänen beschließt sein Buch folgendermaßen: „Christliche Theologie hätte sich auf die Intuition des Paulus (d. h. wichtige Einsichten, z. B. hinsichtlich der christlichen Freiheit) konzentrieren sollen... Stattdessen... wurden schließlich die Rationalisierungen, die Paulus zur Unterstützung seiner Intuition ersann, als seine eigentliche unschätzbare Leistung angesehen. Ich schlage vor, daß wir wieder die Intuition in den Mittelpunkt stellen."[70]

III. Gesetzesverständnis bei Paulus nach Gal 3, 10–14

Es scheint mir, daß Räisänens dritte Schwierigkeit (kann das Gesetz gehalten werden?) für das Denken des Paulus am tiefgreifendsten ist. Sollte diese sich als wirklich bestehend erweisen, dann macht sie vielleicht jeden Versuch der Systematisierung unmöglich.

In Gal 3, 10 lesen wir: „Denn alle, die etwas von den Gesetzeswerken erwarten, stehen unter dem Fluch; denn es steht geschrieben: Verflucht ist jeder, der sich nicht an alles hält, was zu tun das Buch des Gesetzes vorschreibt". Paulus ist offenbar der Überzeugung, daß niemand das Gesetz ganz hält. Räisänen paraphrasiert Vers 10:

---

[68] *Räisänen*, aaO. 201.   [69] Ebd.   [70] Ebd. 268–269.

„All those who stick to the law are accursed, because they all transgress it"[71], sagt dann aber: „Vers 11 bezieht sich auf ein Grundprinzip, das unabhängig von dieser Tatsache gilt."[72] Räisänen beschließt seinen Gedanken, wie folgt: „Die beiden Argumente stehen in Spannung zueinander. Zwei verschiedene Erklärungen des Fluches des Gesetzes stehen nebeneinander."[73] Spannung ist noch kein echter Widerspruch, aber in Gal 3, 10–12 liegt ihm zufolge zumindest ein Mangel an Klarheit und Schlüssigkeit in der Gedankenführung vor.

In Gal 3, 10–12 finden alle vier in II B referierten Positionen Unterstützung. Vers 10 bezeugt das quantitative Verständnis, die Verse 11–12 das qualitative; für Dunn sind in Vers 10 die ἔργα νόμου die Werke, durch die der Jude sich von den anderen Völkern unterscheidet; und die Verse 13–14 haben einen sehr christologischen Gehalt. Daher lohnt sich ohne Zweifel die Mühe, näher auf diesen Text einzugehen. Vor allem drei Probleme müssen im Rahmen dieser Studie untersucht werden. (1) Was bedeutet der Ausdruck ἐξ ἔργων νόμου im Vollsinn von Vers 10? (2) Wie argumentiert Paulus in den Versen 11–12 (und was meint er da eigentlich)? (3) Und welchen Platz nimmt im universalen Rechtfertigungsgeschehen nach den Versen 13–14 Gottes Gesandter, Christus, ein? Doch zuerst ein Wort zum Kontext des zu untersuchenden Abschnittes.

A. Der Kontext

Gal 3, 1–14 bildet die erste Perikope des Mittelstückes 3, 1–5, 12, einer langen Erörterung über das mosaische Gesetz und die christliche Freiheit. In Vers 15 begegnet mit dem Vokativ ἀδελφοί und dem Bild des Testaments deutlich ein Neuanfang. Die lange Periode der Verse 13–14, die mit zwei Finalsätzen abschließt, bringt den Gedankengang zu einem vorläufigen Abschluß; die Motive ‚Christus-Fluch‘, ‚Segen Abrahams‘ und ‚Geist‘ konstituieren jeweils eine Inklusion mit Vers 1 bzw. Vers 7–9 bzw. Vers 5. In dieser ersten Perikope gehören die Verse 10–14 zu den Versen 6–14[74]. In Vers 6 be-

---

[71] Ebd. 94.   [72] Ebd. 96.   [73] Ebd.
[74] Nach *H. D. Betz,* Galatians. A Commentary on Paul's Letter to the Churches in Galatia (Hermeneia) (Philadelphia 1979), beinhalten Gal 3, 1–5 und 3, 6–14 das erste und zweite Argument der *probatio:* Erfahrung und Schrift (mit *exemplum*). Bezüglich 3, 6–14 schreibt er: „There is agreement among the exegetes that Paul's argument in this section is extremely difficult to follow" (137).

ginnt der Vergleich mit Abraham, der auch glaubt und in dem alle Heidenvölker gesegnet sein werden (Vers 8). Paulus spricht da von zwei Kategorien von Menschen, den Gläubigen und denen, die sich auf die Gesetzeswerke verlassen (vgl. 3. Person Plural und Singular). Doch wird deutlich werden, daß die Verse 10–14 eine ziemlich abgeschlossene Einheit bilden[75].

Was lehrt uns ein erstes Lesen von Gal 3, 1–14? In den Versen 2–5 spricht Paulus von Erfahrungen des Geistes. Wie die anderen Sätze in diesem Abschnitt ist Vers 5 eine Frage: „Tut der, der euch den Geist gibt und Wundertaten unter euch wirkt, dies durch Gesetzeswerke oder durch (euer) Hören aus Glauben?". Die Antwort wird nicht ausdrücklich gegeben, aber aus dem Zusammenhang wird deutlich, daß wir das zweite Element hier anzunehmen haben: den Glauben. Dann folgt der Vergleich mit Abraham: auch er „glaubte Gott, und das wurde ihm als Gerechtigkeit angerechnet" (Vers 6; Zitat aus Gen 15,6)[76]. Ein Abraham und den Galatern gemeinsames Element ist sicher ‚der Glaube', ‚glauben'. Aber ist das die einzige Gemeinsamkeit? Wie steht es mit den Geisterfahrungen der Galater und der Gerechtigkeit Abrahams? Beiden wird es aufgrund des Glaubens gewährt. Sind diese beiden Elemente einfachhin identisch? Ist der Geistbesitz der Christen ‚Gerechtigkeit', ‚Rechtfertigung'? Obwohl Paulus nicht sagt (und auch in der Tat kaum sagen könnte), daß Abraham schon den Geist besaß, so gebraucht er doch προευηγγελίσατο (Vers 8) im Zusammenhang mit Abraham, ein Verb, das Abraham sicher mit den Christen in Beziehung bringt und umgekehrt.

Die Schlußfolgerung (ἄρα) in Vers 7 hat weitreichende Implikationen: „Wisset [Imperativ[77]] sodann, daß ‚die, die glauben', [daß] diese Söhne Abrahams sind". Ist diese Schlußfolgerung gerechtfertigt? Nach Paulus ist der Glaube so wichtig, daß er die einzige Grundlage

---

[75] Vgl. *Wilckens,* Entwicklung 166: „Der Kern des paulinischen Arguments ist Gal. 3.10–14."

[76] Einige Exegeten sind der Überzeugung, daß die Argumentation des Paulus mit der Schrift (Gen) in Gal 3–4 bereits eine Reaktion gegen den Gebrauch dieser Schriftstellen durch seine Gegner war. Vgl. z. B. *C. K. Barrett,* The Allegory of Abraham, Sarah, and Hagar in the Argument of Galatians, in: *J. Friedrich – W. Pöhlmann – P. Stuhlmacher* (Hg.), Rechtfertigung. FS E. Käsemann (Tübingen–Göttingen 1976) 1–16; *Martyn,* Mission 221–236.

[77] Dies scheint eine bessere Lösung als diese Form als Indikativ zu verstehen.

für die Beziehung zwischen Abraham [Vater] und den anderen [Söhne] bildet. Vers 6 zitierte Gen 15,6, wo Abrahams Glaube und seine Rechtfertigung erwähnt werden. In Vers 8 wird ein weiteres Gen-Zitat erwähnt[78], wahrscheinlich eine Konflation von Gen 18,18 und Gen 12,3[79]: In Abraham sollen alle Völker [= die Heiden] gesegnet sein. Es wäre falsch, diesen Segen der Völker als eine Art Lohn für Abrahams Glauben zu verstehen. Die Betrachtungsweise des Paulus ist anders; er betont die Parallele zwischen Vater und Söhnen und somit zwischen seiner und ihrer Rechtfertigung durch Glauben[80]. Die Rechtfertigung der Heiden ist identisch damit, daß sie in Abraham gesegnet sind. Dieser zukünftige Segen wurde von Gott vorausgeplant; er wurde Abraham vorausverkündet als Evangelium! Ein Sohn Abrahams sein, heißt, in ihm gesegnet sein.

In Vers 8 finden wir daher eine Identifikation von ὁ θεὸς δικαιοῖ τὰ ἔθνη ἐκ πίστεως und πάντα τὰ ἔθνη ἐνευλογηθήσονται (in Abraham). Paulus versteht die Rechtfertigung der Heidenchristen als Erfüllung dieser Segensverheißung. Vers 9 hat die Gestalt einer Schlußfolgerung: ὥστε. Aber eine kleine Veränderung im Vergleich zu Vers 8 ist beachtenswert: ἐν σοί wird zu σὺν τῷ πιστῷ Ἀβραάμ. Die Heiden glauben und werden gesegnet. Nach Vers 9 glaubt jedoch auch Abraham nicht nur (und erhält nicht nur die Verheißung der Schrift, daß die Heiden in Zukunft gesegnet werden), sondern er wird auch, wie die Heiden, gesegnet.

Die Identifikation von Rechtfertigung und ‚gesegnet sein‘ sollte mit Hilfe des Kontextes noch weiter interpretiert werden. Als identisch verweisen beide Situationen auf den Geistbesitz des Christen. Dies muß schon im Blick auf die Verse 2–5 angenommen werden,

---

[78] *I. Dugandžić*, Das „Ja" Gottes in Christus. Eine Studie zur Bedeutung des Alten Testaments für das Christusverständnis des Paulus (FzB 26) (Würzburg 1977) 202, bemerkt zu Recht: „Hinter ἐνευλογηθήσονται stehen zwar zwei konkrete Schriftstellen (Gen 12,3b; 18,18b), aber das stark betonte προευηγγελίσατο spricht dafür, daß ἡ γραφή nicht bloß die Einführungsformel für ein bestimmtes Schriftwort ist, sondern vielmehr die ganze Schrift meint."

[79] Gen 18,18b: καὶ ἐνευλογηθήσονται ἐν αὐτῷ πάντα τὰ ἔθνη; Gen 12,3: καὶ ἐνευλογηθήσονται ἐν σοὶ πᾶσαι αἱ φυλαὶ τῆς γῆς. Weniger Ähnlichkeit weisen 22,18; 26,4; 28,14; Sir 44,21 auf.

[80] Vgl. *D. Hill*, Galatians 3:10–14: Freedom and Acceptance, in: ExpT 93 (1981–82) 196–200: „For Paul, Christian faith and Abrahamic faith are congruent: the structure of the latter's trust in God is identical with Christian trust in God: in short, the trust of the Christian recapitulates the trust of Abraham" (197).

wird aber noch deutlicher aufgrund von Vers 14: „damit in Christus der Segen Abrahams den Heiden zuteil wird, damit wir den verheißenen Geist aufgrund des Glaubens empfangen". Der zweite ἵνα-Satz in Vers 14b erklärt den ersten in Vers 14a (die Nebensätze stehen nebeneinander ohne ein verbindendes καί: grammatikalisch sind sie gleichgeordnet).

Wir können diese kurze Erörterung des Gedankenganges in den Versen 1–14 abschließen, indem wir herausstellen, daß nach Paulus der zukünftige Segen die Heiden zu Söhnen Abrahams machen wird. Es scheint, daß die einzige Bedingung der Glaube ist. Durch den Glauben gesegnet sein, heißt, gerechtfertigt sein; es heißt auch, den Geist besitzen. Jedoch hat unser erstes Lesen die Gedanken im letzten Abschnitt, in den Versen 10–14, dem Text, dem unsere Untersuchung hier gilt, kaum beachtet.

B. Analyse

Gal 3,9 gebraucht von neuem (vgl. Vers 7) die Wendung οἱ ἐκ πίστεως als Antithese zu ὅσοι ἐξ ἔργων νόμου in Vers 10. Vers 10 wird durch die begründende Partikel γάρ eingeleitet. Zwischen Vers 9 und Vers 10 muß man den Gedanken ergänzen: „aber die, die sich auf Gesetzeswerke verlassen, werden nicht gesegnet". Vers 10 schließt sich dann mit einer Motivation an: „denn diese stehen unter einem Fluch..."[81]. Die kleine Einheit Vers 10–14 spricht zuerst vom Fluch des Gesetzes (Vers 10–12) und dann vom Freikauf der Verfluchten durch Christus (Vers 13–14).

In dieser Einheit begegnen uns vier Zitate und darüber hinaus eine deutliche Anspielung. Wir stellen diese Entlehnungen aus dem Alten Testament in einem Schema vor und besprechen sie kurz:
(1) Vers 10b: Dtn 27,26 (und 30,10)
(2) Vers 11b: Hab 2,4
(3) Vers 12b: Lev 18,5
(4) Vers 13b: Dtn 21,23 (und 27,26)
(5) Vers 14a: vgl. Gen 18,18 und 12,3.

Die beiden Dtn-Zitate (1 und 4) beginnen mit der Einleitungsformel γέγραπται (mit folgendem γάρ in Vers 10b und vorausgehen-

---

[81] Vgl. *F. Mußner,* Der Galaterbrief (HThK IX) (Freiburg i. Br. 1974). *Betz* 146, versteht V. 10a als eine ‚Schlußfolgerung' und vernachlässigt dadurch γάρ.

dem ὅτι in Vers 13 b, beide sind motivierende Partikel) und haben auch den Ausdruck ἐπικατάρατος gemeinsam. Die beiden mittleren Zitate, Hab 2,4 (2) und Lev 18,5 (3), weisen beide das Verb ζήσεται auf; sie stimmen des weiteren in der Knappheit der Formulierung und der Abwesenheit einer Einleitung überein. Vers 14 a (5) nimmt deutlich Bezug auf das in Vers 8 anzutreffende Gen-Zitat.

Läßt eine solche Aneinanderreihung alttestamentlicher Elemente noch einen klar erkennbaren Gedankengang zu?

1. Vers 10

Der Grund, warum all die, die sich auf Gesetzeswerke verlassen, unter dem Fluch stehen (Vers 10 a), wird im ὅτι-Satz (Vers 10 b) genannt: „Denn es steht geschrieben: ‚Verflucht ist jeder, der sich nicht wirklich[82] an alle Vorschriften im Buch des Gesetzes hält‘". Paulus ersetzt die Wendung τοῖς λόγοις τοῦ νόμου τούτου in Dtn 27,26 (gesprochene Worte!) durch τοῖς γεγραμμένοις ἐν τῷ βιβλίῳ τοῦ νόμου, einen Ausdruck, der in Dtn 30,10 vorkommt und in Gal besser paßt[83]. Daß er πᾶσιν in Dtn 27,26 beibehält, ist kein Zufall[84]. Was dem Leser des ganzen Verses 10 allerdings befremdlich vorkommt, ist das Zusammenstoßen eines positiven und eines negativen Gedankens. „Sich auf Gesetzeswerke verlassen" ist positiv, denn wer sich auf Werke verläßt, hält sie auch. „Sich nicht wirklich an alles halten, was geschrieben steht" ist dagegen sicher negativ: man ist verflucht infolge der Gesetzesübertretung, d.h. infolge der Nichterfüllung des Gesetzes. Durch die erläuternde Hinzufügung des Zitates in Vers 10 b werden wir gezwungen, Vers 10 als ganzen in einem unzweideutigen Sinn zu verstehen. Man verläßt sich auf

---

[82] Für diese Übersetzung siehe *M. Zerwick,* Biblical Greek (Rome 1963), Nr. 391.

[83] Vgl. *U. Borse,* Der Brief an die Galater (RNT) (Regensburg 1984) 128; *F. F. Bruce,* The Curse of the Law, in: *M. D. Hooker – S. G. Wilson,* Paul and Paulinism. FS C. K. Barrett (London 1982) 27–36, 28. Deut 27,26: ἐπικατάρατος πᾶς ἄνθρωπος, ὃς οὐκ ἐμμενεῖ ἐν πᾶσιν τοῖς λόγοις τοῦ νόμου τούτου τοῦ ποιῆσαι αὐτούς. Paulus läßt auch ἄνθρωπος und ἐν (varia lectio!) aus; das Verb steht bei ihm im Präsens.

[84] Vgl. *Wilckens,* Entwicklung 166: „πᾶς und πᾶσιν entsprechen sich: Der Fluch gilt *jedem* Übertreter, und er wird wirksam bei *jeder* Gebotsüberschreitung". Nach *Sanders,* Paul 21–23, geht die Aufmerksamkeit des Paulus in V. 10 nicht auf dieses zweimalige ‚alle‘. Unserer Meinung nach denkt Paulus hier sicher an ‚alle‘ Gesetzesübertretungen (vgl. Röm 2–3), obwohl er wahrscheinlich nicht, wie oft behauptet wird, über den Fluch spekulierte, der auf die kleinste Verletzung des Gesetztes folgt.

einige Gesetzeswerke, aber offensichtlich befolgt man andere Vorschriften desselben Gesetzes nicht; gerade um dieser sündigen Un-
terlassung willen ist man verflucht. Denn Paulus ist davon
überzeugt, daß dem ganzen Gesetz entsprechend gelebt werden muß
(vgl. 5,3)[85].

In Gal wird die Wendung ἔργα νόμου sechsmal gebraucht[86], dreimal in dem thesenartigen, schweren Satz 2,16 und dreimal in 3,1–14.
Um Vers 10 verstehen zu können, ist wohl folgende Überlegung wesentlich. Aus den konkreten Umständen, unter denen Paulus dazu
kam, Gal zu schreiben, wird deutlich, daß der Ausdruck ,Gesetzes-
werke' nicht allgemein jede Gesetzeserfüllung bezeichnet, sondern
konkret auf das verweist, was Dunn unlängst die ,identity markers'
der Juden genannt hat, nämlich das, wodurch sich diese gesell-
schaftlich als solche zu erkennen gaben und gleichzeitig absonder-
ten: in erster Linie Beschneidung, rituelle Reinheit und besondere
Festtage[87]. Wir müssen uns bewußt machen, daß Paulus sich in Gal
gegen Heidenchristen richtet, die sich anschicken, als Juden zu leben (leben zu wollen). Paulus sagt zu ihnen: durch diese Art von

---

[85] Anders z. B. bei *R. B. Hays,* The Faith of Jesus. An Investigation of the Narrative
Substructure of Galatians 3:1–4:11 (SBL Diss. Ser. 56) (Chico 1983) 206–207; *J. Smit,*
Naar een nieuwe benadering van Paulus' brieven. De historische bewijsvoering in Gal.
3,1–4,11, in: Tijdschr. v. Theol. 24 (1984) 207–234, besonders 214–215 („onder de
vloek" in V. 10a spricht nicht von einer Realität, sondern von einer Drohung. Aber wie
ist dann der Fluch in V. 13 und „unter der Sünde" in V. 22 zu verstehen?); *Sanders,* Paul
19–29. Letzterer akzeptiert nicht, daß „in Galatians 3 (Paul) holds the view that *since*
the law cannot be entirely fulfilled, *therefore* righteousness is by faith" (23). Für eine
pertinente Kritik dieser Position siehe *Räisänen,* Paul 95, n. 13; *T. R. Schreiner,* Is Per-
fect Obedience to the Law Possible? A Re-examination of Galatians 3:10, in: Journ.
Evang. Theol. Soc. 27 (1984) 151–160, diskutiert die Auslegungen von D. F. Fuller
(siehe Anm. 86), H. D. Betz (siehe Anm. 74), F. F. Bruce (siehe Anm. 83), G. Howard
(siehe Anm. 94) und H. Schlier (siehe Anm. 101) und verteidigt überzeugend die soge-
nannte ,traditionelle' Position, die auch wir vertreten.
[86] Vgl. *E. Lohmeyer,* Probleme paulinischer Theologie. II „Gesetzeswerke", in: ZNW
28 (1929) 177–207; *C. Crowther,* Works, Work and Good Works, in: ExpT 81 (1969–70)
166–171; *D. P. Fuller,* Paul and „the Works of the Law", in: WThJ 38 (1975–76) 28–42;
und vor allem den herausragenden Beitrag von *D. J. Moo,* „Law," „Works of the Law,"
and Legalism in Paul, in: WThJ 45 (1983) 73–100. Die Untersuchung von *L. Gaston,*
Works of law as a subjective genitive, in: Sciences religieuses/Studies in Religion 13
(1984) 39–46, scheint uns hinsichtlich der im Titel ausgedrückten These nicht überzeugend.
[87] Für die Veröffentlichungen von *Dunn* siehe Anm. 36, vor allem Incident und New
Perspective (S. 103–118: Auslegung von Gal 2,16); zu seiner Terminologie siehe unsere
Anm. 45. In seinem SNTS Seminarpaper in Basel (1984) „Works of the Law" (s. Anm.

‚Werken' wird niemand gerechtfertigt, denn – das impliziert das Zitat – durch die Übertretung anderer Vorschriften bleiben alle Sünder und werden daher durch das Gesetz verflucht[88]. Darüber hinaus fällt auf, daß Paulus die jüdische Lebensweise, die die Heiden *nach* ihrem Übertritt zum Christentum annehmen wollen, mit der heillosen, verfluchten Situation von Juden (und Heiden) *vor* ihrer Bekehrung (vgl. Röm 1–3) in Verbindung bringt, ja sie geradezu damit identifiziert[89].

Es scheint nicht angeraten, in dem Ausdruck ὅσοι ἐξ ἔργων νόμου εἰσίν eine Anspielung auf Werkgerechtigkeit zu sehen[90], so sehr Vers 10a an sich dies auch nahezulegen scheint. Natürlich ‚verlassen sich' diese Menschen auf ihre Werke. Aber nirgendwo wird deutlich,

---

43) weitet Dunn für Gal 3, 10 die Bedeutung aus: „to be *ex ergōn nomou* = remaining within all that the Torah lays down" (4) (veröffentlicht in: NTS 31 [1985] 523–542); siehe auch unsere Anm. 112. Vgl. z. B. auch *Fuller,* Paul 38–39 („Jewish distinctives"); *J. B. Tyson,* „Works of Law" in Galatians, in: JBL 92 (1973) 423–431 (Paulus „was surely aware that food laws and circumcision served as signs of exclusivism and separation. They were understood as objective markings of God's chosen people and signs of election" (431); *R. Heiligenthal,* Soziologische Implikationen der paulinischen Rechtfertigungslehre im Galaterbrief am Beispiel der „Werke des Gesetzes". Beobachtungen zur Identitätsfindung einer frühchristlichen Gemeinde, in: Kairos 26 (1984) 38–53, hier: 41.42.45.49 f.

[88] Vgl. *Borse,* Galater 128: „Paulus weiß sehr wohl, daß nicht die Befolgung des Gesetzes, sondern seine Übertretung mit Fluch belastet ist"; *Mußner,* Galaterbrief 225–226. In Anm. 65 auf S. 226 schreibt Mußner: „Es wird also eindeutig nicht jenem der Fluch angedroht, der die Gesetze ‚tut', sondern im Gegenteil: dem, der sie nicht tut (nicht erfüllt)."

[89] Gundrys Kritik (Grace 8–9) bezüglich Sanders' Unterscheidung zwischen ‚getting in' und ‚staying in' scheint uns daher, was Gal 2–3 angeht, übertrieben.

[90] Anders *G. Klein,* Sündenverständnis und theologia crucis bei Paulus, in: *C. Andresen – G. Klein* (Hg.), Theologia crucis – signum crucis. FS E. Dinkler (Tübingen 1979) 249–282, hier 270: „Nun ist zunächst richtig, daß das in V. 10 verwertete Schriftwort auf die quantitative Vollständigkeit des Gesetzesgehorsams abhebt und jedes dahinter zurückbleibende Verhalten unter dem Fluch steht. Doch zielt der Apostel bereits mit der einleitenden These V. 10a weit darüber hinaus, wenn er nicht nur den unvollständigen Gesetzesdienst, sondern jegliche Existenz aus Gesetzeswerken verflucht sein läßt." Nach *Hübner,* Gesetz 42, ist „quantitative Erfüllung ... nicht möglich, weil die Torah Bestimmungen besitzt, die ‚qualitativ erfüllt' werden müssen". Auch *W. Grossouw,* De Brief van Paulus aan de Galaten (Bussum 1974) 126, bezieht eindeutig Stellung: „De wetsmensen zijn zij die steunen op de wet, op hun eigen wetsnaleving, hun eigen religieus-zedelijke prestaties – en daarom onderhouden zij de wet van God in eigenlijk zin niet en vallen onder de vloek." Er wendet sich gegen *H. Lietzmann,* An die Galater (HNT 10) (Tübingen 1932) 119, der behauptet: „... denn da ja doch kein Mensch das Gesetz halten kann", und gegen dessen ‚befaamd zinnetje': „Dieser notwendige Gedanke ist hier als selbstverständlich nicht ausgesprochen."

daß Paulus impliziert, daß sie dabei das Gesetz mit einem verkehrten Bewußtsein und einer stolzen selbstzufriedenen Haltung befolgt haben[91]. Indem Paulus Dtn 27,26 zitiert, macht er deutlich, daß nach ihm die Befolgung aller Vorschriften des Gesetzes den Fluch ausschließen würde. Aber liefert Vers 11–12 nicht ein radikaleres Motiv der Machtlosigkeit des Gesetzes?

2. Vers 11–12

Die Verse 11 und 12 bilden eine gedankliche Einheit. Nicht nur ist da die betonende Wiederholung von ζήσεται und kommt in diesen beiden Versen die Gegenüberstellung von Gesetz und Glaube vor, sondern in den Versen 11–12 finden sich auch eine versteckte syllogistische Argumentationsweise. In ihrer eigentlichen Gestalt sieht diese folgendermaßen aus:

Obersatz: „Der Gerechte wird aus dem Glauben leben" (Vers 11 b);
Untersatz: Das Gesetz gründet jedoch nicht auf dem Glauben, denn „wer sie tut, wird durch sie leben" (Vers 12);
Schlußsatz: Daher ist es offenkundig, daß durch das Gesetz niemand vor Gott gerechtfertigt wird (Vers 11 a)[92].

Aus unserer Übersetzung wird deutlich, daß wir in Vers 11 mit vielen anderen ἐκ πίστεως auf ζήσεται beziehen. Die attributive Kon-

---

[91] *Bruce,* Curse 28, schreibt: „It is straining Paul's language to understand it as though ἔργα νόμου meant the legalistic misinterpretation of the Law: every one who transgresses the Law by trying to keep is legalistically is under a curse." Vgl. *Moo,* „Law" 98: „Gal 3:10, then, along with the indisputable stress on human unability in Romans 12–3 ..., strongly supports the notion that ‚works of the law' cannot justify, not because they are inherently *wrong,* nor only because a decisive shift in salvation-history occurred, but fundamentally because no man is able to *do* them in sufficient degree and number so as to gain merit before God."

[92] Schon Thomas von Aquin: „ad quod ostendendum utitur quodam syllogismo in secunda figura, et est talis: Iustitia est ex fide, sed Lex ex fide non est, ergo Lex iustificare non potest. Circa hoc ergo primo ponit conclusionem, quum dicit: Quoniam in Lege nemo iustificatur, manifestum est; secundo maiorem, quum dicit: iustus ex fide vivit; tertio minorem, quum dicit: Lex autem non est ex fide." Übernommen aus *M.-J. Lagrange,* Saint Paul. Epître aux Galates (EtB) (Paris 1925) 67. Vgl. *F. Sieffert,* Der Brief an die Galater (KEK 7) (Göttingen ⁷1886) 172. Auch *H. C. C. Cavallin,* ‚The Righteous Shall Live by Faith'. A Decisive Argument for the Traditional Interpretation", in: StTh 32 (1978) 33–43, rekonstruiert einen Syllogismus:
„v. 11 a: Nobody ist justified by the law before God (to be proved).
v. 11 b: For ‚the righteous shall live by faith' (major – authoritative quotation).
v. 12 a: But the law ‚is' not ‚a matter of faith', i. e. according to the context it does not give life – ‚by faith' (minor supported by the following).

struktion, von der die alternative Übersetzung ausgeht, erfordert normalerweise die Wiederholung des Artikels. Für unsere Entscheidung ist jedoch die Tatsache, daß der Ausdruck ὁ δίκαιος... ζήσεται (Vers 11 b) als ganzer unseres Erachtens inhaltlich δικαιοῦται (Vers 11 a)[93] entspricht, ein wichtigeres Argument als dieser grammatikalische Aspekt. ‚Leben' bezeichnet hier somit nicht in erster Linie das volle christliche Leben *nach* der Rechtfertigung (auch nicht nach dem Tod[94]), sondern die Rechtfertigung selbst, die durch den Glauben und nicht durch das Gesetz geschieht. Man kommt durch den Glauben zum Leben[95].

Eine zweite Gleichsetzung darf genausowenig unserer Aufmerksamkeit entgehen. Der Ausdruck ἐν νόμῳ in Vers 11 a (ἐν-instrumentale) nimmt unserer Meinung nach ἐξ ἔργων νόμου von Vers 10 a wieder auf[96] (wie übrigens auch „niemand wird vor Gott gerechtfertigt" in Vers 11 dem „unter dem Fluch stehen" von Vers 10 a entspricht). ‚Durch das Gesetz' heißt somit konkret: ‚durch Gesetzeswerke'[97]. Paulus gibt nach dem ersten negativen Schriftargument ein zweites[98], das positiv ist (Hab 2,4). Es wird als etwas Offenkundiges (δῆλον) hingestellt. Wahrscheinlich wählt Paulus in Vers 11 a νόμος im Singular und nicht ‚Gesetzeswerke', weil er hier und in Vers 12 das ‚Gesetz' dem ‚Glauben' gegenüberstellen will und weil die Pro-

v. 12 b: But ‚he who does them (i. e. these prescribed things), shall live by them' (authoritative quotation)" (38). Wieder anders in *Hays,* Faith 207.
[93] Für zusätzliche Argumente vgl. *Cavallin,* Righteous 128. *Wilckens,* Entwicklung 167–168, behauptet u. E. zu leichtfertig, daß die Entscheidung zwischen den beiden möglichen Konstruktionen ‚ohne Belang' ist. *D.-A. Koch,* Der Text von Hab 2,4 b in der Septuaginta und im Neuen Testament, in: ZNW 76 (1985) 68–85, zeigt, wie Paulus sehr wahrscheinlich selbst den ursprünglichen LXX-Text durch Auslassung von μου nach ἐκ πίστεως abgeändert und dem Kontext von Gal 3 angepaßt hat.
[94] Vgl. z. B. *Gundry* 24 und die Paraphrase von *G. Howard,* Paul: Crisis in Galatia. A Study in Early Christian Theology (MSSNTS 35) (Cambridge 1979) 62: „The one who is justified by faith will find eternal life". Seine Position (58–62), daß ‚Glaube' in Gal manchmal die Treue Gottes oder Christi bedeutet, ist u. E. unhaltbar.
[95] Vgl. *E. de Witt Burton,* The Epistle to the Galatians (ICC) (Edinburgh 1921) 166: „It is justification, in any case, that is chiefly in mind." Vgl. ζωοποιῆσαι in 3, 21.
[96] Vgl. *Fuller,* Paul 40, der auf den Paralleltext in Röm 3,28 hinweist, wo der vollständige Ausdruck steht. Aber z. B. *Wilckens,* Entwicklung 167, übersetzt: „im Bereich der Tora insgesamt".
[97] Anders *Mußner,* Galaterbrief 228–229: „Die Tora wird gewissermaßen zum ‚Weltgesetz'..."
[98] Mir scheint, daß *Betz,* Galatians 144–152, in Gal 3, 8–14 zu leichtfertig und zu vage über verschiedene Schrift*beweise* spricht: fünf (VV. 8.10.11.12.13).

nomina αὐτά und αὐτοῖς in Vers 12b (aus Lev 18,5) sich nicht auf die Gesetzeswerke sondern auf die Vorschriften des Gesetzes (vgl. Vers 10)[99] beziehen.

Welche ist die richtige Nuance von Vers 12, des Untersatzes im Syllogismus? Warum rechtfertigt nach diesem Vers das Gesetz nicht[100]? Das Gesetz hat mit Glauben nichts zu tun (V. 12a). Kann man im Anschluß an G. Klein behaupten: „Wird die Unvereinbarkeit von Glaube und Gesetz in V. 12 damit begründet, daß das Gesetz das Leben als Resultat des Tuns und damit dem Glauben schroff widersprechend definiert, so wird dabei doch weder die Heilskraft des Gesetzes bloß für manifeste Gesetzesbrecher bestritten... noch überhaupt auf die Verläßlichkeit der Lebensverheißung reflektiert... Also wird in 3,12 wie in Röm 10,5 einfach die im Gesetz besiegelte Bindung des Lebens an das Tun als Beleg für die Unvereinbarkeit von Glauben und Gesetz geltend gemacht"[101]?

Aber in Vers 12b verheißt das Gesetz ‚Leben‘ (hier wie in Vers 11: Rechtfertigung), und zwar dem, der die Vorschriften des Gesetzes befolgt. Es scheint mir kaum vorstellbar, daß Paulus in Vers 12b nicht mehr konkret an den Inhalt von Vers 10b denken sollte[102]. Wir müssen demzufolge den unausgesprochenen Gedanken als anwe-

---

[99] Die LXX liest: ἃ (= πάντα τὰ προστάγματά μου und πάντα τὰ κρίματά μου) ποιήσας ἄνθρωπος ζήσεται ἐν αὐτοῖς. Paulus paßt ὁ ποιήσας αὐτά an ὁ δίκαιος (v. 11; Hab 2,4) an. Vgl. *Wilckens,* Entwicklung 188, Anm. 37.

[100] Vgl. u.a. *Betz,* Galatians 145–146, der die Positionen von M. Noth, H. Schoeps, H. Schlier und F. Mußner (und U. Luz) bespricht; auch, mehr allgemein, *Kim,* Origin 280–281.

[101] *Klein,* Gesetz 68. Vgl. *ders.,* Sündenverständnis 272–274: Das Gesetz definiert „das Leben als Resultat des Tuns und damit dem Glauben schroff widersprechend" (272). Das ist ‚qualitative Gesetzeskritik‘! Vgl. z.B. *J. B. Lightfoot,* Saint Paul's Epistle to the Galatians (London ⁷1881) 137–138: „Supposing the fulfilment possible, still the spirit of the law is antagonistic to faith..."; *H. Schlier,* Der Brief an die Galater (MeyerK 7) (Göttingen ²1962): der Fluch „ist nicht erst damit gegeben, daß das Gesetz quantitativ nicht ganz erfüllt wird, sondern schon damit, daß es überhaupt ‚getan‘ werden muß ..." Diese Position entwickelt Schlier auf S. 134–135 auf beeindruckende Weise.

[102] *Burton,* Galatians 165 und 167, behauptet, daß V. 10b, „though stated negatively, implies the corresponding affirmative, v. 12, that he who faithfully performs all the things written in the book of the law lives thereby, and this is actually so stated as the principle of law in v. 12". Burton denkt allerdings, daß Paulus in V. 10b und 12b nicht seine eigene, sondern die legalistische Überzeugung formuliert. Vgl. *Sieffert,* Galater 171: Gal 3,12b „steht in so deutlichem antithetischem Parallelismus zu der hier V. 10 angeführten Stelle, daß sich daraus als das Gegentheil des Fluches, das Leben ergibt". Nach *C. E. B. Cranfield,* The Epistle to the Romans (ICC) (Edingburgh 1975–79) 522, Anm. 2, denkt Paulus in V. 12b an Christus, der einzige, der ‚getan hat‘ und lebt! V. 13

118

send erachten: das Gesetz rechtfertigt nicht, weil die Übertretung der Gesetzesvorschriften den Fluch verursacht. Paulus schreibt mit Hilfe von Lev 18,5 ausdrücklich, daß die ausnahmslose Erfüllung des Gesetzes Leben hervorbringen würde[103]. Wie mir scheint, ist, wie es in Vers 10b mit ebenso vielen Worten steht, die Nichterfüllung des Gesetzes die Ursache des Gesetzesfluches[104]. Solange der ‚Glaube‘ (Vers 12a) fehlt, bleibt die Situation aussichtslos.

Wir können ohne weiteres zugeben, daß Paulus sich in Vers 11–12a – wie freilich auch in Vers 10a – sehr prinzipiell und absolut ausdrückt: niemand wird durch das Gesetz gerechtfertigt (Vers 11a); die Rechtfertigung geschieht durch den Glauben (Vers 11b); das Gesetz hat mit dem Glauben nichts zu tun (Vers 12a)[105]. Aber

---

macht nach ihm dieses Verständnis nötig, damit der ‚Verfluchte am Kreuz‘ erlösen kann, muß er vollkommen gerecht gewesen sein. Vgl. die ‚messianische‘ Auslegung von V. 11 bei *Hays,* Faith 150–157.

[103] *Bruce,* Curse 29, formuliert das Problem sehr deutlich und gibt auch seine Präferenz an: „does liability to the curse, according to Paul, arise for all who rely in legal works for justification (a) simply because no one keeps *everything* prescribed in the Law or (b) because the mere seeking of justification by the Law is misguided, even if one attains full marks in law-keeping? Probably the latter of these two alternatives represent Paul's thinking". Er verweist auf Phil 3,6 und 9: auch das makellose Betragen des Paulus brachte ihm nicht die Rechtfertigung, sondern allein Christus. Warum fehlt der Hinweis auf Gal 2,17 (Paulus als Sünder)? *Grossouw,* Galaten 127, sieht wie so viele in V. 12 eine Polemik gegen Werkgerechtigkeit: „V. 12 is een van de scherpste formuleringen van de radikale paulinische tegenstelling van ‚geloof‘ en ‚werken‘, die sluiten elkaar uit ...".

[104] Vgl. *Sieffert,* Galater 173: „Nur wenn man die deutliche Beziehung der hier in Frage stehenden Rechtfertigung auf die Aufhebung des Fluches über die Gesetzesübertreter verkennt, kann man glauben, daß diese Beweisführung für die Unmöglichkeit der Rechtfertigung aus dem Gesetz auf Grund des zwischen Glaube und Thun bestehenden Gegensatzes gar keine Beziehung auf die menschliche Sündhaftigkeit habe."

[105] *Kertelge,* Gesetz 387 schreibt: „... in V. 12 vertieft er (Paulus) mit Lev. 18.5 den Grundsatz, daß das Gesetz die Verheißung des Lebens an das *Tun* des im Gesetz Geforderten bindet. Bemerkenswert ist nun, daß Paulus hier nicht die tatsächliche Nichterfüllung des Gesetzes für alle Menschen konstatiert". Nach V. 11 „bleibt ihm nur noch die Konstatierung des prinzipiellen Gegensatzes von Gesetz und Glaube". In V. 11–12 bringt Paulus tatsächlich ein neues ‚tieferes‘ Argument. Doch scheint uns kein Widerspruch oder keine Spannung zu V. 10 vorzuliegen. Wir lehnen daher die Position von *Räisänen,* die wir auf S. 108–109 erwähnten, ab. Auch *U. Luz,* Das Geschichtsverständnis des Paulus (BEvTh 49) (Göttingen 1968) 150, ist mißverständlich: „Nachdem er vorher also vom faktischen Nichthalten des Gesetzes gesprochen hat, tritt nun gleichsam ein neues Argument neben das erste, obschon es jenes faktisch aufhebt: Weil nämlich ein anderes Rechtfertigungsprinzip ... in der Gegenwart wirksam ist, ist Rechtfertigung aus dem Gesetz ausgeschlossen."

Vers 12 b zwingt uns, wie mir scheint, denselben Hintergrund wie in Vers 10 b, d. h. dieselbe Überzeugung von der allgemeinen Nicht-Befolgung des Gesetzes, anzunehmen. Das Nicht-Tun verhindert, daß ‚Leben' entsteht[106]. Weiterhin: Paulus geht es ohne Zweifel um das Handlungsprinzip, das sich vom Glaubensprinzip unterscheidet (wie sich auch das Gesetz vom Glauben unterscheidet)[107], aber er wendet sich nicht gegen das Tun[108]; im Gegenteil, er denkt, ohne es explizit zu sagen, an das *Nicht*-Tun! Vers 11–12 schließt sich deshalb gedanklich gut an Vers 10 an[109]. Auch in diesen Versen spricht Paulus somit unseres Erachtens nicht über verkehrten, stolzen Eifer für Werkgerechtigkeit. Die Behauptung, daß nach Paulus das Tun selbst verkehrt ist[110] oder daß die Erfüllung des Gesetzes ebenso schlimm wie oder gar schlimmer als die Nichterfüllung des Gesetzes ist, kann keinesfalls aus diesem Text abgeleitet werden. Aber worin liegt dann der eigentliche Unterschied zwischen dem Glauben und den Gesetzeswerken?

3. Vers 13–14

Der Gedankengang von Vers 13–14 – ein langer Hauptsatz, der mit viel Nachdruck mit διὰ τῆς πίστεως abschließt – wird uns helfen, diese letzte Frage zu beantworten. Aber zuerst müssen einige Elemente dieser Verse näher erläutert werden. In Vers 13 b hat Paulus das Zitat aus Dtn 21,23[111] mit Hilfe von 27,26 (in seinem Vers 10) redaktionell bearbeitet, und zwar mit dem Ergebnis, daß bei ihm beide Dtn-Zitate (Vers 13 b und 10 b) mit ἐπικατάρατος πᾶς begin-

---

[106] Vgl. *Borse,* Galater 129: „Da dem sündigen Menschen die Befolgung aller Gebote aber nicht möglich ist, kann er durch das Gesetz nicht zum Leben gelangen."

[107] Aber *Wilckens,* Entwicklung 169, warnt mit Recht: „In v. 12 wird Lev. 18.5 nicht in dem Sinne als Gegenthese angeführt, als sei hier ein völlig anderes Prinzip ausgesprochen, das mit dem Prinzip der Glaubensgerechtigkeit konkurrierte."

[108] Auch *Mußner,* Galaterbrief 231, spricht vom Handlungsprinzip, „das man lieber nicht als ‚Leistungsprinzip' bezeichnen sollte". Zu Röm 4,4–5 schreibt *Zeller,* Zusammenhang 205: „Hier stehen tatsächlich Werk und Gnade grundsätzlich gegenüber... Das bedeutet aber keine Disqualifizierung des Tuns als solchen."

[109] Vgl. *Wilckens,* Entwicklung 168–169. Wie wir sahen, setzt *Räisänen,* Paul 94–96 und 109, V. 11–12 V. 10 entgegen.

[110] So z. B. *Schlier,* Galater 134–135; *Klein,* Sündenverständnis 270–274. Zur Widerlegung von Kleins Argumenten vgl. *Wilckens,* Entwicklung 168–169.

[111] Dtn 21,23: ὅτι κεκατηραμένος ὑπὸ θεοῦ πᾶς κρεμάμενος ἐπὶ ξύλου. Für eine kurze Besprechung dieses Textes siehe *Bruce,* Curse 30–33.

nen. In Vers 13 b hat dieser Ausdruck als einzige Funktion zu beweisen, daß Christus in der Tat ein ‚Fluch' geworden ist (siehe Vers 13 a). Dtn 21,23 zeigt auf einen Menschen, der eines schweren Verbrechens überführt und an einen Pfahl gehängt wurde; jener Mensch ist verflucht. In Vers 13 bezieht Paulus diese Aussage auf Christus, der von der Obrigkeit überführt wurde und am Kreuz starb: so wurde er ein Fluch (Metonymie). Obwohl in Vers 13 der-´ selbe Ausdruck ‚Fluch' zweimal vorkommt, sind die Wirklichkeiten, auf die sie sich beziehen, sehr verschieden: In Vers 13 a bedeutet es: zu Recht verflucht aufgrund der Sünde (vgl. Vers 10 b), in Vers 13 b dagegen: verflucht, weil er an einem Baum hing, nachdem er zu Unrecht verurteilt und hingerichtet worden war. Nichtsdestoweniger sind in Vers 13-14 die beiden Flüche nicht beziehungslos; der eine ersetzt den anderen.

Christus ist für uns zum ‚Fluch' geworden und hat uns dadurch vom ‚Fluch des Gesetzes' freigekauft. Der letztere Ausdruck setzt voraus, was bereits implizit in Vers 10 vorlag: das Gesetz hat faktisch alle unter den Fluch gebracht, weil niemand das Gesetz vollständig erfüllte. „Aus der Fluchwirklichkeit, d. h. der Todverfallenheit der von der Tora verfluchten Gesetzesübertreter vermag nur Christus uns zu befreien – nicht das Gesetz."[112] Aber in Vers 13 a ist die Perspektive des Paulus nicht mehr allgemein, wie es in Vers 10 der Fall gewesen war; er schreibt: „hat *uns* freigekauft". An welche Verfluchten denkt Paulus konkret mit diesem ‚uns'? Man möchte sagen: an die Judenchristen, denn in Vers 13 a spricht er vom Gesetz, in Vers 13 b zitiert er eine Vorschrift des Gesetzes und in Vers 14 a gebraucht er antithetisch den Ausdruck ‚Heiden'[113]. Aber vier Gründe spre-

---

[112] *Wilckens,* Entwicklung 167. *Dunn,* Works of the Law 4–5, nuanciert anders, und zwar ausgehend von der breiteren Bedeutung der Gesetzeswerke (siehe unsere Anm. 87): der Fluch ist „not simply the condemnation which falls on any transgression, but the shortfall of the typically Jewish attitude to the law and its outworking…". Dieser Fluch fällt „on all who restrict God's grace in nationalistic terms and confine the covenant promise to Jews as Jews, who live within the law in such a way as to exclude the Gentile as Gentile from the promise."

[113] Vgl. *Borse,* Galater 129: auch die Heiden, „denen – wie es in Galatien geschieht – eingeredet werden könnte, sie müßten sich dem Gesetz unterstellen (vgl. 4,21)". Vgl. z. B. *Betz,* Galatians 148: allein die Judenchristen; sie waren unter dem Fluch nach 3,10; ‚uns' verweist ja auf 2,15 (siehe seine Anm. 101 ibidem). Siehe jetzt auch *Smit,* Naar een nieuwe benadering 215, Anm. 25 und *T. L. Donaldson,* The ‚Curse of the Law' and the Inclusion of the Gentiles: Galatians 3. 13-14, in: NTS 32 (1986)

121

chen eher dafür, diese erste Person Plural umfassender zu sehen. (1) In dem zu Vers 14a parallelen zweiten Finalsatz von Vers 14b umfaßt das Subjekt von λάβωμεν (erste Person Plural) sicher alle Christen, sowohl die aus dem Heidentum als auch die aus dem Judentum[114]. (2) In Vers 13a kann man schwerlich die universale Tragweite des formelhaften ‚für uns‘ bestreiten. (3) In Gal spricht Paulus zu Heidenchristen, die dabei sind, eine jüdische Lebensweise zu übernehmen. Wir sahen bereits, wie die Lebensweise nach der Bekehrung für Paulus zum Anlaß wird, über die Umstände der Bekehrung selbst zu sprechen[115]. (4) Aus Gal 4,3–5 wird deutlich, wie gewagt Paulus den vorchristlichen Status von Juden und Heiden aufeinander bezieht[116].

94–112. Nach diesem Autor denkt Paulus in Gal 3,10–12 an die Juden. Sogar in V. 13 hat das Pronomen ‚uns‘ exklusive Bedeutung: die Judenchristen. Zusammen mit V. 14 und dessen beiden Finalsätzen bringe V. 13 die paulinische Sicht der Heilsgeschichte zum Ausdruck. Die Beseitigung des Fluchs über Israel durch Christus bringt den Segen für die Heiden hervor. Ein ähnlicher Gedankengang liegt nach ihm in 3,23–29 und 4,3–7 vor. Hinsichtlich 3,13–14 spricht Donaldson von „a radical reinterpretation, in the light of the cross event, of the traditional ‚eschatological model‘ of the inclusion of the Gentiles" (102) .

[114] Beide ἵνα-Sätze sind abhängig von ἐξηγόρασεν (v. 13). Über den zweiten ἵνα-Satz sagt *Sieffert*, Galater 180: „dem vorherigen Absichtssatze nicht subordinirt…, sondern klimaktisch parallel". Vgl. *Borse*, Galater 131. V. 14b ist umfassender: nicht nur die ‚Heidenvölker‘ (V. 14a). Im allgemeinen zieht man die Lesart ‚Verheißung‘ der Lesart ‚Segen‘ vor: siehe *B. M. Metzger*, A Textual Commentary on the Greek New Testament (London – New York 1971) 594. Man ist sich nicht einig, was für ein Genitiv τοῦ πνεύματος ist: Objektsgenitiv oder erklärender, epexegetischer Genitiv (‚Genitiv des Inhalts‘: die Verheißung, die der Geist ist).

[115] Vgl. *Borse*, Galater 129: auch die Heiden, „denen – wie es in Galater geschieht – eingeredet werden könnte, sie müßten sich dem Gesetz unterstellen (4,21)". Im Blick auf V. 13a schreibt *D. Zeller*, Juden und Heiden in der Mission des Paulus. Studien zum Römerbrief (FzB 8) (Würzburg 1973) 98, Anm. 76: „Im ‚Wir‘ des Gal spricht Paulus gewöhnlich die heidenchristlichen Leser auf ihre Gemeinsamkeit mit ihm an".

[116] Vgl. *Ph. Vielhauer*, Gesetzesdienst und Stocheiadienst im Galaterbrief, in: *J. Friedrich – W. Pöhlmann – P. Stuhlmacher*, Rechtfertigung. FS E. Käsemann (Tübingen – Göttingen 1976) 543–555: „Judentum und Heidentum rücken denkbar nahe zusammen, sie sind als Knechtschaft unter den ‚Elementen der Welt‘ identisch" 543); *Betz,* Galatians 148; *Kertelge,* Gesetz 388: die Gleichstellung von Unfreiheit unter dem Gesetz und Unfreiheit unter den Weltelementen; *Cranfield,* Romans 852; *Räisänen,* Paul 18–28, schließt, daß bei Paulus ein „double concept of law" besteht, „an oscillation between the notion of a historical and particular Torah and that of a general universal force" (21). Noch vor kurzem unterstrich *F. Vouga,* La construction de l'histoire en Galates 3–4, in: ZNW 75 (1984) 259–269, die Gleichstellung von Judentum und Heidentum: „on a bien un parallélisme qui sous-tend le texte entre 3,15–25 et 3,26–4,11 dans lesquels Paul considère christologiquement les deux histoires des judéo- et des pagano-

Wie argumentiert Paulus in diesen Versen? In der Untersuchung des Kontextes von Gal 3,10–14 haben wir die Parallele zwischen Abraham und den Gläubigen unterstrichen: Um gerechtfertigt und gesegnet zu werden, ist Glaube ausreichend, und zwar sowohl für Abraham als auch für seine Söhne. Doch jetzt wurden wir zu der Einsicht geführt, daß im Denken des Paulus jene Parallele schließlich doch nicht so einfach ist. Die Folge Glaube – Segen mag für Abraham möglich gewesen sein; ohne das Eingreifen Christi ist sie für alle anderen jedoch unmöglich. Vorher war Rechtfertigung aus Glauben möglich; doch jetzt muß Christus zuerst vom Fluch erlösen.

Es sollte jedoch sogleich beachtet werden, daß die vorausgehende Aussage nicht ganz sachgemäß ist, da Erlösung durch Christus in der Sicht des Paulus sicher mehr ist als ein erster Schritt oder eine notwendige Vorbedingung, *bevor* Rechtfertigung stattfinden kann. Erlösung durch Christus ist ja gerade das Hervorbringen von Rechtfertigung und Segen. Der nötige Glaube ist konkret Glaube an Jesus Christus. So erreicht in Christus der Segen Abrahams die Heiden; durch ihren Glauben an Christus (d. h. an das, was er für uns tat, sein Heilswerk) empfangen sie die Verheißung des Geistes. In der Tat gibt es ohne Christus keine Söhne Abrahams. Nur durch Christus können wir wirklich so werden wie Abraham: glaubend und gesegnet.

Aber noch einen anderen Aspekt müssen wir nuancieren. Auch Abrahams Glaube hatte einen Inhalt. Er glaubte an Gottes Verheißung (vgl. 3,16–18 und 21–22) und diese Verheißung hat ihren Höhepunkt gerade in Jesus Christus (3,16), was bedeutet, daß der Glaube Abrahams und der der Christen inhaltlich doch nicht so radikal verschieden sind. Wie die Christen mußte Abraham, um gerechtfertigt zu werden, an Gottes neue Heilsinitiative glauben. Dadurch wird uns auch plötzlich überdeutlich, inwiefern der christliche Glaube anders ist als die Gesetzeswerke. Gottes Initiative in Christus, d. h. Christi Freikauf zu unseren, der ‚Verfluchten‘, Gunsten, ist Gottes freie, sündenvergebende Gabe und nicht das Werk

---

chrétiens" (269). *Bruce,* Curse 33, erklärt den inklusiven Charakter von ‚uns‘ in V. 13 a, wie folgt: „The pronoun ‚us‘ ... denotes not only Jewish believers, who were directly under Law, but Gentile believers also, whose conscience, accusing or excusing them, bore witness to their inward knowledge of what the law required (Rom. 2.15)."

des Menschen. Man kann nicht genug betonen, daß bei Paulus diese christologische Grundgegebenheit vorherrscht[117]. Daher mag es uns dann auch nicht überraschen, daß Paulus wegen dieser Überzeugung das Sich-am-Gesetz-Festklammern an sich anklagt, ohne immer explizit auf die Sünde durch Übertretung des Gesetzes hinzuweisen. Ein solches Sich-auf-das-Gesetz-Verlassen tut ja, als sei Gottes Initiative in Christus nicht geschehen. So schreibt Paulus in 2,21: „Ich spreche der Gnade Gottes nicht die Kraft ab; denn wenn es Gerechtigkeit gibt aufgrund des Gesetzes, dann ist Christus vergeblich gestorben"; und in 3,21 beweist der Irrealis „wenn ein Gesetz gegeben worden wäre, das lebendig machen könnte", daß in der Auffassung des Paulus das Christusgeschehen die Aussage der Protasis ohne weiteres ausschließt. Aber dies bedeutet noch nicht, daß Paulus das tragisch-verkehrte Sich-auf-das-Gesetz-Verlassen als Werkgerechtigkeit versteht. Die heillose Situation des Fluches, aus der der Mensch durch die Rechtfertigung erlöst wird, besteht aufgrund der Gesetzesübertretung. Ob Paulus in Gal das ‚Sich-am-Stein-Stoßen' (vgl. Röm 9,32–33: die Ablehnung Jesu) zu den Gesetzesübertretungen, die gerechtfertigt werden müssen, zählt, ist zumindest unsicher[118].

C. Schlußfolgerungen

In unseren Schlußbetrachtungen bezüglich Gal 3,10–14 können wir uns kurz fassen[119].

(1) In unserer Untersuchung wurde deutlich, daß Paulus in diesen Versen auf einigermaßen überraschende Weise gradlinig und logisch-schlüssig argumentiert. Aber um den Gedankengang zu bestimmen, muß man die spezifische Bedeutung mit berücksichtigen,

[117] Siehe Moo, „Law" 96–97, für einen Vorbehalt gegen Sanders, der das Christusgeschehen bisweilen (vgl. z. B. unsere Anm. 55) zu absolut gesetzt hat, d. h. sozusagen losgelöst von der Sündhaftigkeit des Menschen. Vgl. auch Gundry, Grace 11–22.

[118] Wir fragen uns, ob eine Interpretation wie die von Betz, Galatians 149, richtig ist: „In the context of the letter, he (= Paulus) certainly assumes that the law becomes a curse for those who seek justification before God ‚by works of Law,' because by doing so they deprive themselves of the blessing of Abraham given to ‚men of faith' (3–9)."

[119] Eine gute Zusammenfassung des Gedankenganges des Paulus in 3,10–14 bietet z. B. Bruce, Curse 27.

laufen, fremde Ideen eventuell unvollständig oder unzureichend darzustellen[1].

0.3. Es ist für die Exegeten kein Trost, daß ihre Wissenschaft nicht allein in der Krise steckt, sondern daß man vielleicht von einer allgemeinen Krise der Geisteswissenschaften überhaupt sprechen muß. Jedenfalls gilt der folgende, auf die Geschichtswissenschaft bezogene Satz analog auch für die Exegese des Neuen Testaments: „Man kann also getrost davon ausgehen, daß jede Feststellung ... mit einer gegenteiligen oder zumindest andersartigen Behauptung einhergeht. Die Frauen waren in der Überzahl, weil die Männer im Krieg getötet wurden; die Männer waren in der Überzahl, weil die Frauen im Kindbett starben. Die einfachen Leute waren mit der Bibel vertraut, nein, sie waren es nicht. Die Adligen waren von der Besteuerung ausgenommen; sie zahlten Steuern wie jeder andere auch. Die französischen Bauern waren verdreckt und stanken und lebten von Brot und Zwiebeln; die französischen Bauern aßen Schweinefleisch, Wild und Geflügel und nahmen im dörflichen Badehaus gern regelmäßig ihr Bad. Diese Liste könnte ins Unendliche fortgesetzt werden."[2] – Leider kann dieser Satz in der Exegese nicht so leicht auf die Widersprüche des Lebens zurückgeführt werden, wie es in der zitierten Quelle geschieht.

Der Verdacht, dieser Zustand der neutestamentlichen Exegese liege u. a. an der gegenwärtig die Evangelien-Auslegung beherrschenden Methode der Redaktionskritik, von der gelegentlich behauptet wird, sie höre das Gras wachsen, ist falsch, da die Verhältnisse in der Paulusexegese kaum anders sind.

Abhilfe kann nur geschaffen werden durch

a) Verzicht auf Originalität und Mut zum Konsens

b) konzentriertes Bearbeiten kleiner Fragen – angesichts der Divergenzen in den „kleinen" Fragen kann dies nicht die Zeit der großen Zusammenfassungen sein, es müssen zunächst die Einzelheiten intersubjektiver geklärt werden, bevor die großen Fragen, z. B. nach der Theologie der Evangelisten usw. beantwortet werden.

---

[1] In der Arbeitsgruppe wurde z. B. die Auslassung von Mk 7,19 b durch Matthäus in einer Weise zum Auslegungsschlüssel der matthäischen Interpretation dieser Perikope gemacht, mit der ich mich in keiner Weise identifizieren konnte.

[2] *B. Tuchman,* Der ferne Spiegel (dtv 10060) (München [4]1984) 13.

In der Konsequenz davon, sollen im Folgenden die oben bereits genannten kontroversen *Einzelfragen* behandelt werden.

1. Die Antithesen des Matthäus und das jüdische Gesetz

1.1. Annullierung des Gesetzes? – Grundsätzliche Fragen

Bei den Antithesen wird traditionell gefragt, welche von ihnen über das jüdische Gesetzesverständnis hinausgeht, d. h. den Rahmen der vom Alten Testament und insbesondere der Tora ausgehenden jüdischen Gesetzesinterpretation sprengt. Angesichts einerseits der von K. Müller dargestellten Möglichkeiten der jüdischen Gesetzeslehrer, gesetzliche Überlieferungen zu formulieren, die der Tora widersprechen, angesichts der Lückenhaftigkeit des Materials und der daraus resultierenden Lückenhaftigkeit unserer Kenntnis andererseits, wird man sich solche Urteile in Zukunft wohl verbieten müssen. Wie jedoch bei jeder Lücke wird auch bei dieser fortwährend die Versuchung bleiben, sie zu füllen. Deswegen genügt es nicht, hier die Lücke zu konstatieren, sondern es muß der Versuch gemacht werden zu fragen, ob sich nicht der umgekehrte Sachverhalt erweisen läßt, will sagen, ob sich nicht im Judentum der damaligen Zeit Sätze finden lassen, die die positive Aussage zulassen: Die Antithesen sprechen Radikalisierungen von Torageboten aus[3], zu denen sich Parallelen im damaligen Judentum durchaus finden lassen. Da ich einen entsprechenden Versuch vor einigen Jahren vorgelegt habe[4], kann ich mich hier kurz fassen und auf neuere Literatur beschränken.

---

[3] Ob die Antithesen auf eine Verschärfung der Tora oder der Tradition abzielen, ist in der Literatur umstritten. Ersteres erscheint mir jedoch angemessener, vgl. *I. Broer,* Freiheit vom Gesetz und Radikalisierung des Gesetzes (SBS 98) (Stuttgart 1980); vermittelnd neuerdings wieder *R. Riesner,* Jesus als Lehrer (WUNT 2/7) (Tübingen 1981) 377: Jesus stellt sein Wort „dem alttestamentlichen Gebot in der weiterentwickelten Form mündlich überlieferter Ausführungsbestimmungen" gegenüber.
[4] *Broer,* Freiheit.

1.2. Konkret: Welche Antithese annulliert das Gesetz des Judentums?

Daß die Antithesen, bzw. einige von ihnen, die Tora aufheben, wird auch in der neuesten Literatur noch behauptet. So sieht z. B. H. Räisänen in seinem Buch „Paul and the Law" [5] im Eidverbot und in der Abweisung des ius talionis einen Widerspruch zur alttestamentlichen Tora und auch R. Mohrlang geht davon aus: „... in some cases, we must frankly acknowledge that the actual effect of an antithesis *is* to annul a precept of Torah".[6] Nun besagt die Tatsache eines Widerspruchs noch nicht viel, wenn man bedenkt, daß auch bei den Juden zur Zeit Jesu Gesetzesauslegungen vertreten wurden, die im Widerspruch zur Tora standen[7]. Bedeutsam wäre erst das Auffinden eines im Judentum so nicht auffindbaren[8] oder womöglich so gar nicht denkbaren Widerspruches zur Tora[9] – unsere These aber ist gerade, daß der positive Nachweis möglich ist: Das von den Antithesen geforderte Verhalten wird auch in jüdischen Belegen gefordert und übersteigt so den Rahmen des dem Judentum Möglichen nicht.

Für das Eidverbot läßt sich dieses Im-Rahmen-Des-Judentums-Bleiben durch eine einfache Überlegung aufzeigen, auf die ich hier nur hinweisen will, da ich sie andernorts ausführlich dargestellt habe[10]: Unbeschadet der quaestio facti hinsichtlich eines Eidverbots in Qumran bzw. bei den Essenern ergibt sich allein aus dem Bericht des Josephus über die Essener, daß diese das Schwören als etwas Schlimmeres als den Meineid ansehen, der Eidverzicht als jüdische Möglichkeit[11].

Was die fünfte Antithese mit der Aufhebung des Talioprinzips an-

---

[5] (WUNT 29) (Tübingen 1983) 87.
[6] Matthew and Paul (SNTSMS 48) (Cambridge 1984) 19.
[7] Vgl. den Beitrag von *K. Müller* in diesem Band.
[8] Wobei dann aber die Lückenhaftigkeit unseres Quellenmaterials besonders zu reflektieren wäre, s. o.
[9] Vgl. *A. Nissen,* Gott und der Nächste im antiken Judentum (WUNT 15) (Tübingen 1974) 316: Eine Liebe zum Feind ist in den jüdischen Quellen nicht nur nicht belegt, „sondern ist vom Ansatz her ausgeschlossen und muß ausgeschlossen sein, wenn nicht vom Ansatz her das Gesamtgefüge des jüdischen Ethos und damit der Offenbarung selber ins Wanken geraten soll".
[10] Vgl. *Broer,* Freiheit 91–94.
[11] Vgl. im übrigen auch den Beginn dieses Satzes bei Josephus BJ II 135, daß das Wort der Essener zuverlässiger sei als ein Eid. Hier scheint erreicht, was Jak 5, 12 anstrebt.

geht, so verweist Räisänen auf die Ausführungen von J. P. Meier, der ausführlich dem Problem des Verhältnisses der Antithesen zur Tora nachgegangen ist und zur fünften Antithese festgestellt hat: „This is perhaps the clearest and least disputable case of annulment in the antitheses."[12] – Worum es dabei letztlich geht, hat Meier vorher ausgeführt: „It is the two ‚sayings‘, one (by God) in the past and one (by Jesus) in the present, which are being contrasted not hearing and saying. We can now fully grasp the tremendous Christological import of this bold statement. The word of Jesus stands at times in contrast to the Word of God as expressed in the Torah".[13] Daß Meier die Probleme der fünften Antithese hinsichtlich ihrer evtl. sekundären Bildung – vgl. nur die Differenz hinsichtlich der Person zwischen 5,38. 39 a und 39 b ff[14]. – kennt, versteht sich ebenso von selbst wie die Kenntnis der bei den Rabbinen üblichen finanziellen Ersatzregelung. Was ihn veranlaßt, hier eine Annullierung der Tora – und jeglichen Gesetzes überhaupt[15] – zu sehen, ist die Tatsache, daß Jesus hier ein „obligatory command" ablehnt und im Gegensatz zum Talioprinzip auf eine Wiederherstellung des verletzten Rechts verzichtet und damit das durch Rechtsverletzung entstandene Ungleichgewicht einfach belassen will[16].

Nun muß man sicher unterscheiden zwischen der eigentlichen Antithese und den sie erläuternden Beispielen – letztere gehen ja über einen Widerstandsverzicht durchaus hinaus. Obwohl diese Beispiele besonders eindringlich formuliert und in dieser Eindringlichkeit auch ohne Parallele im Judentum sind, so gibt es doch zu der in ihnen zum Ausdruck gebrachten Sache mannigfache Parallelen, die u. a. von Zeller und Nissen zusammengestellt worden sind, so daß

---

[12] *J. P. Meier,* Law and History in Matthew's Gospel (AnBib 71) (Rom 1976) 157. Diese Bewertung ist für Meier deswegen äußerst zentral, weil er seine ganze Analyse der Antithese unter die „basic question" stellt: „Does it simply deepen and spiritualize the letter of the Law, or does the deepening and spiritualizing go so far that the letter is annulled?" (126).

[13] Law 133 f.

[14] Vgl. dazu *A. Vögtle,* Was ist Frieden? (Freiburg i. Br. 1984) 90 f. Neuestens: *P. Hoffmann,* Tradition und Situation, in: *K. Kertelge* (Hg.), Ethik im Neuen Testament (QD 102) (Freiburg i. Br. 1984) 50–118.

[15] Vgl.*Meier,* Law 159.

[16] Dies scheint mir das einzige Argument zu sein, das Meier anführt, da das S. 158 unter 1) angeführte ein reines Postulat ist.

hier auf deren eingehende Erörterung verzichtet werden kann.[17] Es seien nur ein Beleg aus dem AT selbst und eine Rabbinenstelle zitiert: „Sage nicht: ‚Wie er mir getan, so will ich ihm tun, will dem Mann vergelten nach seinen Taten'" (Spr 24,29). „Lerne, Leid zu empfangen, und vergib dir angetane Demütigung" (ARN/A 41)[18]. Ist so die Mt 5,38 ff. zugrundeliegende „Sache" im Judentum vielfältig, wenn auch nicht so eindringlich belegt, so braucht die Frage nach parallelen Formulierungen zu Mt 5,38.39 a nicht mehr gestellt zu werden, da im Sinne des Matthäus die Verse 39 b ff. natürlich wie bei den anderen Antithesen erläuternde Beispiele sind.

Ist also auch die fünfte Antithese keineswegs außerhalb der im Judentum vorhandenen Interpretationsmöglichkeiten der Tora, so dürfte die Feststellung Mohrlangs, „that we must frankly acknowledge that the actual effect of an antithesis *is* to annul a precept of Torah" kaum zutreffen. Nach meiner Meinung käme dafür, wenn überhaupt, nur die Antithese vom Ehescheidungsverbot in Frage – aber auch diese dürfte den Rahmen von Mal 2,15 f. nicht übersteigen[19].

1.3. Exkurs: Das leitende Interesse an der Annullierung des Gesetzes

Es wäre weder fair noch ein Zeichen von hermeneutischem Sachverstand, dem andere wissenschaftliche Ergebnisse Vortragenden Interessegeleitetsein vorzuhalten, dies für sich selbst aber vehement zu verneinen. Ohne also eigenes Interessegeleitetsein von vornherein abzulehnen (ohne freilich im konkreten Fall zu wissen, wo dieses liegen könnte – aber genau das könnte ja typisch für beide oder alle

---

[17] D. *Zeller*, Die weisheitlichen Mahnsprüche bei den Synoptikern (FzB 17) (Würzburg 1977) 57 f.; *Nissen*, Gott und der Nächste 304 ff.
[18] Vgl. auch noch 1 QS 10,18: „Nicht will ich jemandem seine böse Tat vergelten, mit Gutem will ich jeden verfolgen". Vgl. freilich auch die Fortsetzung, die sich ähnlich im übrigen häufiger bei hier als Parallelen zu nennenden Belegen findet: „Denn bei Gott ist das Gericht über alles Lebendige, und er vergilt dem Mann seine Tat". Auffällig sind im übrigen die häufigen Mahnungen in JosAs, nicht Böses mit Bösem zu vergelten, z.B. 23,9; 28,10.14; 29,3.
[19] Vgl. dazu *Broer*, Freiheit 95–101; jetzt aber auch *W. Rudolph*, Zu Mal 2,10–16, in: ZAW 93 (1981) 85–90.

einander widersprechenden Auslegungsrichtungen sein), ist bei mir auch in den Diskussionen in Brixen wieder der Eindruck entstanden, die Tendenz, an einer Abrogation des Gesetzes durch Jesus festzuhalten (gegen deren Bestreiter), habe in der Christologie ihre Ursache[20]. – Nun haben wir u. a. mit Hilfe K. Rahners gelernt[21], die Konsequenzen der hypostatischen Union für den irdischen Jesus historischer und weniger essentiell zu denken – so wird ja auch die Menschwerdung (vgl. das Axiom „quod non est assumptum, non est redemptum") für den heutigen Menschen viel leichter in ihrer Bedeutung erkennbar. Man kann wohl auch kaum Jesus als Gottes Sohn glauben, ohne davon auszugehen, daß sich in seinem Leben etwas davon niedergeschlagen und gezeigt habe (vgl. das Axiom „agere sequitur esse"). Aber der Glaube ist weder Organ zum wissenschaftlichen Konstatieren noch ein Prinzip, das historische Fakten feststellen kann. Dieser Niederschlag kann zudem vielfältig gedacht werden und es ist zu beachten, daß zu etwas schlechthin Analogielosem – was, wenn Gottes Sohn einmal Mensch wird, ja ohne weiteres zu erwarten ist – die historisch kritische Forschung, die ja gerade mit dem Mittel der Analogie die historische Wahrheit zu erheben versucht, keinen Zugang hat[22]. Auf unseren Zusammenhang angewendet bedeutet dies zu fragen, ob es sinnvoll/angemessen ist, von folgender Arbeitshypothese auszugehen: Weil der Glaube in Jesus das Heilsereignis sieht – um es einmal so zu formulieren –, ist zu erwarten, daß dieser „Charakter" Jesu in einmaligen, *das Judentum sprengenden Taten und Worten* zum Ausdruck kommt? Die Gefährlichkeit solcher Überlegung – sie könnte ja auch zu Jesus als dem einzigen oder einzig überragenden Wundertäter führen – darf uns nicht schrecken, sie muß argumentativ und auf der historischen Ebene entschieden werden, solange sie als historische Frage gelten kann. Da nun Anlaß besteht, das Judentum zur Zeit Jesu weder für besonders verstockt noch für Neuem gegenüber besonders unaufgeschlossen zu halten, zeigt schon die Tatsache des

---

[20] Vgl. auch das Zitat von *Meier*, oben Anm. 12.

[21] Vgl. u. a. *K. Rahner*, Dogmatische Erwägungen über das Wissen und Selbstbewußtsein Jesu, in: *ders.*, SzTh 5, 222–245.

[22] Vgl. dazu *I. Broer*, „Der Herr ist wahrhaft auferstanden" (Lk 24, 34), in: *L. Oberlinner* (Hg.), Auferstehung Jesu – Auferstehung der Christen (Freiburg i. Br. 1985) 39–62 und die dort angegebene Literatur.

Scheiterns Jesu, das eher in einem Bündel von Gründen als in einem einzigen Grund, also z. B. in seiner Gesetzesauslegung, seine Grundlage hatte, daß das Besondere an Jesus weder völlig eindeutig war noch in eine völlig eindeutige Richtung wies – alles, was im späteren Christentum anders dargestellt wurde, vgl. Mt 27,25, hat mit Historie nichts mehr zu tun.

Von diesen Überlegungen her erscheint es mir angemessener – aber notwendig zu diskutieren –, daß Jesus sich durch eine große Freiheit gegenüber dem Gesetz und durch besonders eindringliche Formulierungen vom damaligen Judentum abgehoben, als daß er sich faktisch bereits vom Judentum gelöst hatte. Ganz davon abgesehen, daß auch sicher verschiedene Stadien im Verhältnis Jesu zum Judentum anzunehmen sind. Hätte – eine Abrogation des Gesetzes durch den historischen Jesus einmal vorausgesetzt – Jesus sich dann ein bis zwei Jahre in Galiläa und Judäa halten können, wenn er diese *von Anfang* an vertreten hätte?

1.4. Das Verständnis des Gesetzes in den Antithesen durch Matthäus

Die Ausführungen unter 1.1.–1.3. bezogen sich noch nicht auf die Sicht des Matthäus – er kann ja durchaus von der Meinung ausgegangen sein, daß die Antithesen über den Rahmen des Judentums hinausgehen, ohne daß sie dies, wie wir gesehen haben, objektiv tun. Jedenfalls traut man solches dem ersten Evangelisten in der Literatur durchaus zu. So stellt z. B. R. Mohrlang in seinem 1984 erschienenen Büchlein „Matthew and Paul", wie bereits mehrfach zitiert, einerseits fest, daß in einigen Antithesen ein Widerspruch zum Gesetz vorliegt, geht aber andererseits davon aus: „... from Matthew's perspective the basic purpose of the antitheses as a whole is not to break with the law ..."[23] – Kannte der Evangelist sich wirklich so wenig im Judentum aus, daß er nicht erkannte, daß die Antithesen dem Alten Testament bzw. der jüdischen Tradition zuwiderliefen?[24]

---

[23] 19.

[24] Vgl. *B. Przybylski*, Righteousness in Matthew and his world of thought (SNTSMS 41) (Cambridge 1980) 81: „The scholars who interpret the antitheses in terms of a new law are in a sense justified in their exegesis. They can maintain that, in spite of what Matthew may have intended to communicate, he in effect did communicate something else."

Und konnte er seiner Gemeinde, die ja stark jüdisch geprägt war, das „vormachen"? – Ein einheitliches Verständnis des Abschnittes Mt 5, 17–48 scheint der dargestellten Meinung entschieden vorzuziehen zu sein. Die Antithesen richten sich nicht nur im Verständnis des Matthäus nicht gegen die Tora, sondern sind die radikale (vgl. das antithetische Schema), (gerade?) noch im Rahmen des von der Tora Vorgegebenen bleibende Interpretation der Tora.

Es geht Matthäus in dem Abschnitt 5, 17–48 um drei Dinge: Die Kontinuität der Lehre Jesu zur Tora, deren Radikalisierung, beide Gesichtspunkte umfangen von dem: Die Autorität Jesu übersteigt die Tora, christlich gesehen ist die Autorität der Tora von der Autorität Jesu getragen.

2. Jesus und das Ritualgesetz nach Matthäus

2.1. Grundsätzliches

Auch dieser Problemkreis kann nicht ohne wenigstens kurze Erörterung grundsätzlicher Fragen angegangen werden, die hier das Verhältnis des Evangelisten zu seinen Traditionen betreffen. Übernimmt der Evangelist nur Traditionen in sein Evangelium, die ihn und seine Gemeinde (noch) betreffende Probleme behandeln, oder versteht er sich mehr als Archivar, Sammler, Tradent? Dafür, daß die letztere Möglichkeit nicht völlig ausscheidet, spricht doch wohl die merkwürdige und schwierig zu interpretierende Sammlung in Mt 5, 17–20 – Matthäus kann 5, 18 nicht in dem absoluten Verständnis für sich interpretiert haben, wie es der Vers von seinem Wortlaut her fordert, und gleichzeitig mit dem antithetischen Schema in Mt 5, 21–48 den Gegensatz zwischen Gesetz und Jesus aufs Äußerste betonen[25]. Diese Aussage gilt unabhängig von der Frage nach der Au-

---

[25] Man muß also streng zwischen der unter 1.2. verhandelten Frage, wie *sachlich* das Verhältnis zwischen den Inhalten der Antithesen und dem jüdischen Gesetz zu sehen ist, und der Frage, wie Matthäus das Verhältnis vom Inhalt der Antithesen zum Judentum gesehen hat, unterscheiden. – Zu der Frage, ob sich die Antithesen nach der Absicht des Matthäus gegen das Gesetz oder gegen die jüdische Tradition richten, vgl. oben 1.4., sowie *Broer*, Freiheit 75–81 und neuestens *U. Luz*, Das Evangelium nach Matthäus I (EKK I/1) (Zürich – Neunkirchen-Vluyn 1985) 247–249.

torschaft der Antithesen, die in der Literatur bekanntlich sehr unterschiedlich beurteilt wird[26]. V. 18f. stört eher die Absichten des Matthäus in 5,21–48, als daß er sie unterstützt. Daß Matthäus diese Verse gleichwohl übernimmt, wenn auch durch Kommentierung interpretiert, zeigt, daß er, der an sich ja eindeutig interpretierend in seine Vorlagen eingreift[27], in seiner Arbeit durchaus nicht nur Züge des eigenständigen Autors trägt, sondern zugleich auch Sammler ist, der die Tradition bewahren will.

2.2. Matthäus und der Sabbat

2.2.1. Matthäus und seine Traditionen
Das Verhältnis von Matthäus und seiner Gemeinde zum Sabbat ist bekanntlich umstritten, wie schon daraus resultiert, daß Bornkamm u. a. annehmen, Matthäus repräsentiere eine christliche Gemeinde, die noch im Verbande des Judentums verblieben sei[28]. Unsere Überlegungen unter 2.1. ergaben aber Anzeichen dafür, daß Matthäus nicht nur solche Perikopen oder Sentenzen überliefert, die seinen Intentionen unmittelbar dienen. So könnte es auch sein, daß er durchaus Perikopen aufnimmt, die eine Problematik behandeln, die für ihn und seine Gemeinde gar nicht (mehr) aktuell ist. Das bedeutet, daß die Übernahme der Sabbatperikopen durch Matthäus nicht notwendig an eine aktuelle Sabbatproblematik gebunden ist. Ein solcher Befund ergibt sich ja auch schon aus dem Markus-Evangelium, für dessen (heidenchristliche) Gemeinde eine aktuelle Sabbatproblematik ebenfalls nicht vorausgesetzt werden kann[29].

---

[26] Vgl. *Luz*, Mt 245f.
[27] Vgl. nur die Bearbeitung der markinischen Taufperikope durch Matthäus, die in ihrer markinischen Form ja mit der matthäischen Vorgeschichte kollidiert, oder etwa seine Redaktion der Wundergeschichten.
[28] Vgl. nur *G. Bornkamm – G. Barth – H. Held,* Überlieferung und Auslegung im Matthäus-Evangelium (WMANT 1) (Neukirchen-Vluyn ⁵1968) 19. 75 u. ö.
[29] Vgl. z. B. *K. Kertelge,* Die Wunder Jesu im Markusevangelium (StANT 23) (München 1970) 85, der das Interesse des Markus in Mk 3, 1–6 besonders in der „Spannung, die zwischen Jesus und den unterlegenen Gegnern entsteht" findet, nicht aber in der Sabbatfrage.

2.2.2. Matthäus 12,1–8

Die wichtigsten Änderungen der Matthäusperikope gegenüber der des Markus sind folgende[30]:

V. 1: „Jesus" statt „er"
Die Jünger „hungern" und „essen" –
beides war bei Markus nicht erwähnt.

V. 2: Die Pharisäer fragen Jesus nicht nach dem Grund für solches Verhalten der Jünger, sondern machen ihn auf dieses Verhalten der Jünger aufmerksam.

V. 3: Matthäus läßt das mk. David „litt Not" aus.

V. 5 ff.: Die Worte vom Opferdienst der Priester am Sabbat und Hos 6,6 werden eingefügt, Mk 2,27 ausgelassen.
Mk 2,28 wird in Mt 12,8 mit „denn" statt „so" bei Markus angeschlossen.

Die Schlüsse, die aus diesen Änderungen gezogen werden, sind unterschiedlich. Kommt in diesen Änderungen nach G. Strecker[31] die grundsätzliche Annullierung des Zeremonialgesetzes in der Gemeinde des Matthäus zum Ausdruck, so findet G. Barth gerade in diesen Änderungen gegenüber Markus Gründe für die Annahme, daß die Gemeinde des Matthäus noch im Verbande des Judentums steht[32], den Sabbat noch hält, „aber nicht in dem strengen Sinn wie im Rabbinat."[33]

Die Schwierigkeiten, die die Perikope im übrigen einem streng logischen Verständnis bietet, hat G. Barth plausibel dargestellt[34].

Versucht man aus den dargestellten Änderungen vorsichtig einige Schlüsse zu ziehen, so kann man folgendes feststellen:

1. Die Autorität Jesu wird von Matthäus stärker noch als bei Markus betont (V. 1 Jesus, V. 6, V. 8 par. Mk).

2. Die Einfügung des Hungermotives in V. 1 dient zunächst wohl

---

[30] Vgl. auch *Bornkamm – Barth – Held,* Überlieferung 75 f.; *R. H. Gundry,* Matthew (Grand Rapids 1982) z. St.

[31] Vgl. *G. Strecker,* Der Weg der Gerechtigkeit. Untersuchung zur Theologie des Matthäus (FRLANT 82) (Göttingen ²1966) 32 f.

[32] *Bornkamm – Barth – Held,* Überlieferung 75 ff.

[33] Vgl. ebd.; ebenso *R. Hummel,* Die Auseinandersetzung zwischen Kirche und Judentum im Matthäusevangelium (BEvTh 33) (München 1963) 45: „Das Sabbatgebot bleibt prinzipiell in Geltung. Die Tora ist die gemeinsame Grundlage der Auseinandersetzung."

[34] *Bornkamm – Barth – Held,* Überlieferung 75.

weniger einer Entschuldigung der Jünger als einer Angleichung ihrer Situation an die Davids und seiner Leute[35]. Dafür spricht einmal neben dem parallelen „sie hungerten" die Auslassung von „er litt Not" in V. 3, so daß jetzt bei den Jüngern und bei David der Hunger das einzige Motiv für ihr Verhalten bildet[36], zum anderen aber auch die bei Markus offensichtlich[37] kaum erkennbare Beziehung zwischen Jüngerverhalten und dem Verhalten Davids, die die gerade angestrebte Rechtfertigung der Jünger durch ein entsprechendes Verhalten Davids erheblich gefährdet.

3. Da aber zur Rechtfertigung Davids in der Perikope nichts anderes angeführt wird als der Hunger Davids (und seiner Leute) und Matthäus das Verhalten Davids mit dem der Jünger in Parallele setzt, ist der Schluß des Matthäus etwa wie folgt zu sehen: Wie bei David der Hunger das an sich verbotene Essen der Schaubrote gerechtfertigt hat, so rechtfertigt auch bei den Jüngern der Hunger das am Sabbat verbotene Ährenpflücken[38].

4. Sowohl die Tatsache, daß ein weiteres Beispiel folgt, als auch das Motiv des Hungers bezogen auf den Sabbat zeigen, daß – jedenfalls bis hierhin – von einer Abrogation des Ritualgesetzes nicht die Rede sein kann. Es geht immer noch und ausschließlich um die Rechtfertigung eines Vorganges, den die Pharisäer als Sabbatübertretung ansehen und der insofern die Gültigkeit des Sabbats voraussetzt.

---

[35] Vgl. *Hummel,* Auseinandersetzung 41; *R. Banks,* Jesus and the Law in the Synoptic Tradition (SNTSMS 28) (Cambridge 1975) 113 Anm. 3.

[36] Es scheint mir auffällig, aber in keiner Weise zu umgehen, daß diese Parallelität zwischen David und seinen Leuten einerseits und den Jüngern andererseits, nicht aber, wie immer wieder behauptet wird, zwischen David und Jesus besteht. Weder wird hier gesagt, daß Jesus Hunger hatte, noch wird Jesus im Gegensatz zu David irgendeine Aktivität zugunsten des Essens der Jünger zugeschoben. Jesu Autorität kommt indirekt in V. 6, direkt erst in V. 8 ins Gespräch. Gegen *Banks,* Law 115 u. a.

[37] Vgl. nur *J. Gnilka,* Das Evangelium nach Markus I (EKK II/1) (Zürich – Neukirchen-Vluyn 1978) 119: „daß das Beispiel Davids in keiner Weise auf den Sabbat Bezug nimmt, es sei denn, man sieht die jüdische Auslegung von 1 Samuel 21 berücksichtigt, die das Ereignis auf einen Sabbat verlegt", was *Gnilka,* Markus I 119 Anm. 2 als fragwürdig ansieht. *Bornkamm – Barth –Held,* Überlieferung 76, Anm. 2 machen aber zu Recht darauf aufmerksam, daß darauf in „Mc. 2, 25 f. = Mt. 12, 3 f. kein Bezug genommen" wird.

[38] Anders *Banks,* Law 116: „It must be stressed, however, that in all three accounts (sc. Mt 12, 1–8 par) there is no intention to justify the disciples by means of an Old Testament precedent."

5. Das zweite Beispiel ist enger auf den Sabbat bezogen als das erste, läuft aber auf dasselbe Ergebnis hinaus: Es gibt Tätigkeiten am Sabbat, die im Widerspruch zu den allgemeinen Sabbatgesetzen stehen und dennoch nicht schuldig machen, weil sie in der Schrift geboten sind – so der Sinn von V. 5, der aber durch V. 6 in folgendem Sinn umgebogen wird: Es gibt Tätigkeiten am Sabbat, die deswegen keine Übertretung des Sabbatgebotes sind, weil sie dem Tempel gelten. V. 6 antwortet dann auf den Einwand: Inwiefern hat das Ährenpflücken der Jünger etwas mit dem Tempel zu tun? mit dem Hinweis: „Hier ist sogar mehr als der Tempel" [39].

Diese Argumentation ist doch wohl nachösterlich, im vorhandenen Zusammenhang wenig plausibel [40] und insofern vielleicht aus einem anderen Sabbat-Konflikt nach hier übertragen [41]. Aber auch für dieses Argument gilt: Es ist auf eine konkrete Sabbatproblematik bezogen, setzt insofern die Gültigkeit des Sabbats voraus und spricht ein bestimmtes Verhalten vom Vorwurf des Sabbatbruches frei.

6. Liefen schon die beiden vorangegangenen biblischen Beispiele auf einen Freispruch der Jünger hinaus, so wird ein drittes Argument nachgeschoben, das aber als Argument für den infrage stehenden Fall auch nur unter einer bestimmten Perspektive in Frage kommt, denn in dem zweiten Argument diente ja gerade der Vorrang der Opfer vor der Sabbatruhe zur Entschuldigung. So will V. 7 den Pharisäern gegenüber den schon durch die beiden ersten Argumente als unschuldig erwiesenen Jüngern auf Grund des Vorranges der Liebe einen Verfolgungsverzicht nahelegen. – Hier ist zumindest zu fragen, ob diese Aussage nicht ein ähnliches Argument „ad hominem" darstellt wie es in Mk 2, 27 vorliegt, wenn auch ganz unterschiedliche Formulierungen gewählt sind.

7. V. 8 folgt bei Matthäus kaum weniger überraschend als V. 28 bei Markus. Aber es könnte sein, wenn das „denn" präzise zu verstehen ist, daß V. 8 die Basis für das Vorangegangene bieten soll: Die

---

[39] Das bedeutet freilich noch lange nicht, daß *Hummels* Interpretation zutrifft: „Wenn der Tempel schon das Sabbatgebot zugunsten des Opfers aufhebt, wieviel mehr kann Jesus das tun zugunsten des Liebesgebotes!" (Auseinandersetzung 42) V. 6 bezieht sich primär auf V. 5, während in V. 7 ein drittes Argument folgt. – Das Argument von V. 6 liegt aber auch nicht in Jesu Autorität (so Gundry, Mt 224: „But Matthew bases his argument solely on the authority of Jesus, who is God with us...“), sondern in Jesu Personwürde, die natürlich Autorität impliziert.   [40] Vgl. *Gundry,* Mt 224.
[41] Anders u.a. *Gundry,* Mt 223, der hier matthäische Redaktion findet.

drei vorangegangenen Beispiele, die die Jünger von einer Sabbat-übertretung freisprechen, sind nicht diskutabel, weil sie der vollmächtigen Autorität des Menschensohnes über den Sabbat entspringen.

Aus dieser Analyse folgt: Mt 12, 1–8 bietet primär eine in der Sabbat-Vollmacht Jesu als Menschensohn ruhende Entlastung der Jünger vom Vorwurf des Sabbatbruches, die sekundär mit alttestamentlichen Beispielen und Zitaten arbeitet. Die Perikope als Ganze setzt die Gültigkeit des Sabbats voraus und bejaht sie grundsätzlich, verweist aber dafür, daß es Ausnahmen gibt, auf die autoritative Interpretation Jesu. – Das Sabbatgebot ist in keiner Weise als Teil des Ritual- oder Zeremonialgesetzes herausgestellt, so daß von dessen Abrogation oder Weitergeltung in Mt 12, 1–8 nicht die Rede ist.

Ob man aus Mt 12, 1–8 (oder aus der folgenden Perikope) zwingend auf eine aktuelle Sabbatproblematik innerhalb der matthäischen Gemeinde schließen kann, scheint mir angesichts der markinischen Überlieferung dieser Perikope und der starken christologischen Perspektive in der Matthäusfassung keineswegs sicher[42].

2.3. Matthäus und das Ritualgesetz –
Die Frage von rein und unrein (Mt 15, 1–20)

Wie schon angedeutet, war in der Seminargruppe die Meinung vorherrschend, die Auslassung von Mk 7, 19 b als für die Interpretation der Matthäus-Fassung entscheidendes Faktum anzusehen. Matthäus übernehme Mk 7, 19 b deswegen nicht, weil es seine These von der Weitergeltung des Gesetzes stören würde.

---

[42] Auch aus Mt 24, 20 läßt sich ein Halten des Sabbats durch Matthäus und seine Gemeinde nicht ableiten. Der V. rechnet ausdrücklich damit, daß die Flucht in den Winter oder auf den Sabbat fallen könnte – es wird also keineswegs gesagt, daß die Flucht durch Winter oder Sabbat *unterbrochen* wird, sondern Sabbat und Winter sind als Beschwernisse der Flucht gedacht. Matthäus könnte dabei seine jüdische Umgebung im Blick haben. – In der Interpretation von Mt 12, 1–8 bestand im übrigen große Übereinstimmung mit *H. Giesen,* der u. a. ausführte: „So geht der Text vom Schriftbeweis über den Tempeldienst zum christologischen Argument über; vom Textgefälle her ist das Herr-Sein-Jesu über den Sabbat der eigentliche und letzte Grund, warum man den Sabbat übertreten kann."

Dafür, daß die Matthäus-Fassung nicht minder scharf ist als die Markus-Fassung, scheint mir über die bereits andernorts vorgetragenen Argumente hinaus[43] auch noch folgendes zu sprechen. Matthäus hat durch die Einfügung von 15,12–14 die Aussage von 15,11 par Mk 7,15, die ja schon bei Markus durch die Frage der Jünger nach dem Sinn dieses „Gleichnisses" (von Mt in 15,15 übernommen) stark betont war, noch stärker in den Mittelpunkt gestellt und als Kernaussage der Perikope herausgehoben: Wer an dieser Aussage, daß nämlich nicht das in den Mund des Menschen Gelangende den Menschen verunreinigt, Anstoß nimmt, wer also an den levitischen Speisegesetzen festhält, der ist keine von Gott gesetzte Pflanze. Matthäus verfährt hier also gerade nicht so wie in 23,23, wo er die Befolgung des Zehntgebotes durchaus zuläßt, solange darüber nicht das Entscheidende vergessen wird, sondern er lehnt in voller Anlehnung an die Tradition des Markus die Beachtung unreiner Speisen ab. Die Auslassung von Mk 7,19b ist angesichts der weit über die Markusvorlage hinausgehenden Betonung von 15,11 durch die Einfügung von 15,12–14 *sachlich* bedeutungslos, sie mag aber vielleicht atmosphärische Gründe haben, daß Matthäus auf seine Umgebung Rücksicht nehmen will.

2.4. Ergebnis

Der Befund bei Matthäus erklärt sich dann wohl so am besten, daß Matthäus bei prinzipieller Achtung (und Betonung!) der Weitergeltung des Gesetzes im ganzen durchaus Freiheit im einzelnen gewährt. Während er in 12,1–8 die Maxime, nach der der Christ sich ggf. zu entscheiden hat, mitliefert (in V. 7, wenn auch durch die vorangehenden zwei Beispiele etwas verdunkelt), tut er das in 15,1–20 nicht, jedenfalls nicht so deutlich.

3. *Das Verhältnis von Gesetz und Evangelium bei Matthäus*

Unbeschadet der notwendig vorgängig zu stellenden Frage, ob es sinnvoll ist, an paulinischem Denken gewonnene Kategorien auf Matthäus anzuwenden, und der weiteren Frage, ob jede neutesta-

---

[43] Vgl. *Broer,* Freiheit 114ff.

mentliche Schrift den Indikativ des Heils explizit aussagen muß bzw. welche Bedeutung es hätte, wenn das nicht der Fall wäre, so kann man die Frage nach dem Indikativ des Heils im Matthäusevangelium offensichtlich stellen.

Die unterschiedliche Beurteilung dieses Komplexes könnte auch hier ihren Grund darin haben, daß Matthäus eine zumindest nicht völlig eindeutige Lage geschaffen hat. Denn so wenig man z. B. Strecker bestreiten kann, daß in Mt 6,12.14f.; 18,35 die am Menschen zu vollziehende Vergebung Zielpunkt der ethischen Forderung ist[44], so wenig kann man z. B. Thompsons Ansicht bestreiten: „In the parable (sc. Mt 18,23–35) the contrast between the master's pardon (V. 27) and the servant's punishment is central (cf. VV. 32–33). Therefore it must be essential to the lesson drawn from the parable. The mercy of God already experienced serves as a model for the disciples..."[45] Jedoch dürfte diese Ansicht zwar das zugrundeliegende Gleichnis, nicht aber die redaktionelle Intention des Matthäus kennzeichnen, da Matthäus das Gleichnis gerade im Sinne der Notwendigkeit vorangehenden Erbarmens des *Menschen* interpretiert hat[46].

Auffällig ist, daß die Redaktion des Matthäus auch in 20,1–16 das von der Tradition betonte Motiv der Güte nicht aufnimmt, sondern das Gleichnis im Sinne der Umkehrung von Ersten zu Letzten interpretiert.

Andererseits: Die von Matthäus überarbeitete Seligpreisung der nach Gerechtigkeit Hungernden und Dürstenden darf m. E. weder vom Motiv des Hungers und Durstes noch vom Makarismus her primär ethisch verstanden werden[47]. Darüber hinaus ist in Mt 5,6b nicht vom Gesättigt-Werden mit „himmlischem Lohn"[48] die Rede,

---

[44] *Strecker,* Weg 149.

[45] Vgl. *W. G. Thompson,* Matthew's advice to a divided community. Mt 17,22–18,35 (AnBib 44) (Rom 1970) 222 Anm. 98. *Giesen* wendete gegen diese Sicht der mt. Redaktion freilich ein: „Die Befähigung, dem anderen Knecht zu vergeben, wurde dem ersten Knecht durch den Schuldnachlaß von Gott gegeben (18,27): Die vorausgehende Liebe des Vaters ist für Matthäus stets die Voraussetzung des Handelns."

[46] Vgl. Mt 18,35 und dazu *Strecker,* Weg 149 Anm. 2; *D. Marguerat,* Le jugement dans l'évangile de Matthieu (Le monde de la Bible) (Genf 1981) 216. Eine eigene Interpretation des Gleichnisses Mt 18,23–35 habe ich inzwischen in À Cause de l'Évangile. Mélanges offerts à Dom Jacques Dupont (LD 123) Paris 1985, 489–508 vorgelegt.

[47] Vgl. dazu *I. Broer,* Die Seligpreisungen der Bergpredigt (BBB 61) (Königstein 1986) 84–96.   [48] So *Strecker,* Weg 157.

sondern das Sättigungsmittel ist das, worauf Hunger und Durst ausgerichtet waren: die Gerechtigkeit[49].

Auch Mt 6,10 enthält indikativische und imperativische Elemente, insofern das Geschehen des Willens Gottes selbst erbeten wird, der Term „Wille Gottes", „Wille des Vaters" bei Mt aber immer auch imperativischen Charakter trägt, vgl. nur die Verbindung von Tun und Wille des/meines Vaters in Mt 7,21; 12,50; 21,31[50]. Schließlich: Ist nicht Mt 5,7 die Seligpreisung der Barmherzigen und die Verheißung göttlichen Erbarmens für sie vor allem im Kontext des ersten Evangeliums (9,13; 12,7; 23,23; 25,31–46) so zu verstehen, daß selbst diese noch auf göttliche Barmherzigkeit (im Gericht) angewiesen sind?

Besteht für Strecker „die ‚Gabe' der Basileia in der ‚Forderung'"[51], so ist nach Luz bei Matthäus „der Wille Gottes, durch Jesus Christus erschlossen, als ‚Wille des Vaters', selbst schon Gnade"[52].

Während Strecker für seine These vor allem auf die Belege, die die Gegenwart der Basileia betonen, abhebt, sieht Luz die „Proklamierung des verbindlichen Willens Gottes ... bei Matthäus eingebettet in die Erzählung von der Sendung, dem Wirken, dem Gehorsam, den Machttaten und dem Sieg des Gottessohnes. Diese Einbettung der Proklamation des Gotteswillens in eine narrative Grundstruktur im Gesamtwerk des Matthäus ersetzt in ihrer Weise die paulinische

---

[49] Vgl. dazu *P. Fiedler,* Der Sohn Gottes über unserem Weg in die Gottesherrschaft, in: *ders.* – *D. Zeller* (Hg.), Gegenwart und kommendes Reich. (Schülergabe *A. Vögtle*) (Stuttgart 1975) 91–100, der aber darüber hinaus auf von Mt gerade nicht ausgezogene Linien seines Traditionsmaterials abhebt. Vgl. z. B.: „18,32 nennt die vorlaufende Gabe ausdrücklich... Die Vorstellung der Auserwählten (22,14), vom vorangehenden Gleichnis keineswegs nahegelegt, öffnet dem Lohn- und Strafmotiv nicht gerade freie Bahn."

[50] *H. Schürmann,* Das Gebet des Herrn (Freiburg i. Br. ⁴1981) 70 sagt zwar: „In unserer Bitte erfleht der Beter nicht nur die Gnade, den Willen Gottes selbst tun zu dürfen". Vgl. aber auch die Fortsetzung: „Daß wir Gottes Willen tun und ertragen, ist doch immer nur ein kleiner Ausschnitt aus der Gesamtaufgabe..." und 68, wo *Schürmann* auf Mt 18,14 als Wille Gottes abhebt, der aber nach der redaktionellen Interpretation des Mt in 18,15ff. von der Gemeinde getan werden soll. Vgl. zum Problem noch *W. Trilling,* Das wahre Israel (StANT 10) (München ³1964) 191 und *H. Giesen,* Christliches Handeln (EHS. XXIII/181) (Frankfurt – Bern 1982) 224ff.

[51] Weg 171.

[52] *U. Luz,* Die Erfüllung des Gesetzes bei Matthäus (Mt 5,17–20), in: ZThK 75 (1978) 398–435, 433.

begriffliche Unterscheidung zwischen Gesetz und Gnade."[53] – Im übrigen vermag nach Luz Matthäus die paulinische Theologie durchaus zu ergänzen, indem bei ihm „das Wesen des christlichen Glaubens als Praxis und das Wirken der Gnade als Gehaltensein im und Gefordertsein zum Handeln zu verstehen" sind[54]. – Stellen, auf die in diesem Zusammenhang immer wieder hingewiesen wird, sind: 1,23; 28,20; 4,18–22. 23–25; 13,23; 18,15–18; 26,28; 21,32[55].

Es muß auch darauf hingewiesen werden, daß die unter den Fachkollegen umstrittene Bewertung des angesprochenen Problems im damaligen *Judentum* für die Bewertung des Befundes bei Matthäus unmittelbare Konsequenzen hat: „If the Jew is held to be saved by law not grace, the same is true of the Christian according to Matthew (along with most other NT writers)! If Jewish piety reflects a religion of works, then so does Matthew's. …If we prefer Sander's interpretation of Judaism as covenantal nomism, it is quite natural to read Matthew in the same way."[56]

Gibt es bei Matthäus Belege für beides, Gericht/Forderung und Gnade, so auch bei Paulus, nur daß jeweils die anderen Stellen im Vordergrund stehen. Die Schwierigkeit, die der paulinische Befund bietet[57], bietet der des Matthäus auf genau umgekehrte Weise. Das dürfte darin seinen Grund haben, daß radikal gedachte Rechtfertigung auf Grund von Glauben an das Christusereignis und das Gericht nach den Werken nur schwer zusammenzudenken sind. Geht es hier um zwei grundsätzlich an der Wurzel des Christentums liegende Paradigmen, die ihren unterschiedlichen Sitz im Leben haben und deswegen auch nicht miteinander ausgeglichen werden müssen?[58]

---

[53] Ebd.
[54] *U. Luz,* Erfüllung des Gesetzes 435; vgl. auch *R. Smend – U. Luz,* Gesetz (Stuttgart 1981) 85. Vgl. allerdings auch die Kritik von *H. D. Betz,* The logion of the easy yoke and of rest (Mt 11,28–30), in: JBL 86 (1967) 10–24,24.
[55] Vgl. auch die Liste der Indikativ-Stellen des Mt bei *S. Schulz,* Die Mitte der Schrift (Stuttgart 1976) 188.
[56] *H. Räisänen,* Paul and the Law 194.
[57] Vgl. dazu *N. M. Watson,* Justified by faith; judged by works – an antinomy?, in: NTS 29 (1983) 209–221, passim.
[58] *N. M. Watson,* Justified 214, dort allerdings allein auf Paulus bezogen.

VII

Zur Gesetzes- und Tempelkritik
der „Hellenisten"

Von Alfons Weiser, Vallendar

Josef Blank zum 60. Geburtstag

Den „Hellenisten" kommt innerhalb der urchristlichen Theologie-
und Missionsgeschichte eine kaum zu überschätzende Bedeutung
zu. Die neutestamentliche Forschung widmet ihnen mit Recht seit
einigen Jahren zunehmendes Interesse[1]. Die „Hellenisten" gelten als
das „wichtigste wirkungsgeschichtliche Bindeglied zwischen der
Verkündigung Jesu und Paulus"[2], als Vertreter jenes Judenchristentums, „in dem sich das urchristliche Kerygma erstmals in griechi-
scher Sprache artikulierte und in dem Paulus... in die noch ganz
junge Gemeindetradition eingeführt wurde...[und] die er dann wenig später selbst entscheidend mitgestalten sollte."[3]

So groß der Konsens über die *Bedeutung* der „Hellenisten" *allgemein* ist, so verschieden fallen jedoch die Antworten aus, sobald es
um eine konkrete Darstellung ihrer Herkunft, ihrer Theologie, der
Voraussetzungen und Eigenart ihres Verhaltens, ihrer Einstellung zu
Tempel und Gesetz sowie um ihren Stellenwert innerhalb des ur-

---

[1] Vgl. die Bibliographien bei *M. Hengel,* Zwischen Jesus und Paulus. Die „Hellenisten", die „Sieben" und Stephanus (Apg 6, 1–15; 7, 54–8, 3), in: ZThK 72 (1975) 151–206,
hier 204–206; *E. Gräßer,* Acta-Forschung seit 1960, in: ThR 42 (1977) 1–68, hier 17–25;
G. Schneider, Die Apostelgeschichte. I. Teil (HThK V/1) (Freiburg i. Br. 1980) 417 f;
A. Weiser, Die Apostelgeschichte. Kapitel 1–12 (ÖTK 5/1) (Gütersloh – Würzburg
1981) 163 f; *H.-W. Neudorfer,* Der Stephanuskreis in der Forschungsgeschichte seit
F. C. Baur (Gießen – Basel 1983) 359–383. – Herr Kollege *H. Räisänen* war so freund-
lich, mir ein Manuskript für einen Beitrag zu überlassen, der demnächst veröffentlicht
werden soll: The „Hellenists" – Bridge Between Jesus and Paul? (Im folgenden zitiert
nach den Manuskriptseiten; Bibliographie ebd. 37–39).
[2] *J. Blank,* Paulus und Jesus. Eine theologische Grundlegung (StANT 18) (München
1968) 247.
[3] *Hengel,* Jesus (A. 1) 151.

christlichen Missionsaufbruchs und um ihre Wirkungsgeschichte geht. Zwei Trends sind gegenwärtig wahrzunehmen: der eine schreibt den „Hellenisten" möglicherweise zu viel, der andere zu wenig zu. Sehen manche in den „Hellenisten" die Brücke, welche von einem „gesetzesstrengen" zu einem „gesetzesfreien" Christentum hinüberführt, den wichtigsten Katalysator frühester urchristlicher Soteriologie, Christologie, Liturgie und Ethik, den Ausgangspunkt von Traditionsbildungen, die sich sodann in verschiedenen ntl. Gattungen und Schriften niederschlugen[4], so meinen andere, der Beitrag der „Hellenisten" sei zwar wichtig; er reiche aber längst nicht so weit, daß er als Brücke zwischen Jesus und Paulus gelten könne[5].

1. Die lukanische Darstellung

1.1 Textübersicht

Ausdrücklich und mit der Bezeichnung Ἑλληνισταί berichtet im Neuen Testament nur Lukas von den „Hellenisten". Er teilt mit, daß in der Jerusalemer Christengemeinde ihre Witwen bei der Armenfürsorge benachteiligt und daß zur Abhilfe des Mißstandes auf Veranlassung der Zwölf hin sieben bewährte, geistbegabte Männer eingesetzt wurden (Apg 6,1–6). Da sie griechische Namen tragen (6,5), ist anzunehmen, daß die genannten Sieben selbst zu den „Hellenisten" gehörten[6]. Sodann wird berichtet, wie einer von ihnen, Stephanus, durch Wundertätigkeit und Verkündigung die Gegnerschaft von Diasporajuden hervorrief, die in Jerusalem landsmannschaftlichen Synagogen angehörten. Die Gegnerschaft führte zu Tumult (6,8–12), Anklage vor dem Synedrium wegen blasphemischer Gesetzes- und Tempelkritik (6,13–15), einer großen Rede des Stephanus (7,1–53) und schließlich zu seiner Steinigung (7,54–60). Alle Chri-

---

[4] Vgl. den Überblick bei *G. Stanton,* Stephen in Lucan Perspective, in: Studia Biblica 1978, Vol. III, ed. by *E. A. Livingstone* (Sheffield 1980) 345–360, hier 358 A. 2–12.
[5] So z.B. *Räisänen,* Bridge (A. 1) passim im Unterschied zu *Hengel.*
[6] So urteilen die meisten Exegeten. Vgl. *Neudorfer,* Stephanuskreis (A. 1) 103–107. 330. – Gegen die Auffassung von *M. H. Scharlemann,* Stephen, A Singular Saint (AnBib 34) (Rome 1968), Stephanus sei kein „Hellenist" gewesen (17–19, 186) vgl. zu Recht *Schneider,* Apg I (A. 1) 413.

sten „außer den Aposteln" flohen nach Judäa und Samaria (8,1). Lukas sagt von den Versprengten, daß sie das Evangelium verkündeten (8,4). Er hebt besonders hervor, daß Philippus, der mit Stephanus zum Siebenerkreis gehörte, in Samaria missionarisch wirkte (8,5–13), auf dem Weg nach Gaza den äthiopischen Hofbeamten der Kandake taufte (8,26–39) und in der Küstenebene von Aschdod bis nach Cäsarea das Evangelium verkündete (8,40; vgl. 21,8). Mit der Angabe 9,31, daß nach der Bekehrung des Paulus „die Kirche in ganz Judäa, Galiläa und Samaria Frieden hatte", setzt Lukas voraus, daß auch in diesen Gebieten die Botschaft verbreitet worden war. Von den gleichen Christen, die im Zusammenhang mit der Ermordung des Stephanus versprengt worden waren, sagt er, daß sie bis nach Phoenizien, Zypern und Antiochia gelangten und den Juden das Evangelium verkündeten (11,19), daß sich aber einige Zyprer und Zyrenäer unter ihnen in Antiochia auch an Griechen wandten und viele für den christlichen Glauben gewannen (11,20f). Lukas berichtet davon, nachdem er unmittelbar vorher dargestellt hat, wie Gott selbst Petrus dazu bewegte, den Heiden Kornelius zu taufen und so den Weg zu den Heiden eröffnete (10f). Nach dieser Darstellung der göttlichen Initiative und Legitimation ist in der Sicht des Lukas nun der Weg frei für die Heidenmission. Lukas schildert ihn, indem er ihn ausgehen läßt von der durch die „Hellenisten" gegründeten ersten juden- und heidenchristlichen Gemeinde, nämlich Antiochia (13,1–3). Als Hauptträger des christlichen Zeugnisses auf diesem Weg gilt Paulus (13–28).

Der Überblick zeigt deutlich: Die menschliche *Initiative* für den Weg des Evangeliums von den Juden zu den Heiden, von einer Kirche aus Juden hin zu einer Kirche aus Juden und Heiden, ging von den „Hellenisten" aus, und sie waren es auch, die diesen Weg selbst *zuerst gegangen* sind. Die Historizität dieses *Grund*-Vorgangs ist nicht zu bezweifeln, um so weniger, als Lukas selbst bemüht ist, sowohl die damit verbundenen Konflikte eher zu verschweigen als auch, den entscheidenden Durchbruch Petrus zuzuschreiben, wie aus den programmatischen Kapiteln Apg 10f hervorgeht. Damit hängt zusammen, daß die Aussagen über die „Hellenisten" zum Großteil nur sporadisch und fragmentarisch sind. Sie lassen viele Fragen offen und haben in den exegetischen Erschließungsverfahren zu sehr verschiedenen Antwortversuchen und Auswertungen geführt.

Das gilt auch für den Fragenkomplex: 1. Wie hat *Lukas* selbst den Gesetzes- und Tempelkonflikt der „Hellenisten" verstanden und bewertet? 2. Was liegt historisch und traditionsgeschichtlich der lukanischen Darstellung zugrunde? Die erste Frage wird in den folgenden Ausführungen nur gestreift. Für eine sachgemäße Beantwortung wäre eine umfassendere Darstellung des lukanischen Gesetzesverständnisses nötig[7]. Das Hauptbemühen in diesem vorliegenden Beitrag ist der zweiten Frage gewidmet.

1.2 Wer sind nach Lukas die „Hellenisten"?

Der Ausdruck Ἑλληνισταί (Apg 6, 1) zu Beginn der Texte, die von den „Hellenisten" handeln, kennzeichnet Judenchristen, deren Muttersprache Griechisch war[8]. Daß unter ihnen als letzter in der Namensliste „Nikolaus, ein Proselyt aus Antiochia" (6, 5) genannt wird, berechtigt nicht zu der Annahme, mit den erwähnten „Hellenisten" seien „überwiegend *Proselyten* gemeint"[9]. Auch die Auffassung *Cullmanns,* es handle sich um Christen, die zusammen mit der „johanneischen Sondergruppe" und dem „heterodoxen Judentum Samariens" in einer „Dreiecksbeziehung" standen, überzeugt nicht[10]. *Nikolaus Walter* macht zu Recht darauf aufmerksam, daß „mit dem

---

[7] Vgl. dazu *J. Jervell,* The Law in Luke-Acts, in: *ders.,* Luke and the Poeple of God (Minneapolis 1972) 133–151; *U. Luz,* in: *R. Smend – U. Luz,* Gesetz (Stuttgart – Berlin – Köln – Mainz 1981) 58–144, hier 131–134; *S. G. Wilson,* Luke and the Law (MSSNTS 50) (Cambridge 1983); *C. L. Blomberg,* The Law in Luke-Acts, in: JSNT 22 (1984) 53–80.

[8] Ausführlicher Nachweis bei *Hengel,* Jesus (A. 1) 157–169. – So auch *R. Pesch – E. Gerhart – F. Schilling,* „Hellenisten" und „Hebräer". Zu Apg 9, 29 und 6, 1, in: BZ 23 (1979) 87–92; *J. Wanke,* in: EWNT I (1980) 1064; *Schneider,* Apg I (A. 1) 406; *J. Roloff,* Die Apostelgeschichte (NTD 5) (Göttingen 1981) 108; *Weiser,* Apg I (A. 1) 165; *G. Schille,* Die Apostelgeschichte des Lukas (ThHK 5) (Berlin 1983), der aber historisch die Existenz einer „Jerusalemer hellenistischen Urgemeinde" bestreitet (166) und die Sieben für eine Missionsgruppe hält; *Neudorfer,* Stephanuskreis (A. 1) 330 (Überblick über die Forschungspositionen 19–85).

[9] So zu Recht *Hengel,* Jesus (A. 1) 161; *Schneider,* Apg I (A. 1) 407 im Unterschied zu *B. Reicke,* Glaube und Leben der Urgemeinde (AThANT 32) (Zürich 1957) 116f. 121, der die zitierte Auffassung vertritt.

[10] *O. Cullmann,* Der johanneische Kreis (Tübingen 1975) 41–60. Kritische Würdigung dieser und ähnlicher Sichtweisen bei *Schneider,* Apg I (A. 1) 411–413.

Ausdruck Έλληνισταί allein" nicht schon „eine bestimmte tora-
und/oder tempelkritische" Einstellung zu verbinden sei[11].

1.3 Die Anklage gegen Stephanus nach Lukas

In Apg 6, 8–8, 2 rückt Lukas den Stephanus, einen der „Hellenisten"
und der Sieben, in den Mittelpunkt der Darstellung. Er kennzeichnet ihn zunächst als „voll Glaubens und heiligen Geistes" (5), „voll
Gnade und Kraft" (6, 8) und schildert ihn als Wundertäter inmitten
des Volkes (6, 8). Ohne daß von seiner Verkündigungstätigkeit die
Rede ist, heißt es unvermittelt, daß Diasporajuden aus verschiedenen landsmannschaftlichen Synagogen Jerusalems in heftigen Streit
mit Stephanus gerieten. Erst durch die Erwähnung, daß sie „der
Weisheit und dem Geist, mit dem er redete", nicht gewachsen waren
(6, 10), erfährt man von seiner Redeaktivität. Und erst durch den
Hinweis, daß Männer angestiftet wurden, die aussagten: „Wir haben ihn lästerliche Reden gegen Mose und Gott führen hören"
(6, 11), erhält man mittelbar einen ersten Anhaltspunkt über den Inhalt seines Sprechens. Das weitere Vorgehen gegen Stephanus besteht in einer Aufwiegelung „des Volkes, der Ältesten und Schriftgelehrten", im Ergreifen, im Vorführen vor den Hohen Rat und im
Aufstellen „falscher Zeugen" (6, 12.13 a). Die wörtliche Wiedergabe
ihres Zeugnisses lautet: „Dieser Mensch hört nicht auf, Reden gegen
den heiligen Ort und das Gesetz zu führen. Denn wir haben ihn sagen hören: Dieser Jesus, der Nazoräer, wird diesen Ort zerstören
und die Bräuche ändern, die uns Mose überliefert hat" (6, 13 f).

1.4 Die Vorwürfe gegen Stephanus

Was ist im Sinn des Lukas mit den in Apg 6, 11.13 f erhobenen Vor-
würfen konkret gemeint? Jede der drei Vorwurfsformulierungen ist
zweigliedrig:

---

[11] Apostelgeschichte 6.1 und die Anfänge der Urgemeinde in Jerusalem, in: NTS 29
(1983) 370–393, hier 383. Er wendet sich damit direkt u. a. gegen *Cullmann*. – Daß indes
der Ausdruck Έλληνισταί, der in Apg 9, 29 Griechisch sprechende *Juden* bezeichnet,
auch in Apg 6, 1 diese Bedeutung habe und der berichtete Versorgungskonflikt zeitlich
der „institutionelle[n] Absonderung der „Urgemeinde" gegenüber der übrigen jüdischen Bewohnerschaft der Stadt" voraus lag (376), so daß es sich um einen *jüdischen*
und nicht juden*christlichen* Konflikt handelte, ist in Anbetracht des lukanischen Kontextes sowie seiner Traditions- und Redaktionsgeschichte unwahrscheinlich.

V. 11: „...gegen Mose und Gott";

V. 13: „... gegen diesen heiligen Ort und das Gesetz";

V. 14: „...er wird diesen Ort zerstören und die Bräuche ändern, die uns Mose überliefert hat."

Die Verbindung der VV. 13 und 14 durch „denn" macht deutlich, daß diese beiden Vorwurfsformulierungen sehr eng zusammengehören. V. 14 begründet und konkretisiert den Vorwurf von V. 13. Das heißt: Mit den „Reden gegen diesen heiligen Ort" (V. 13) sind Aussagen des Stephanus über die Zerstörung des Tempels durch Jesus (V. 14) gemeint. Wenn es heißt, Stephanus habe „nicht aufgehört" (V. 13), dies zu sagen, so ist mit dem Hinweis auf die Beharrlichkeit zugleich auch die Wichtigkeit angedeutet und überdies wohl auch, daß Stephanus trotz scharfer Einwände, die in den vorher berichteten Streitreden dagegen erhoben wurden, bei seiner Überzeugung blieb. Unter den Reden „gegen das Gesetz [νόμος]" (V. 13) versteht Lukas Aussagen des Stephanus darüber, daß Jesus die von Mose vermittelten Bräuche (ἔθη) ändern werde. Hier ist kurz auf die Futur-Formulierungen καταλύσει τὸν τόπον und ἀλλάξει τὰ ἔθη (V. 14) sowie auf das Verständnis von ἔθη einzugehen.

1.4.1 Die Futur-Formulierungen: Lukas gibt das Wort von der Zerstörung des Tempels und der Änderung der Bräuche zu einer Zeit wieder, in der beides schon eingetreten ist: Der Jerusalemer Tempel liegt in Schutt und Asche; die Bräuche haben sich mit der Hinzugewinnung der Heiden zum Gottesvolk (Apg 15) und auch infolge der Tempelzerstörung geändert. Da aber Lukas das Wort von der Tempelzerstörung hier aus Mk 14, 58 einbringt[12], wo es als ein in die Zukunft gerichtetes Wort Jesu gilt, hat auch Lukas die Zukunftgerichtetheit konsequent beibehalten. Die Aussage über die inzwischen geschehene Änderung der Bräuche hat er der ersten Futur-Formulierung angeglichen[13]. In lukanischer Sicht ist ja das Eine wie das Andere letzlich von Gott her durch das Wirken des

---

[12] Der große Anteil lukanisch-redaktioneller Gestaltung in Apg 6, 11–14 auf der Basis von Mk 14, 55–58 und aus Elementen der Stephanus-Überlieferung wird heute von den meisten Exegeten zu Recht vertreten; vgl. die Kommentare.

[13] So auch von *Räisänen,* Bridge (A. 1) 14 vermutet. – Er meint allerdings gegen *Hengel,* die *Futur*-Formulierung verwehre es, a „link between Stephen and the historical Jesus" anzunehmen. Das leuchtet mir nicht ein.

zum Herrn der Geschichte erhöhten Jesus geschehen. Daß mit dem ἀλλάξει τὰ ἔθη Jesus als „ein neuer Gesetzgeber" verstanden sei[14], ist angesichts der später von Lukas wiedergegebenen Vorwürfe gegen Paulus, er lehre ἀποστασίαν...ἀπὸ Μωϋσέως (Apg 21,21), unwahrscheinlich.

1.4.2 Zum Verständnis von ἔθη: Außer Joh 19,40 und Hebr 10,25 kommt das Wort ἔθος im Neuen Testament nur in den lukanischen Schriften vor. Unter den 10 lukanischen Belegen bezeichnet das Wort im Singular die Ordnung des Priesterdienstes im Tempel (Lk 1,9), den Wallfahrtsbrauch am Passafest (Lk 2,42), die Beschneidung (Apg 15,1) und im Plural die auf den Kult und das sittliche Verhalten der Juden bezogenen Normen (Apg 26,3), die aus der Überlieferung stammen (Apg 28,17: τοῖς ἔθεσι τοῖς πατρῴοις) und nach denen es zu „wandeln" gilt (Apg 21,21). Von seiten der Römer werden sie als „unannehmbar" betrachtet (Apg 16,21).

Lukas folgt mit der Ausdrucksweise ἔθη jüdisch-hellenistischem Sprachgebrauch, wie er z. B. in der LXX (2 Makk 11,25), bei *Philo* und *Flavius Josephus* belegt ist. An manchen Stellen ist dort der Ausdruck ἔθος gleichbedeutend mit dem jüdischen Gesetz (νόμος)[15], an anderen Stellen ist er davon unterschieden[16]. In Apg 6,13 f scheinen die Begriffe ὁ νόμος und τὰ ἔθη im wesentlichen die gleiche Bedeutung zu haben. Darauf weisen die Parallelität der Aussagen und die

---

[14] So *Hengel*, Jesus (A. 1) 191. M. E. unterscheidet er hier nicht genügend zwischen Historie, Tradition und Redaktion. Vgl. dagegen zu Recht *Räisänen*, Bridge (A. 1) 14.

[15] Z. B. *Philo*, Leg. ad Gaium 210, wo die ἔθη der Juden mit den von Gott empfangenen νόμοι gleichbedeutend sind. *Jos* Ant 12,281: Mattathias ermahnt seine Söhne, den Bräuchen (ἔθη) der Väter treu zu bleiben und nötigenfalls für die Gesetze (νόμοι) zu sterben.

[16] Z. B. *Philo*, Leg. ad Gaium 115: Die Juden sind unterwiesen durch „ihre heiligen Gesetze [νόμοι] und ungeschriebene Bräuche [ἄγραφα ἔθη]". Zum Begriff ἔθος und dem Verhältnis zu νόμος vgl. *H. Preisker*, in: ThWNT II 370f; *Jervell*, Law (A. 7) 136f; *M. E. Glaswell*, in: EWNT I 929–931; *Schneider*, Apg I (A. 1) 439; *Wilson*, Law (A. 7) 4–11; *K. Löning*, Das Evangelium und die Kulturen. Heilsgeschichtliche und kulturelle Aspekte kirchlicher Realität in der Apostelgeschichte in: ANRW II 25/3 (1985) 2604–2646, hier 2623 f. – *Preisker* und *Schneider* sehen im Begriff ἔθος vor allem *kultische* Gesetzlichkeit ausgedrückt. *Jervell* hebt die hellenistisch-jüdische Herkunft hervor und stellt eine „konservative Terminologie" fest (137). Letzterem widerspricht *Wilson* (11). Er weist außerdem darauf hin, daß ἔθος das Gesetz als kulturelles und religiöses Phänomen kennzeichne. Den kulturellen Aspekt arbeitet besonders überzeugend *Löning* heraus.

sonstige Verwendung beider Begriffe bei Lukas hin. *Gerhard Schneider* bezweifelt, daß hier „ἔθος und νόμος von Lukas gleichgesetzt werden"[17]. Er verweist darauf, daß Lukas die ἔθη hier „wohl primär auf die kultische Gesetzgebung" bezogen habe[18] und daß eine „Interpretationslinie von ,gegen Mose' (V 11) über ,gegen νόμος' (V 13) zu ἀλλάξει τὰ ἔθη (V 14)" festzustellen sei, die zeige, „daß Lukas die Weitergeltung des νόμος nicht bestreiten will".[19] Als Hauptgrund für die Auffassung, daß Lukas die ἔθη hier vorwiegend kultisch verstehe, gibt *Schneider* an, daß Lukas die Tempelzerstörung als das Ereignis betrachtete, „mit dem auch eine Änderung der überlieferten gottesdienstlichen ,Gebräuche' erfolgte". Dem ist m. E. zuzustimmen, nicht aber dem weiterführenden Gedanken, daß Lukas νόμος und ἔθος unter dem Gesichtspunkt der „Weitergeltung" unterscheide, daß nämlich der νόμος nach Lukas weiterbestehe, die ἔθη dagegen nicht. Beachtet man, daß ἔθος Μωϋσέως und νόμος Μωϋσέως unter kulturellem Aspekt in gleicher Weise die Normen jüdischer Lebensart im Unterschied zur Lebensart anderer religiöser Gruppen oder anderer Völker bezeichnen[20], so ist dabei ein Unterschied bezüglich des Weitergeltens nicht im Blick. Die Ausdrücke Μωϋσῆς (V. 11), νόμος (V. 13) und ἔθη (V. 14) werden im Sinn des Lukas gleichbedeutend sein. Mose gilt dabei als der Vermittler des von Gott gegebenen Gesetzes, wie Lukas es den Stephanus ausdrücklich Apg 7, 38 sagen läßt. – Daß in V. 11 als zweites Glied der Anklage neben Mose Gott genannt wird, kann bedeuten, daß Stephanus mit seinen Reden gegen das Gesetz sich letztlich gegen Gott selbst als den eigentlichen Gesetzgeber gerichtet habe[21]. Aber die zweigliedrige

---

[17] *Schneider,* Apg I (A. 1) 439 A. 58.

[18] Ebd. 439.

[19] Ebd. 439, A. 58.

[20] Vgl. *Löning,* Evangelium (A. 16) 2623 f: Das Wort ἔθη dient zur Bezeichnung der „Normen des mosaischen Gesetzes als Sittenkodex des Judentums", die sich „auf die Sakralinstitutionen der jüdischen Religion, Tempel und Gesetz", beziehen und unter „kulturellem Aspekt begriffen werden" (ebd.): Apg 6,14; 16,21; 21,21; 26,3; 28,17. – Νόμος deckt sich als Begriff „der kulturellen Welt" dem Bedeutungsumfang nach mit ἔθος Μωϋσέως: Lk 16,17; 2,22.23.24.27.39; 10,26; Apg 6,13 [!]; 7,53; 13,38; 15,5; 18, 13.15; 21,20.24.28; 22,3.12; 23.3.29; 24.6 v.l.; 25,8. – In heilsgeschichtlicher Sicht gilt νόμος als Bestandteil der „Schrift" neben „Propheten" und „Psalmen" Lk 16,16; 24,44; Apg 13,15; 24,14; 28,23; (vgl. ebd.).

[21] So z.B. *Schneider,* Apg I (A. 1) 415 A. 55; *M. Bachmann,* Jerusalem und der Tempel. Die geographisch-theologischen Elemente in der lukanischen Sicht des jüdischen Kultzentrums (BWANT 109) (Stuttgart 1980) 371 A. 612.

Struktur der Verse 13 f sowie die chiastische Wortstellung zwischen V. 11 und VV. 13 f lassen in V. 11 ebenfalls eine zweigliedrige Aussage vermuten, so daß die „Lästerreden gegen Gott" (V. 11) dasselbe meinen wie „Reden gegen den heiligen Ort" (V. 13).

1.5 Die lukanische Bewertung der Vorwürfe

Wie beurteilt nun Lukas selbst die gegen Stephanus erhobenen Vorwürfe und welches lukanische Verständnis von Gesetz und Tempel drückt sich darin aus?

1.5.1 Eine erste Beurteilung ist darin zu sehen, daß Lukas den Stephanus selbst ganz positiv charakterisiert (s. o.). Da er vom heiligen Geist geleitet ist (Apg 6, 3.5.8.10; 7, 55), gilt sein Verhalten für Lukas von vornherein als gottgewollt und richtig. Dem entsprechen auch die Bezeichnung „Zeuge" Jesu Christi (Apg 22, 20) sowie die Schilderungen, daß das Antlitz des Stephanus wie das eines Engels wirkte (Apg 6, 15) und daß er gewürdigt wurde, vor seinem Tod „die Herrlichkeit Gottes und Jesus stehend zur Rechten Gottes" zu schauen (Apg 7, 55 f). Im krassen Unterschied dazu sagt Lukas von den Gegnern des Stephanus, daß *sie* es waren, von denen der Streit ausging (Apg 6, 9), daß *sie* sich „der Weisheit und dem Geist" ohnmächtig widersetzten (6, 10), daß *sie* unlautere Mittel anwandten, indem sie andere „anstifteten" (6, 11), um Vorwürfe in Umlauf zu setzen, das Volk und die Führenden aufzuwiegeln, Stephanus zu ergreifen und vor Gericht zu bringen (6, 12). Dort werden „falsche Zeugen" aufgestellt (6, 13). Sie erheben die oben erwähnten Anklagen (6, 13 f).

In der Darstellung ist klar und deutlich: Der Angeklagte gilt für Lukas von vornherein als unschuldig, denn er und sein Verhalten sind ja vom heiligen Geist geleitet. Auch dem, was er verkündet hat, kommt aus dem gleichen Grund das Präjudiz der Richtigkeit zu. Die Gegner und Ankläger gelten demgegenüber von vornherein als wider den heiligen Geist handelnd (7, 51), als unlauter in ihrem Vorgehen und ungerecht in ihren Anklagen.

1.5.2 Aus diesem Grund bezeichnet Lukas in bewußtem literarischen Anschluß an Mk 14, 56 f die Zeugen als „falsch"[22]. Er will da-

---

[22] Zu „Falschzeugen" vgl. *A. Sand,* „Falsche Zeugen" und „falsches Zeugnis" im Neuen Testament, in: Christuszeugnis der Kirche, FS F. Hengsbach, hg. von *P. W. Scheele* –

mit *nicht* sagen, Stephanus habe sich *in keiner Weise* gegen Gesetz und Tempel gewandt. Daß dies Lukas nicht meint, geht daraus hervor, daß 1. in der Sicht des Lukas die Äußerungen des Stephanus und die jüdische Reaktion darauf ja wirklich zur Steinigung führen, 2. in der folgenden Rede die erhobenen Vorwürfe nicht eindeutig widerlegt werden[23] und 3. Lukas selbst die Kritik am bisherigen Tempel in der Rede sogar redaktionell verstärkt hat[24]. – Lukas wird aus seinem Überlieferungsgut gewußt haben, *daß Stephanus tatsächlich Kritik übte;* aber daß sie *blasphemisch* und ein *berechtigter* Grund zur *Anklage* oder gar *Hinrichtung* gewesen sei, lehnt er entschieden ab und kennzeichnet deshalb die Zeugen als „falsch"[25].

1.5.3 Lukas scheint bewußt eine gewisse *Ambivalenz* zu belassen. In ihr deutet sich der Spannungsbogen an, der sein ganzes Doppelwerk durchzieht. Die als *Wert* erachtete Tora- und Tempelfrömmigkeit (vgl. z. B. Lk 1 f ; Apg 1–5) steht in Spannung zur *Verfolgung* Jesu und seiner Boten, die von den Gegnern unter Berufung auf ebendiese Werte geschah (vgl. Lk 23 f; Apg 6 f; 21–28). Eine weitere Spannung besteht darin, daß die Verheißung an Israel erging, aber die Erfüllung den Heiden zuteil wurde, und zwar unabhängig von Gesetz (Apg 15) und Tempelkult (Apg 7). Wenn man den Grundzug der lukanischen Darstellung beachtet, der von den „Juden" zu den

---

G. *Schneider* (Essen 1970) 67–89; L. *Ruppert,* Der leidende Gerechte und seine Feinde. Eine Wortfelduntersuchung (Würzburg 1973) 48–51, 132–139; J. *Beutler,* in: EWNT III (1983) 1188–1190. – *Neudorfer,* Stephanuskreis (A. 1) 270–277, bietet einen Überblick über die Auslegungspositionen zu Apg 6, 13. Dabei wäre eine noch deutlichere Unterscheidung zwischen historischen und literarischen Gesichtspunkten wünschenswert, ebenso bei der Skizzierung der Eigenposition 332.

[23] S. G. *Wilson,* The Gentiles and the Gentile Mission in Luke-Acts (MSSNTS 23) (Cambridge 1973) 132 f, und I. H. *Marshall,* The Acts of the Apostles (TNTC) (Leicester 1980) 132, hören eine *indirekte* Widerlegung heraus. Dagegen verweist *Blomberg,* Law (A. 7) 63, zu Recht auf Apg 25, 8, wo deutlich wird, wie Lukas verfahren kann, wenn er von *jedem* Vorwurf entlasten will.

[24] Vgl. *Schneider,* Apg I (A. 1); *Weiser,* Apg I (A. 1) 187.

[25] So auch *Roloff,* Apg (A. 8) 113; erwogen von *Schneider,* Apg I (A. 1) 438. – Ähnlich *Walter,* Anfänge (A. 11) 371: Die Klagepunkte zeigten für Lukas „eine allzu revolutionäre Haltung...", so daß er bemüht ist, sie als „Falschzeugnisse" in ihrer Bedeutung herunterzuspielen." – Ob Lukas die *Faktizität* jeglicher kritischen Äußerung des Stephanus oder nur ihre *Bewertung* als falsch zurückweisen wollte, wird nicht deutlich bei *Jervell,* Law (A. 7) 146 („Luke ...rejects the accusations as false and baseless"), und *Wilson,* Law (A. 7) 62 („...the charges are unfounded since his accusers, primed for their task by the Jewish authorities, are described as false witnesses...").

Heiden, von Jerusalem nach Rom und vom „Gesetz" zur Freiheit vom Gesetz führt, wird man nicht sagen können, „Luke has the most conservative outlook within the New Testament"[26]. Jesus ist für Lukas der von Mose sowie von allen Propheten und Schriften (Lk 24, 27; Apg 3, 20–24) verheißene Messias, und die Kirche gilt für ihn als das ebenfalls verheißene (Apg 15, 14–18) aus Juden und Heiden gesammelte Gottesvolk. Innerhalb *dieses* Bezugsraumens und unter dem Gesichtspunkt der *Kontinuität von Verheißung und Erfüllung* behält für Lukas das „Gesetz" seinen Wert, auch mit Blick auf die Kirche. *Dieser* Betrachtungsweise sind bei Lukas auch die auf den ersten Blick irritierenden Aussagen zugeordnet, wie z. B. daß die Jünger sich beständig im *Tempel* aufhielten (Lk 24, 53; Apg 2, 46; 3, 1; 5,12.42), daß die Vorwürfe gegen Stephanus *fälschlich* erhoben wurden (Apg 6, 13), daß „Zehntausende" Judenchristen *gesetzestreu* lebten (Apg 21, 20), daß Paulus auch als Christ gesetzesstrenger Pharisäer blieb (Apg 23, 6; 25, 8), den Timotheus *beschneiden* ließ (Apg 16, 3) und sich selbst den kultischen Riten eines *Gelübdes* unterzog (Apg 18, 18; 21, 26). Derartige Aussagen verdanken sich nicht einfach einer „konservativen", sondern einer *heilsgeschichtlichen* Sichtweise.

2. Die zugrunde liegende Einstellung der „Hellenisten" zu Tempel und Gesetz

Übereinstimmung besteht in der Forschung darüber, daß Stephanus, einer der „Hellenisten" und der „Sieben" *getötet* worden ist. Ein Hauptgrund für die unbezweifelt angenommene Historizität liegt darin, daß das Zustandekommen einer unhistorischen Aussage dieser Art sowohl auf der Traditions- als auch auf der Redaktionsebene vollkommen undenkbar ist, zumal gerade bei Lukas die Darstellung von Konflikten möglichst vermieden wird. Ein weiterer Hauptgrund ergibt sich aus historischen Analogien und Zusammenhängen. Zu ihnen gehören die Hinrichtung Jesu, die Verfolgungen, die der Pharisäer Paulus gegenüber Christen unternahm, die Verfolgungen, die er später als Christ selbst erfahren hat, die Hinrichtungen des Apo-

---

[26] *Jervell,* Law (A. 7) 141; vgl. dagegen überzeugender *Blomberg,* Law (1. 7) passim, bes. 69 f.

stels Jakobus und des Herrenbruders Jakobus sowie die Strafe, die Josua ben Ananja erlitt, als er zu Beginn der 60iger Jahre n. Chr. seine Stimme gegen den Tempel erhob (*Jos* Bell 6, 300–306).

So einmütig man über das *historische Faktum* der Stephanusermordung ist, so sehr gehen die Meinungen über ihre *Ursachen,* die näheren *Umstände* und damit auch über die *Einstellung* und das *Verhalten* der „Hellenisten" zu *Tempel* und *Gesetz* auseinander. Treffen die lukanischen Angaben auch in dem Punkt zu, daß die Ursache des Konflikts im Reden „gegen den heiligen Ort und das Gesetz" bestand (Apg 6, 13)? Wenn ja, worin ist diese Opposition näherhin zu sehen, wo und wie äußerte sie sich und wodurch war sie bedingt? Wie kam es, daß nur die „Hellenisten" in diesen Konflikt gerieten und nicht auch die „Hebräer"? Unterschieden sich die Theologie und das Verhalten beider Teile der Urgemeinde so erheblich? Sollten aber die von Lukas genannten Vorwürfe historisch nicht zutreffen, so erheben sich die Fragen, wie Lukas dennoch zu diesen Aussagen kam, worin anderwärtige Gründe für den Konflikt lagen und ob dann überhaupt noch etwas über das Verhältnis der „Hellenisten" zu Tempel und Gesetz gesagt werden kann.

Die Beantwortung dieser Fragen wird durch mehre Faktoren sehr erschwert: 1. Der Umfang des *direkten* Quellenmaterials über die „Hellenisten" ist sehr gering. Er bleibt im wesentlichen auf Apg 6–8 beschränkt. 2. Bei den darin enthaltenen Konfliktschilderungen ist ebenso wie beim Zeugnis der Evangelien über die Konflikte zwischen Jesus und seinen Gegnern mit dem Einfluß typisierender Sichtweisen zu rechnen, wie sie sich aus dem Verhältnis von Christen und Juden zueinander gegen Ende des 1. Jahrhunderts n. Chr. ergaben. 3. Die Rede des Stephanus (Apg 7) läßt sich für eine Rekonstruktion der Theologie der „Hellenisten" nur sehr begrenzt auswerten. Sie enthält zwar in den VV. 2–34.36.38.44–47 einen Geschichtsabriß, der möglicherweise aus dem gesetzes- und tempelfrommen Judentum stammt, von hellenistischen Judenchristen mit Elementen des deuteronomistischen Geschichtsbildes verbunden (z. B. VV. 39–42 a) und in ihre an Juden gerichtete Umkehrpredigt einbezogen worden ist[27]; aber es ist nicht erweisbar, daß diese Teile

---

[27] Vgl. dazu mit Diskussion der Probleme und Positionen *Schneider,* Apg I (A. 1) 447–452; *Weiser,* Apg I (A. 1) 180–182.

auf Stephanus selbst und seinen Kreis zurückgehen. Sie könen auch von anderen, vielleicht späteren Gruppen des hellenistischen Judenchristentums herrühren. 4. Damit kommt ein weiterer erschwerender Umstand in den Blick, nämlich, daß das hellenistische Judenchristentum selbst eine vielschichtige und verzweigte Größe ist. Das gilt unter theologischen, geographischen und chronologischen Gesichtspunkten. 5. Unsere Kenntnis über die sehr komplexe Geschichte des Urchristentums und der urchristlichen Mission ist sehr lückenhaft. Auch deshalb sind Geschichte und Theologie der „Hellenisten" schwer zu erfassen und zu orten. 6. Es wächst gegenwärtig das Problembewußtsein bezüglich der Frage, in welchem Verhältnis Jesus zu Gesetz und Tempel, zu den Pharisäern und Sadduzäern stand und wie sich das Verhältnis des Urchristentums und seiner verschiedenen Gruppen zum Frühjudentum mit seinen Gruppierungen bestimmen läßt. Die Arbeiten von *J. Neusner*[28], *E. P. Sanders*[29], *K. Berger*[30], *H. Räisänen*[31] und *K. Müller*[32] leiten zu differenzierteren Sichtweisen und Beurteilungen an, als es bisher allgemein der Fall war.

---

[28] The Rabbinic Traditions about the Pharisees Before 70, 3 Bde. (Leiden 1971). – Überblick über die weiteren Werke in: *J. Neusner,* Das pharisäische und talmudische Judentum, mit einem Vorwort von M. Hengel, hg. von *R. Lichtenberger,* Texte und Studien zum antiken Judentum 4 (Tübingen 1984) VIII–XI. – Stellungnahmen dazu u. a.: *E. Rivkin,* A Hidden Revolution (Nashville: Abingdon 1978); *R. A. Wild,* The Encounter between Pharisaic und Christian Judaism: Some Early Gospel Evidence, in: NT 27 (1985) 105–124.

[29] Paul, the Law and the Jewish People (Philadelphia 1983); *ders.,* Paulus und das palästinische Judentum. Ein Vergleich zweier Religionsstrukturen (StUNT 17) (Göttingen 1985; engl. erstmals 1977). Vgl. dazu die Stellungnahmen u. a. von *H. Hübner,* Pauli Theologiae Proprium, in: NTS 26 (1980) 445–473; *D. G. Dunn,* The New Perspective on Paul, in: BJRL 65 (1983) 95–111; *G. Lüdemann,* Paulus und das Judentum (TEH 215) (München 1983); *R. H. Gundry,* Grace, Works, and Staying Saved in Paul, in: Bib. 66 (1985) 1–38.

[30] Die Gesetzesauslegung Jesu. Ihr historischer Hintergrund im Judentum und im Alten Testament. Teil I: Markus und Parallelen (WMANT 40) (Neukirchen – Vluyn 1972).

[31] Paul and the Law (WUNT 29) (Tübingen 1983).

[32] Das Judentum in der religionsgeschichtlichen Arbeit am Neuen Testament. Eine kritische Rückschau auf die Entwicklung einer Methodik bis zu den Qumranfunden (Judentum und Umwelt 6) (Frankfurt – Bern 1983); *ders.,* Die religionsgeschichtliche Methode. Erwägungen zu ihrem Verständnis und zur Praxis ihrer Vollzüge an neutestamentlichen Texten, in: BZ 29 (1985) 161–192, bes. 184–192. – Vgl. auch die Literaturberichte von *P. Fiedler,* in: ALW 25 (1983) 207–232, bes. 211–217; 27 (1985) 337–355, bes. 338 f.349.

2.1 Tradition und Redaktion in Apg 6,11.13 f

Einige Formulierungen erweisen sich durch die literarische Abhängigkeit von Mk 14,57–64 als lukanische Gestaltung. Zu ihnren gehören die im folgenden unterstrichenen Textteile:

V. 11: τότε ὑπέβαλον ἄνδρας λέγοντας ὅτι Ἀκηκόαμεν αὐτοῦ λαλοῦντος (vgl. Mk 14,57 f) ῥήματα βλάσφημα (vgl. Mk 14,64) ρἰς Μωϋσῆν καὶ τὸν θεόν.

V. 13: ἔστησάν τε μάρ τυρας ψευδεῖς λέγοντας (vgl. Mk 14,57) Ὁ ἄνθρωπος οὗτος οὐ παύεται λαλῶν ῥήματα κατὰ τοῦ τόπου τοῦ ἁγίου [τούτου] καί τοῦ νόμου.

V. 14: ἀκηκόαμεν γὰρ αὐτοῦ λέγοντος ὅτι Ἰησοῦς (vgl. Mk 14,58 a) ὁ Ναζωραῖος οὗτος καταλύσει τὸν τόπον τοῦτον (vgl. Mk 14,58 b) καὶ ἀλλάξει τὰ ἔθη ἃ παρέδωκεν ἡμῖν Μωϋσῆς.

Eindeutig geht daraus hervor, daß Lukas bei der Formung der Szene die auf den *Tempel* bezogene Aussage *nicht erst selbst gebildet* sondern übernommen hat[33]. Ob sie ihm *nur* aus Mk 14 und damit als Wort *Jesu* zugekommen, oder ob sie ihm *außerdem* auch als *Tempelkritik des Stephanus* überliefert worden war, wird eigens zu prüfen sein (s. u. 2.2). Gleichbedeutend damit ist die Frage, ob erst *Lukas* die überlieferte Tempelkritik *Jesu* auf *Stephanus* übertragen habe.

Die Herkunft des zweiten Konfliktpunktes, nämlich der *Gesetzeskritik,* ist schwerer zu beantworten. Die *Formulierungen* sind zwar z. T. *gut lukanisch;* sie lassen aber *keine Entscheidung* über die Herkunft des *Inhalts* zu. Hier werden – wenn überhaupt – nur Kriterien anderer Art weiterhelfen (s. u. 2.3).

2.2 Zum Vorwurf der Tempelkritik

2.2.1 Die Tempelkritik Jesu

Das in verschiedenen Fassungen bezeugte Wort Jesu, er werde den Tempel zerstören (Mk 14,58 par Mt 26,61; Mk 15, 29 par Mt 27,40; Joh 2,19; Apg 6,14; – vgl. Mk 13,2 parr Mt/Lk) geht in einer nicht

---

[33] Für den vorliegenden Zusammenhang kann die enge Beziehung zwischen Apg 6,13 f und Apg 21,21.28 außer acht bleiben.

mehr rekonstruierbaren Grundaussage[34] auf Jesus selbst zurück. Dafür sprechen folgende Gründe: 1. Die verschiedenen Fassungen lassen deutlich das Bemühen der Urchristenheit erkennen, das anstößige Wort zu entschärfen und umzudeuten, nicht aber, eine derartige Aussage erst selbst zu bilden. 2. Es könnte von Jesus im Zusammenhang seines provokativen Auftretens im Tempelvorhof (Mk 11,15–17 parr Mt/Lk; Joh 2,13–17) gesprochen worden sein. 3. Das Tempelwort und die Tempelaktion Jesu passen zu dem Konflikt mit der sadduzäischen Priesteraristokratie, der zur Hinrichtung Jesu führte. 4. Tempelkritische Prophetie und darauf folgende Festnahme, Geißelung und Übergabe an den römischen Prokurator werden auch von Josua ben Ananja berichtet (*Jos* Bell 6,300–306). Durch diese analogen Vorgänge wird mindestens die historische Möglichkeit erwiesen, daß es bei Jesus ähnlich gewesen sein könne und die Tempelkritik ein Hauptgrund für den Zugriff der sadduzäischen Gegner war. 5. Schließlich spricht auch noch für die Authentizität, daß angesichts des bis 70 n. Chr. bestehenden mächtigen Tempels ein Wort von seiner Zerstörung durch Jesus in urchristlichen Kreisen wohl hätte kaum gebildet werden können[35]. Daß aber das Wort nicht erst nach 70 gebildet worden ist, ergibt sich aus den voneinander unabhängigen Fassungen des Tempelwortes in Mk 14,58 und Joh 2,19, die auf Traditionen aus der Zeit vor 70 verweisen[36].

---

[34] Damit ist eine *Kurzform* gemeint, die nur aus dem *negativen* Teil bestand. Daß sie *möglich* war, zeigt Apg 6,14. – Anders *L. Schenke,* Der gekreuzigte Christus (SBS 69) (Stuttgart 1974) 34.

[35] Deshalb sollte man die *Bildung* der „älteren Kurzform" nicht „den Kreisen des Jerusalemer hellenistischen Judenchristentums" zuschreiben, wie es *J. Gnilka,* Das Evangelium nach Markus (EKK 2/2) (Einsiedeln – Köln – Zürich – Neukirchen/Vluyn 1978) 276 empfiehlt. Ähnliches gilt für *Schenke,* Christus (A. 34), der „Entstehung und Tradierung" des ganzen Tempelwortes in diesen Kreisen annimmt (35), aber die Herkunft einer Kurzform von Jesus für möglich hält. Vgl. dagegen auch *R. Pesch,* Das Markusevangelium (HThK 2/2) (Freiburg i. Br. ³1984) 443.

[36] Mit verschiedenen Argumenten und ihrer unterschiedlichen Gewichtung haben sich für die Authentizität des tempelkritischen Wortes Jesu ausgesprochen: *E. Haenchen,* Der Weg Jesu (Berlin 1966) 510; *E. Schweizer,* Das Evangelium nach Markus (NTD 2) (Göttingen 1968) 179; *Blank,* Paulus (A. 2) 245; *K. Müller,* Jesus und die Sadduzäer, in: Biblische Randbemerkungen, FS R. Schnackenburg, hg. von *H. Merklein – J. Lange,* (Würzburg 1974) 3–24, hier 14–19; *G. Theißen,* Die Tempelweissagung Jesu, in: *ders.,* Studien zur Soziologie des Urchristentums (WUNT 19) (Tübingen 1979) 142–159, hier 143–145; *H. Hübner,* in: EWNT II (1981) 652. – Auch *D. Lührmann,*

Der Einwand von *E. Linnemann*[37], daß das Tempelwort als *Falschzeugnis* gilt (Mk 14,57f; Apg 6,13f) und deshalb nicht von Jesus stamme, überzeugt nicht, da die Falschzeugen-Kennzeichnung als Topos der Passio-iusti-Tradition die sachgemäße Wiedergabe nicht aufhebt.

Mit dem Erweis der *Herkunft* eines derartigen Wortes von Jesus ist freilich – selbst in Verbindung mit dem provokativen Auftreten Jesu im Tempelvorhof – noch nicht dessen *Sinn* und somit noch nicht *Jesu Einstellung zum Tempel* erklärt. Soweit es hier möglich und nötig ist, kann gesagt werden, daß Jesus weder Tempel noch Kult als wertlos erachtete oder ablehnte. Im Gegenteil: die prophetische Zeichenhandlung im Tempelvorhof zielte ja auf die Herstellung von dessen eigentlicher Bedeutung hin. Von daher ist es fraglich, ob die gängige Bezeichnung „Tempelkritik" überhaupt sachgemäß ist. Jesus sah aber den gegenwärtigen Tempel und Kult als Einrichtungen dieses vergänglichen Äons an und erwartete, daß sie mit dem kommenden Äon neugestaltet würden. Er brachte überdies zum Ausdruck, daß angesichts der anbrechenden Herrschaft Gottes, in der die voraussetzungslose Zuwendung göttlichen Erbarmens und das „Dasein für andere" ganz in den Mittelpunkt rückten, Tempel und Kult relativiert werden[38].

Markus 14.55–64: Christologie und Zerstörung des Tempels im Markusevangelium, in: NTS 27 (1981) 457–474, erachtet das Tempelwort als vormarkinische Tradition, läßt aber die Frage der Urfassung und Authentizität offen (465). Wenn er meint, „weder ein Messiasbekenntnis...noch das Tempelwort hätten einen Schuldspruch der jüdischen Autoritäten begründen können", und dabei auf Jer 7,14; 26,6.20; Mi 3,12; *Jos* Bell 6 verweist, so ist doch demgegenüber zu beachten, daß zur „Zeit Jesu und des Urchristentums...der Tempel... der besonders neuralgische Punkt des palästinischen Judentums" war (*Hengel,* Jesus [A. 1] 198f A. 149, mit bekannten Beispielen). Auch *D. Dormeyer,* Die Passion Jesu als Ergebnis seines Konflikts mit führenden Kreisen des Judentums, in: Gottesverächter und Menschenfeinde? Juden zwischen Jesus und frühchristlicher Kirche, hg. von *H. Goldstein* (Düsseldorf 1979) 211–238, weist darauf hin (227–231).

[37] Studien zur Passionsgeschichte (FRLANT 102) (Göttingen 1970) 119. Vgl. dagegen *F. Hahn,* Der urchristliche Gottesdienst (SBS 41) (Stuttgart 1970) 51 A. 19; *Schenke,* Christus (A. 34) 37 A. 38.

[38] Der Gedanke, daß der Messias den Tempel der Endzeit bauen werde, scheint für Jesus nicht vorausgesetzt werden zu dürfen. Vgl. dazu *Lührmann,* Christologie (A. 36) 465.

2.2.2 Die Tempelkritik der „Hellenisten"

Lukas sagt nicht, Stephanus habe das von *Jesus* gesprochene prophetische Wort der Tempelzerstörung als Wort *Jesu gekannt* und *weitergesagt.* Lukas selbst *überliefert* es auch nicht als Wort *Jesu, kennt* es aber als solches, wie sein redaktioneller Umgang mit Mk 14,57f zeigt. Hat Lukas es nur von Jesus auf Stephanus übertragen, *ohne* daß ihm eine eigene Überlieferung von der Tempelkritik des Stephanus vorlag? Oder war ihm *überliefert* worden, daß Stephanus Kritik am Tempel geübt und sich dabei auf Jesus berufen hatte? Und wenn ja, gab diese Überlieferung wirklich *historisch Zutreffendes* wieder?

Es erscheint mir unwahrscheinlich, daß Lukas das in der Passionsdarstellung redaktionell gemiedene Wort Jesu *ohne* einen vorgegebenen Anhalt im Traditionsgut über die „Hellenisten" *frei* auf Stephanus übertragen hätte. Denn: Hat er es dort schon gemieden, dann hätte er es hier um so weniger zu erwähnen brauchen. Daß er es aber dennoch tut, ist ein Hinweis darauf, daß ihm über Stephanus etwas derartiges berichtet worden war. Die Stephanustradition wird also das Element der Tempelkritik enthalten haben[39]. Daß Stephanus und die anderen „Hellenisten" sie tatsächlich geübt haben[40] und sich dazu zum Teil durch Jesu Wort und Verhalten motiviert wußten, kann man nur vermuten. Der Gewißheitsgrad dieser Vermutung wächst in dem Maße, in dem sich die von *Hengel* aufgeführten Zusammenhänge sichern lassen, nämlich daß die „Hellenisten", ehemals Diasporajuden, denen viel am „ethischen Monotheismus" lag[41] und die aus religiösen Motiven nach Jerusalem gekommen waren[42], in der Heiligen Stadt an mancherlei Fehlformen des Kultes und der

---

[39] Anders *G. Strecker,* Befreiung und Rechtfertigung. Zur Stellung der Rechtfertigungslehre in der Theologie des Paulus, in: Rechtfertigung, FS E. Käsemann, hg. von *J. Friedrich – W. Pöhlmann – P. Stuhlmacher* (Tübingen 1976) 479–508. Er erachtet Apg 6,11.13f „als sekundäre, lukanische Überleitung..." Die Mitglieder des Stephanuskreises gelten ihm als Diasporajuden, die „im zustimmenden Bewußtsein der Bedeutung von Tempelkult und jüdischem Gesetz" nach Jerusalem gekommen waren und die dort dann auch als Christen problemlos mit Tempelkult und Gesetz lebten (481).

[40] So *Hengel,* Jesus (A. 1) 195–203; *S. Brown,* The Matthean Community and the Gentile Mission, in: NT 22 (1980) 193–221, hier 200–202; *Räisänen,* Paul (A. 31) 255; *ders.,* Bridge (A. 1) 11; 14 (gestützt auf *E. P. Sanders*); *Luz,* Gesetz (A.7) 88. – Anders *Schneider,* Apg I (A. 1) 416: „Historisch gesehen, ist die Gesetzeskritik des Stephanuskreises besser gesichert als dessen Tempelopposition."

[41] Vgl. *Hengel,* Jesus (A. 1) 203.   [42] Vgl. ebd. 185.

Gesetzesobservanz Anstoß nahmen[43], jedoch aus dem Kennenlernen der eschatologischen Botschaft Jesu und aus geistgewirktem Ėnthusiasmus neue Orientierung fanden und die Impulse für ihre Tempel- und Torakritik empfingen[44]. Eine weitere Stütze kann die Vermutung der vom Stephanuskreis tatsächlich geübten Tempelkritik in dem Maß erhalten, als es gelingt, die Deutung des Todes Jesu als Sühne, wie sie etwa in der Formel Röm 3,25 und 1 Kor 15,3 vorliegt, auf die „Hellenisten" Jerusalems zurückzuführen[45]. Dann wäre sogar eine sehr weitgehende radikale Ablehnung der Tempel-Sühnopfer verständlich. Von hier aus würde es sich auch erklären, daß nach neutestamentlichen Aussagen die Bedeutung des Tempels nicht mehr darin liegt, daß er Opferstätte, sondern *Bethaus* ist (z. B. Mk 11,17 parr Mt/Lk; Lk 24,53; Apg 2,42.46; 3, 1; 22,17). Als sicher erscheint es mir, daß in Röm 3,25 eine an das Sühneritual des Tempelkults anknüpfende Deutung des Todes Jesu vorliegt, daß sie eine Distanz gegenüber dem Opferkult des Tempels zur Folge hatte und daß diese Deutung ebenso wie die Sterbe-Formel 1 Kor 15,3 aus dem hellenistischen Judenchristentum stammt. Ob sie aber aus dem ältesten hellenistischen Judenchristentum, nämlich von den „Hellenisten" Jerusalems, herrührt, ist m. E. mit Hilfe der bisher zur Verfügung stehenden Kriterien nicht zu entscheiden.

2.3 Zum Vorwurf der Gesetzeskritik

2.3.1 Ausschnitte gegenwärtiger Diskussion
Viele Exegeten sehen zwischen der dem Stephanus vorgeworfenen Gesetzeskritik (Apg 6,11.13 f) und der Gesetzeskritik Jesu eine enge

---

[43] Vgl. ebd. 203.   [44] Vgl. ebd. 193–196, 199.

[45] Mit dieser Möglichkeit rechnen z. B. *P. Stuhlmacher,* Zur neueren Exegese von Röm 3,24–26, in: Jesus und Paulus, FS W. G. Kümmel, hg. von *E. E. Ellis – E. Gräßer* (Göttingen 1975) 315–333, hier 321 f; *U. Wilckens,* Der Brief an die Römer (EKK 6/1) (Einsiedeln – Köln – Zürich – Neukirchen/Vluyn 1978) 183 f.193.239–241; *M. Hengel,* Der stellvertretende Sühnetod Jesu. Ein Beitrag zur Entstehung des urchristlichen Kerygmas, in: IKaZ 9 (1980) 1–25. 135–147, hier 14.18f.21–24.136f; *H. Merklein,* Der Tod Jesu als stellvertretender Sühnetod. Entwicklung und Gehalt einer zentralen neutestamentlichen Aussage, in: Pastoralblatt der Erzdiözese Köln 37 (1985) Heft 3, 66–73, hier 69 f. – *B. F. Meyer,* The Pre-Pauline Formula in Rom. 3.25–26a, in: NTS 29 (1983) 198–208, bezeichnet Röm 3,25 f als Hymnenfragment der „baptismal liturgy of the ἑλληνισταὶ". – *Räisänen,* Bridge (a. 1) 22 f, lehnt die genannten Deutungen und die Zusammenhänge mit den „Hellenisten" Jerusalems ab, weil er ἱλαστήριον nicht als die *kapporät* verstanden wissen will, sondern 4 Makk als Deutungshintergrund bevorzugt.

historische und traditionsgeschichtliche Verbindung[46]. Der Begründungszusammenhang enthält gewöhnlich folgende Gesichtspunkte: 1. Der Vorwurf der Gesetzeskritik gehört in Apg 6 zum Traditionsgut, weil er der sonstigen lukanischen Tendenz entgegensteht. 2. Er darf als historisch zutreffende Wiedergabe gelten, weil a) eine gewisse Gesetzeskritik Jesu, verbunden mit Konflikten, historisch nachweisbar ist, b) ihr wirkungsgeschichtlicher Einfluß auf die „Hellenisten" verständlich und c) der Gesetzes-Konflikt auch als Teilursache für die Tötung des Stephanus plausibel erscheint. Für *Haenchen* „kann das, was die Juden in Jerusalem gegen die Stephanusleute aufbrachte, eigentlich nur in einer großen Freiheit gegenüber dem Gesetz gelegen haben"[47]. Manchen ist die Gesetzeskritik der „Hellenisten" überhaupt nur als „Reaktion auf die entsprechende Jesustradition erklärbar"[48]. Darüber, wie die Vermittlung zwischen Jesus und den „Hellenisten" zu denken sei, gibt es freilich unterschiedliche Auffassungen. *M. Hengel*[49] rechnet damit, daß die „Hellenisten" von „Wort und Wirken" Jesu wußten und bei ihrer Verkündigung in den Diasporasynagogen *Jerusalems* bereits „weite Teile der synoptischen Tradition" vom Aramäischen ins Griechische übertrugen. *H. Kasting*[50] meint, die „Hellenisten" hatten in *Galiläa* Kontakt mit Jesus selbst oder lernten dort die älteste – auch gesetzeskritische – Überlieferung kennen. Erst dann kamen sie nach Jerusalem, wo die Konflikte aufbrachen. *U. B. Müller*[51] nimmt an, daß die „Hellenisten" im Unterschied „zu den unmittelbaren Jün-

---

[46] So z. B. *E. Haenchen*, Die Apostelgeschichte (KEK III) (Göttingen ⁷1977) 261; *Hahn*, Gottesdienst (A. 37) 50; *Hengel*, Jesus (A. 1) 191; 195–204; *Luz*, Gesetz (A. 7) 88; *U. B. Müller*, Zur Rezeption gesetzeskritischer Jesusüberlieferung im frühen Christentum, in: NTS 27 (1981) 158–185, hier 163–165; *R. Pesch*, Voraussetzungen und Anfänge der urchristlichen Mission, in: Mission im Neuen Testament, hg. von *K. Kertelge* (QD 93) (Freiburg i. Br. 1982) 11–70, hier 39; *D. J. G. Dunn*, Mark 2.1–3.6: A Bridge between Jesus and Paul on the Question of the Law, in: NTS 30 (1984) 395–415, hier 397. 412 f. – *Schneider*, Apg I (A. 1) 415, erachtet den besonders von *Hengel* dargestellten Sachverhalt als *möglich*. Er weist aber auf die durch die lukanische Redaktion bedingte Unsicherheit hin, mit der eine „direkte geschichtliche Ableitung" belastet ist. Dennoch meint er: „Die tora-kritische Haltung ist es, die die Hellenisten mit Jesus verbindet..." (416).
[47] Apg (A. 46) 261.
[48] *Müller*, Rezeption (A. 46) 165; zustimmend auch *Pesch*, Mission (A. 46) 39.
[49] Jesus (A. 1) 199–202; ähnlich *Brown*, Community (A. 40) 202.
[50] Die Anfänge der urchristlichen Mission (BEvTh 55) (München 1969) 102.
[51] Rezeption (A. 46) 165 f. *Räisänen*, Bridge (A. 1) 10 f, stimmt zu, daß die frühen „Hellenisten" nicht als Träger gesetzeskritischer Jesusüberlieferung in Frage kommen.

gern" Jesu „primär erst durch Ostern mit der Jesustradition in Verbindung gekommen" sind, und während jene ihre neue Einstellung „auch dauernd durch Worte des irdischen Jesus" legitimierten, sahen sich die „Hellenisten" durch die Auferweckung legitimiert und führten Jesu Gesetzeskritik *der Sache nach* weiter.

Im Unterschied zu den bisher genannten Exegeten, die eine *Gesetzeskritik* der „Hellenisten" historisch als *gegeben* und durch die *Gesetzeskritik Jesu verursacht* sehen, äußern andere zu beiden Teilaspekten erhebliche Vorbehalte und empfehlen eine andere Sicht. Nach *K. Berger* ist Jesus selbst „Umkehr- und Gesetzesprediger gewesen"[52], und man habe ihn nicht wegen „des Inhalts seiner Gesetzeslehre...töten können oder wollen"[53]. Erst die Deutung seines Geschicks mit Hilfe der Kategorien des endzeitlichen Widersachers bzw. Propheten und Gesetzeslehrers führte dazu, „die Gegner für Widersacher Gottes zu erklären. Diese These aber traf sich mit der Lehre einer Gruppe von „Hellenisten", die aus bestimmten traditionsgeschichtlichen Voraussetzungen her Teile des Gesetzes ... für Menschensatzungen erklärten, die wegen Hartherzigkeit gegeben seien."[54] In Apg 6,11.13f sei das Darstellungsschema des endzeitlichen Widersachers nach dem Bild Antiochus'IV. (Dan 7; 1 Makk 1,44–49) angewandt. Es handele „sich demnach um eine Anklage, die formelhaft geprägt ist..."[55].

H. Räisänen[56] sieht die Gesetzeskritik der „Hellenisten" für weniger gesichert an, weil es ihm als nicht erwiesen gilt, „that Jesus ever attacked the Torah in so many words" und falls Jesus es tat, ist es „by no means obvious that his followers in Jerusalem should have made much of it."

Abgesehen von den Problemen über die *Faktizität* und *Ursachen* sind auch die Fragen hinsichtlich des *Inhalts* und der *Tragweite* der Gesetzeskritik des Stephanuskreises umstritten. Die Beurteilung dieser Punkte hat zum Teil erhebliche Konsequenzen für das Bild, das man sich von der Geschichte des Urchristentums macht. Verbanden die „Hellenisten" die „positive Gesetzeskritik Jesu und sein helfendes Wirken gegenüber allen Ausgestoßenen mit der eigenen mis-

---

[52] Gesetzesauslegung (A. 30) 26.
[53] Ebd. 590. [54] Ebd. 25. [55] Ebd. 18.
[56] Paul (A. 31) 255; ähnlich *ders.*, Bridge (A. 1) 5.10 f.

sionsbezogenen Situation der Diaspora" und begannen sie so von Jerusalem aus unter allmählichem Verzicht auf die Beschneidung und das Einhalten der Ritualgesetze das eschatologische Gottesvolk aus Juden, Samaritanern und Heiden zu sammeln[57], wobei aber noch nicht die „ganze radikale Gesetzeskritik des Paulus" vorweggenommen wurde?[58] Oder erklärten bereits „die Hellenisten" das Gesetz grundsätzlich für aufgehoben" und bestritten sie damit „jegliche religiöse Vorrangstellung Israels"?[59] Während z. B. *Suhl* das Entstehen einer derartigen Gruppe in *Jerusalem* für möglich hält[60], ist dies für *Schmithals* und *Klein* undenkbar. Sie vermuten, daß die „Hellenisten" bereits mit ihrer Einstellung aus dem „syrisch-antiochenischen Raum"[61] nach Jerusalem gekommen sind. Diese und weitere Probleme können hier leider nicht weiterverfolgt und diskutiert werden. Statt dessen sei abschließend skizziert, was sich m. E. zu dem sehr komplexen Sachverhalt sagen läßt.

2.3.2 Eine mögliche Sicht
a) Durch die Überlieferungs- und Gestaltungsgeschichten der Evangelien hindurch ist zu erkennen, daß Jesus trotz grundsätzlichem Festhalten an der Tora mit seinem Verhalten und seinem Wort Kritik an der pharisäischen Auslegung und Praxis geübt hat. Historisch eruierbar sind Auseinandersetzungen über Vorschriften, die sich vor allem auf die Heiligung des Sabbats, auf die Tischgemeinschaft, auf die Reinheit von Speisen, auf Händewaschen, auf das Fasten, auf das Verzehnten, auf Kontakte mit Sündern und auf die Ehe bezogen. Dabei spielten nicht „liberale", sondern religiöseschatologische Gesichtspunkte, zumal der Anbruch des Reiches Gottes und die Zentrierung auf das Liebesgebot, eine entscheidende Rolle.

---

[57] *M. Hengel,* Die Ursprünge der christlichen Mission, in: NTS 18 (1971) 15–38, hier 37; zustimmend *Pesch,* Mission (A. 46) 39.

[58] *Hengel,* Jesus (A. 1) 190f.

[59] So *G. Klein,* Art. Gesetz (III. NT), in: TRE XIII (1984) 58–75, hier 62, im Anschluß an *W. Schmithals,* Paulus und Jakobus (FRLANT 85) (Göttingen 1963) 17–29; *A. Suhl,* Paulus und seine Briefe (StNT 11) (Gütersloh 1975) 31 f; *H. Hübner,* Mark. VII. 1–23 und das „Jüdisch-Hellenistische" Gesetzesverständnis, in: NTS 22 (1976) 319–345, hier 343.

[60] Vgl. Paulus (A.59) 33 f.

[61] *Schmithals,* Paulus (A.59) 22; *Klein,* Gesetz (A.59) 62.

b) Jesu derartige „*Gesetzeskritik*" dürfte zusammen mit seiner „*Tempelkritik*" und seinem *Autoritätsanspruch,* der sich u. a. in der Antithesen-*Form* (Mt 5–7 par Lk 6: „Ich aber sage euch") erhalten hat, der Hauptgrund für das jüdische Betreiben seiner Hinrichtung gewesen sein.

c) Es ist schwer verständlich, daß Jesu „Gesetzes-" und „Tempelkritik" bei den Christen der Jerusalemer Urgemeinde keine Wirkungsgeschichte ausgelöst hätte. Apg 6, 11.13 f weist – in den Grundaussagen zuverlässig – darauf hin, daß dies der Fall war.

d) Da Stephanus in Jerusalem getötet wurde, müssen die von ihm dort bereits vertretenen Positionen, selbst in der Einschätzung hellenistischer Juden, sehr gravierend erschienen sein. Das heißt aber nicht, sie seien so grundsätzlicher Art gewesen, wie später bei Paulus. Auch bezeugt Apg 8; 10 f; 11, 20; 15 durch Aufnahme und Wiedergabe verschiedener Traditionen übereinstimmend, daß die beschneidungsfreie Zulassung von Heiden zur christlichen Gemeinde zuerst außerhalb Jerusalems geschah [62].

e) „*Gesetzeskritik*", „*Tempelkritik*" und *Messiasbekenntnis* scheinen die Gründe für die Ermordung des Stephanus und die Verfolgung der „Hellenisten" gewesen zu sein.

f) Dies läßt sich außer der Apg auch mittelbar aus den Paulusbriefen erschließen. Paulus verfolgte als Pharisärer Christen. Die Hervorhebung des Gesetzeseifers im Zusammenhang der Aussagen über die Verfolgungen (Gal 1, 13; Phil 3, 6) legen den Schluß nahe, daß der Konflikt mit einer anderen *Gesetzesauffassung* zu tun hatte [63]. Die Wiedergabe, daß er „den Glauben, den er einst auszurotten trachtete, nun verkündet" (Gal 1, 23), läßt annehmen, daß

---

[62] Vgl. *A. Weiser,* Das „Apostelkonzil" (Apg 15, 1–35). Ereignis, Überlieferung, lukanische Deutung, in: BZ 28 (1984) 145–167, hier 151 f.158 f. – Der Befund aus den Apg-Zeugnissen erscheint mir ergiebiger, als der Antwortversuch auf die Frage, was im damaligen Jerusalem *möglich* oder *nicht möglich* war. Vgl. dazu verschiedene Auffassungen bei *Räisänen,* Bridge (A. 1) A. 158; dort auch die Erwägungen über die Pes 3 b (= *Bill.* II 551) berichtete Tötung eines Heiden in Jerusalem wegen seiner Teilnahme am Ostermahl.

[63] Ähnlich *Hengel,* Ursprünge (A. 57) 24; *Brown,* Community (A. 40) 198 f; *Räisänen,* Paul (A. 31) 251. – Anders *Strecker,* Befreiung (A. 39) 481–483. Zu Recht warnt er zwar vor der zu *eng* gefaßten Alternative Gesetzesbindung – Gesetzesfreiheit und weist auf Umfassenderes hin, das als „Wandel im Judentum" gilt; aber er unterbewertet dann m. E. doch die von ihm selbst hervorgehobene „Einheit... von Tora und Toraauslegung, von Gesetz und Kult..." (483).

auch das *Christusbekenntnis* Anlaß zur Verfolgung war[64]. Die aufgenommenen Formeln vom Sühnetod Jesu (z. B. Röm 3,25; 1 Kor 15,3) enthalten – mindestens mittelbar – eine *„Tempelkritik".*

Diese skizzierte Sicht bedarf freilich noch weiterer Begründung, Abrundung und Diskussion.

---

[64] Ähnlich *Hengel,* Sühnetod (A. 45). *A. Hultgren,* Paul's Pre-Christian Persecutions of the Church: Their Purpose, Locale and Nature, in: JBL 95 (1976) 97–111, hebt diesen Grund der Verfolgung zwar richtig, aber zu einseitig hervor (100–102).

VIII

Das Gesetz in Apg 15

Von Walter Radl, Augsburg

Vorbemerkung

In Apg 15 wird das Gesetz ausdrücklich zum Problem. Lukas erzählt, wie es dazu kommt (VV. 1–5), wie die Auseinandersetzung darum geführt wird (VV. 6–21) und welches Ergebnis am Ende steht (VV. 22–35). Wer die dem lukanischen Bericht vorausliegenden historischen Ereignisse der Urkirche oder auch nur die Traditionsgeschichte des vorliegenden Berichts richtig beurteilen will, muß auch die mehr oder weniger damit zusammenhängenden Abschnitte des Galaterbriefs in die Untersuchung einbeziehen (Gal 2, 1–10.11–14).

Für unsere Fragestellung dagegen ist der Seitenblick auf Gal 2 nicht nötig, vielleicht sogar schädlich. Denn es geht nur darum, die lukanische Auffassung vom Gesetz und seiner Funktion in Apg 15 zu erheben. Diese muß der Text selbst, freilich nicht ohne seinen Kontext, zu erkennen geben. Sicher darf man das gerade von dem Kapitel erwarten, das in mehrfacher Hinsicht, auch im Blick auf das Gesetz, eine Art Drehpunkt oder Wasserscheide der Apostelgeschichte darstellt[1]. Die Angaben aus Gal 2 werden also nicht berücksichtigt.

1. Der Anlaß für die Problemstellung

Dem Leser der Apostelgeschichte wird schon der Anlaß der Auseinandersetzung um das Gesetz zum Problem. Nach 15,1 behaupten nämlich Leute aus Judäa, d.h. Judenchristen, gegenüber den Hei-

---

[1] Hier treten zum letzten Mal die Apostel auf, und zwar zusammen mit den Presbytern (15,2.4.6.22.23; vgl. 16,4), um dann diesen allein den Platz zu überlassen (21,17.18). Ähnlich wird Petrus von Jakobus abgelöst (21,18). Paulus trennt sich von Barnabas (15,36–41). Die Dynamik des Geschehens drängt nun endgültig über Jerusalem und die Juden hinaus zu den Heiden und nach Rom.

denchristen in Antiochia, sie müßten sich beschneiden lassen „nach dem Brauch des Mose", wenn sie gerettet werden wollten. Aber die Frage der Beschneidung für Heidenchristen ist mit den langen Ausführungen der Kapitel 10 und 11 eigentlich längst beantwortet. Dort rechtfertigt Petrus seinen Verkehr mit dem unbeschnittenen Kornelius sowie dessen Taufe (11, 4–17), und am Ende beruhigen sich die Jerusalemer Judenchristen (vgl. 11, 2) mit der Erkenntnis, daß „Gott also auch den Heiden die Umkehr zum Leben geschenkt hat" (11, 18)[2].

Spürt Lukas diesen Widerspruch? Läßt er deswegen die Kritiker von 15, 1 nicht aus Jerusalem selbst, sondern „aus Judäa" kommen?[3] Freilich ist dann in V. 5 von Pharisäern die Rede, die sicher in Jerusalem anzusiedeln sind, die zumindest dort auftreten, und dies, obwohl sie doch die Ereignisse von Kap. 10 kennen (V. 7: ὑμεῖς ἐπίστασθε) und darum mit ihrer Beschneidungsforderung letztlich Gott herausfordern (V. 10: πειράζετε τὸν θεόν; vgl. 11, 17). Die Spannung läßt sich kaum dadurch beseitigen, daß man Kornelius als Einzelfall oder die Zusammensetzung der Gemeinde von Kap. 11 als nicht identisch mit der von Kap. 15 betrachtet[4]. Handelt es sich um eine kompositionsgeschichtlich bedingte übersehene Unausgeglichenheit?[5] Wahrscheinlich verfolgt Lukas hier die Absicht, die Herausforderung Gottes als solche zu verdeutlichen. Und er benutzt – ähnlich wie beim Jüngerunverständnis im Evangelium – die falsche Kritik der immer noch nicht Begreifenden als Ausgangspunkt für die erzählerische Behandlung des Gesetzesproblems[6].

---

[2] Vgl. die Fragestellung und die Lösungsvorschläge bei *S. G. Wilson*, Luke and the Law (MSSNTS 50) (Cambridge 1983) 71–74.

[3] Vgl. – mit Hinweis auf V. 24 – *E. Haenchen*, Die Apostelgeschichte (KEK III) (Göttingen ⁷1977) 425; *G. Schneider*, Die Apostelgeschichte II (HThK V 2) (Freiburg i. Br. 1982) 177 Anm. 26.

[4] Vgl. die Überlegungen bei *Wilson*, Law 72f. Er denkt auch an die Möglichkeit eines taktischen Schweigens in 11, 18. Nach *H. Conzelmann*, Die Apostelgeschichte (HNT 7) (Tübingen ²1972) 91, können die Pharisäer „sich noch äußern, weil noch kein offizieller Beschluß vorliegt".

[5] Vgl. die Thesen von *U. Borse*, Kompositionsgeschichtliche Beobachtungen zum Apostelkonzil, in: *J. Zmijewski – E. Nellessen* (Hg.), Begegnung mit dem Wort. FS H. Zimmermann (BBB 53) (Bonn 1980) 195–211. Er betrachtet die „Dekretperikope" 14, 27 – 15, 35 als nachgetragenen Einschub des Verfassers, „dessen Ausgangsmotiv bei 21, 25 zu suchen ist" (210).

[6] Auch *Conzelmann*, Apg 91, nennt hier „literarische Gründe: nur so kann die Lösung zur eindrucksvollen Szene gestaltet werden". Vgl. *Haenchen*, Apg 441.

2. Das Problem selbst

Der Gegenstand der Auseinandersetzung in Jerusalem ist das mosaische Gesetz als ganzes, allem voran die Beschneidung. Es steht zur Debatte, ob dieses Gesetz für die Heidenchristen verbindlich ist, genauer: ob die Beobachtung des Gesetzes samt der Beschneidung für sie heilsnotwendig ist (V. 5: δεῖ; vgl. VV. 1 und 11: jeweils σωθῆναι). Da diese Frage von Petrus (mit dem Hinweis auf die Ereignisse von Kap. 10 und 11) klar negativ beantwortet wird, erhebt sich die neue Frage, ob das mosaische Gesetz die Heidenchristen überhaupt nicht berührt bzw. welche Bedeutung es für sie hat. Dabei möchte Petrus sie überhaupt nicht mit dem Gesetz behelligen, weil er es mit seinen vielen Forderungen, die die Juden selbst nicht haben erfüllen können[7], nur als Last betrachtet, von der das Heil – für die Juden ebenso wie für die Heiden – ohnehin nicht abhängt (V. 10f)[8]. Jakobus dagegen meint eindeutige gesetzliche Verpflichtungen auch für die Heidenchristen angeben zu können.

3. Der Weg zur Lösung des Problems

Jakobus nähert sich der Lösung des Problems im Licht der Schrift, des Gesetzes wie der Propheten. In den von Petrus geschilderten Vorgängen erkennt er die Erfüllung dessen, was die Propheten verheißen haben (V. 14f). Als Beispiel zitiert er Amos 9,11f (mit Anspielungen auf Jer 12,15 und Jes 45,21). Nicht umsonst steht dieses Zitat genau im Zentrum von 15,1–35. Und nicht zufällig ist es (in leichter Abwandlung der Originalstellen) außerordentlich kunstvoll gestaltet (mit doppelt chiastischer Anordnung der vierfachen ἀνα-Aussage in V. 16). Denn hier liegt der Schlüssel für die Lösung der Fragen.

---

[7] Die Form ἰσχύσαμεν ist wohl als komplexiver Aorist zu verstehen; s. *F. Blass – A. Debrunner – F. Rehkopf,* Grammatik des neutestamentlichen Griechisch (Göttingen [14]1976) § 332,2.

[8] Daß es Petrus auf das letztere ankommt, betont mit Recht *J. Nolland,* A Fresh Look at Acts 15.10, in: NTS 27 (1981) 105–115; das Beschwerliche an dem „Joch" des Gesetzes läßt sich allerdings im Kontext von Apg 15 (vgl. V. 19 mit παρενοχλεῖν und V. 28 mit βάρος) nicht übersehen.

Nach der prophetischen Verheißung löst die Wiederaufrichtung Israels (ἀνα-) – für Lukas identisch mit der Entstehung der Urgemeinde – die Suche der Heiden nach Gott aus[9]. Und wo suchen sie ihn? In Israel. Für diese Situation aber, für den Fall, daß Heiden sich dem Volk Gottes (vgl. V. 14[10]) anschließen, gibt es Regelungen im Gesetz des Mose, Regeln für das Leben in Israel[11]. Sie stehen in Lev 17 und 18. Auf sie greift Jakobus zurück.

Seine Stellungnahme in V. 20 enthält also nichts Neues. Im Gegenteil – so läßt sich vielleicht der V. 21 verstehen –, alle Welt kennt diese Bestimmungen im Gesetz des Mose durch dessen Verkündigung in den Synagogen[12].

4. Die Regelung im einzelnen

Die Regelung, die Jakobus vorschlägt (V. 20) und die Apostel samt den Ältesten sich dann zu eigen machen (V. 28 f), beinhaltet vier Bestimmungen, nämlich Bestandteile des Heiligkeitsgesetzes aus Lev 17 f[13]. Nicht das Gesetz als ganzes und undifferenziert wird den Heiden zugemutet (VV. 19.28), sondern es tritt in Kraft, was das Gesetz selbst für Heiden (= Unbeschnittene) in Israel vorgesehen hat[14]. In-

---

[9] Vgl. *G. Lohfink,* Die Sammlung Israels. Eine Untersuchung zur lukanischen Ekklesiologie (StANT 39) (München 1975) 58–60.

[10] Zur formelhaften Rede vom Volk aus den Heiden s. *J. Dupont,* ΛΑΟΣ ΕΞ ΕΘΝΩΝ (Ac 15,14), in: *ders.,* Études sur les Actes des Apôtres (Lectio divina 45) (Paris 1965) 361–365.

[11] Vgl. *J. Jervell,* Luke and the People of God. A New Look at Luke-Acts (Minneapolis 1972) 143 f. „The idea is that of a people and an associate people" (ebd. 143).

[12] *Schneider,* Apg II 184, denkt dabei allerdings an „jüdische Gemeinden" in aller Welt. Auch *C. L. Blomberg,* The Law in Luke-Acts, in: JSNT 22 (1984) 53–80, hier 66, bezieht die Aussage nicht auf eine Bekanntschaft der Heiden mit dem Gesetz des Mose. *Wilson,* Law 84, dagegen spricht sich für diese Möglichkeit aus, nämlich „that verse 21 ... justifies the decree on the grounds that many Gentiles were already familiar with these Mosaic demands".

[13] Vgl. *A. Strobel,* Das Aposteldekret als Folge des antiochenischen Streites. Überlegungen zum Verhältnis von Wahrheit und Einheit im Gespräch der Kirchen, in: *P.-G. Müller – W. Stenger* (Hg.), Kontinuität und Einheit. FS F. Mußner (Freiburg i. Br. 1981) 81–104, hier 91.

[14] *Blomberg,* Law 66, weist darauf hin, daß es im Gesetz noch andere Bestimmungen für Heiden gibt, daß es sich bei den hier genannten Dingen aber um für Juden besonders Anstößiges handelt.

sofern ist die Beachtung dieser Vorschriften „notwendig" (V. 28) und „richtig" (V. 29).

Sie beziehen sich nach V. 20 auf Götzen („Bilder"), Unzucht, Ersticktes und Blut (vgl. Lev 17,8 f; 18,6–18; 17,10–14). Von diesen Dingen soll man sich „enthalten" (VV. 20.29). Nach den Begriffen und ihrer Reihenfolge in V. 20 sowie von Lev 17 f her liegt nur in den letzten beiden Punkten ein Speisegebot bzw. -verbot vor. Etwas anderes ist es in V. 29 (und 21,25), wo als erstes „Götzenopferfleisch" genannt wird und unmittelbar daneben (wie Lev 17 f) „Blut und Ersticktes". Aber auch hier zeigt das Verbot der Unzucht (verbotener Verwandtenehen), daß die Bestimmungen eigentlich nicht das Problem der Tischgemeinschaft im Auge haben[15], sondern überhaupt das Leben und Zusammenleben im Gottesvolk[16]. Bedingung dafür ist ein Konsens in den Grundfragen des Gottesglaubens, der Achtung vor dem Leben (im Blut) und der Ehe[17].

5. Der Stellenwert der gesetzlichen Verpflichtungen

Wie Petrus in V. 11 unwidersprochen sagt, hängt die Rettung für Juden wie für Heiden nicht von der Beobachtung des Gesetzes, sondern von der Gnade ab[18]. Und auch die Beachtung der gesetzlichen Einzelbestimmungen des Aposteldekrets wird nicht als heilsnotwendig dargestellt, wohl aber als nötig und richtig (V. 28 f). Inwiefern ist sie also notwendig? Wie verhält sich das Gesetz zur Rettung und zum Glauben?

Vielleicht hilft hier ein Hinweis auf den Gebrauch von σῴζω in

---

[15] Es scheint mir darum fraglich, ob das Aposteldekret, historisch gesehen, die Antwort auf den Gal 2,11–14 berichteten Konflikt darstellt. So wird es allerdings vielfach aufgefaßt. Vgl. z. B. *R. Pesch,* Das Jerusalemer Abkommen und die Lösung des Antiochenischen Konflikts. Ein Versuch über Gal 2, Apg 10,1–11,18, Apg 11,27–30; 12,25 und Apg 15,1–41, in: *P.-G. Müller – W. Stenger* (Hg.), a. a. O. 105–122.

[16] Vgl. *Strobel,* Aposteldekret 91.

[17] Die schon in der handschriftlichen Überlieferung begegnende ethische Auslegung des Aposteldekrets im Blick auf die Hauptsünden Glaubensabfall, Mord und Ehebruch hat also durchaus gute Gründe für sich.

[18] *Nolland,* Fresh Look 112 f, deutet das von πιστεύομεν abhängige σωθῆναι als Infinitiv der Folge; vgl. *Blass – Debrunner – Rehkopf* § 391,4. Ebd. § 397,2 wird die Konstruktion allerdings wie ein Infinitiv bei Verben des Glaubens und Meinens verstanden; vgl. Lk 1,45; Apg 9,26 mit ὅτι.

der Apostelgeschichte weiter: Rettung geschieht nicht erst im Gericht Gottes, sondern schon mit der Aufnahme in das endzeitliche Volk der Geretteten hier und jetzt. Apg 2,40 f: „Laßt euch retten aus diesem verdorbenen Geschlecht! Und diejenigen, die sein Wort annahmen, ließen sich taufen." 2,47: „Und der Herr fügte täglich diejenigen hinzu, die sich retten ließen." Vgl. 11,14; 16,30.31.

Demnach ist die Einhaltung gesetzlicher Bestimmungen der Rettung nicht vor-, sondern nachgeordnet. Der Glaube führt zur Rettung, und als Folge der Rettung, d.h. der Aufnahme unter die Geretteten, ergibt sich die Erfüllung bestimmter Forderungen. Das Gesetz formuliert nicht die Bedingungen für die Aufnahme in das Gottesvolk, sondern die Regeln für das Leben im Gottesvolk[19].

---

[19] Vgl. schon *L. Goppelt,* Christentum und Judentum im ersten und zweiten Jahrhundert. Ein Aufriß der Urgeschichte der Kirche (BFChTh.M 55) (Gütersloh 1955) 231: Das Gesetz steht „weniger als Heilsordnung, um so mehr als Lebensnorm im Blick".

IX

Gesetz im Jakobusbrief

Zur Tradition, kontextuellen Verwendung und Rezeption eines belasteten Begriffes

Von Hubert Frankemölle, Paderborn

> „Der Pharisäismus
> ist nicht eine Entartung am guten Menschen:
> ein gutes Stück davon
> ist vielmehr die Bedingung von allem Gut-sein"
> (F. Nietzsche, Jenseits von Gut und Böse, Leipzig 1886,
> IV Aph. 135; ed. Schlechta II. 635)

Daß es in Praxis und Theorie des jüdischen Gesetzes-Verständnisses auch Verkrustungen, Legalismus und Leistungsfrömmigkeit gegeben hat, dafür dürften gerade katholische Christen angesichts des CIC und der Kirchengebote sensibel sein (oder sollten es!), ebenso aber auch evangelische Christen trotz der „Freiheit eines Christenmenschen". Rigoristen, Fundamentalisten und Buchstaben-Eiferer gab und gibt es in allen Religionen. Gerade uns als Christen in Deutschland steht es nicht an, nach Mt 7, 1–5 den Splitter aus dem jüdischen Auge zu ziehen und den Balken im eigenen Auge zu negieren.

Fehlformen und Begriffsverengungen sind nicht ipso facto mit dem jeweiligen Begriff Tora, νόμος, Gesetz im Kontext biblischer Texte gegeben. Auch wenn der Begriff νόμος (im Gegensatz zum semantisch polyvalenten Tora-Begriff etwa im Sinne der Israel durch Gott eröffneten Lebensordnung bzw. im Sinne von gnädiger Willensoffenbarung Jahwes) aufgrund des inhaltlichen Eigen- und Gebrauchswertes im griechischen wie beim deutschen Begriff „Gesetz" nur einen Teilaspekt erfaßt (er meint „primär die vom Gesetzgeber erlassene Ordnung einer Polis"[1]), so ist dennoch mit diesem Hinweis das sprachwissenschaftliche Problem nicht erledigt. Die Eigenwerte im Griechischen und Deutschen bieten zwar aufgrund ihrer

---

[1] *K. Koch,* Gesetz, I. Altes Testament, in: TRE 13 (1984) 40–52, ebd. 50.

Bedeutungsverengung zu Mißverständnissen Anlaß, dennoch ist nach der modernen Sprachwissenschaft primärer Bedeutungsträger nicht das einzelne Wort, sondern der jeweils aktuelle Kontext, das Syntagma. Der Bedeutungswert muß daher aus dem konkreten Sprachgebrauch und nicht aus einer Wortableitung ermittelt werden[2]. Dies ist der Grund, warum auch im Jak nicht νόμος allein, sondern das mit diesem Begriff freigesetzte Bedeutungsfeld, das ganze semantische Netz (Gesetz, Glaube, Werke, Heiligung des Alltags, Erfüllung des Willens Gottes usw.) beachtet werden muß. Aufgrund dieser Einbindung des Begriffes νόμος ist er inhaltlich offener strukturiert als der Begriff „Gesetz" vermuten läßt. Da andere Begriffe im Kontext bei der Bedeutung des einzelnen Begriffes mitbestimmend sind und der Kontext insgesamt Bedeutungsträger ist, kann auch der aufgrund des semantischen Eigenwertes stark legalistische Inhalt von νόμος und „Gesetz" durchaus im Sinne der Offenheit von Tora als Weisung, Lehre, Unterweisung, Lebensordnung und göttliche Willensoffenbarung (vgl. Ps 119 in der LXX!), ja sogar auch als präexistenter Schöpfungsplan, als Schöpfungs- und Weltordnung – analog zum hebräischen Begriff Tora – verstanden werden. Nicht unser übliches Vorverständnis eines Begriffes ist maßgebend, sondern die Verwendung eines Begriffes in einem bestimmten Kontext. Heißt, dies zu betonen, Eulen nach Athen tragen?

Diese sprachwissenschaftliche Binsenwahrheit ist reich an Konsequenzen, nicht zuletzt bedingt sie die Perspektive des synchronen Ansatzes dieses Beitrages. Dies bedeutet konkret: Der Begriff „Gesetz" und die komplementären Begriffe Glaube und Werke sind primär im Kontext des Jak in ihrer Bedeutung zu erheben, erst sekundär ist nach traditionsgeschichtlichen oder auch nur intertextuell nach literarischen Parallelen (etwa Jakobus – Paulus) zu fra-

---

[2] Zum Ansatz und zur Literatur vgl. *H. Frankemölle,* Exegese und Linguistik. Methodenprobleme neuerer exegetischer Veröffentlichungen, in: ThRv 71 (1975) 1–12, bes. ebd. 5; *ders.,* Biblische Handlungsanweisungen. Beispiele pragmatischer Exegese (Mainz 1983), bei den unter den Stichworten diachron, Diachronie und synchron, Synchronie angegebenen Seiten; *M. Theobald,* Der Primat der Synchronie vor der Diachronie als Grundaxiom der Literarkritik. Methodische Erwägungen an Hand von Mk 2,13–17/ Mt 9,9–13, in: BZ 22 (1978) 161–186; anders *Koch,* Gesetz 50, und *K. Berger,* Die Gesetzesauslegung Jesu I: Markus und Parallelen (WMANT 40) (Neukirchen 1972) 32.

gen. Die Berechtigung der These vorausgesetzt, daß Jakobus im Kern ein anderes Problem als Paulus behandelt und sie gemeinsam übereinstimmende Traditionen (u. a. aus der synagogalen Tradition oder aus der Weisheitsliteratur) rezipieren, ist und darf Paulus theologiegeschichtlich im Kontext des NT nicht Maßstab für Jakobus sein. Bekanntlich war damals keineswegs geklärt und abzusehen, was orthodoxes, heterodoxes oder häretisches Judentum bzw. Christentum war oder sein würde; für das frühe Judentum und Christentum ist diese Fragestellung angesichts der Vielfalt und Offenheit der religionspolitischen Gruppierungen, theologischen Richtungen, Schulen und „Entwicklungslinien" ohnehin historisch eine unangemessene Frage[3].

Selbst auf die Gefahr hin, gegen die eigenen Grundsätze der unberechtigten Zuweisung zu verstoßen, seien einleitend einige Forschungspositionen zur Einführung in das Thema skizziert, die zugleich implizit den eigenen methodischen und sachlichen Zugang begründen. Auch wenn sie konfessionell sortiert sind, sind sie nicht unbedingt konfessionsspezifisch. Ausnahmen bestätigen auch hier die Regel. Doch scheiden sich am Jak gerade in Deutschland bislang die ökumenischen Geister seit Luthers Stellungnahme zum Jak (vgl. III), auch wenn sich auch hier die ökumenischen Fronten immer stärker verwischen.

I. Typologie von Forschungspositionen

1. F. Mußner, Der Jakobusbrief, Freiburg ⁴1981, betont als katholischer Exeget in seinem Vorwort (V) vielleicht eine Nuance zu pro-

---

[3] Vgl. *W. Bauer,* Rechtgläubigkeit und Ketzerei im ältesten Christentum, hg. v. *G. Strecker* (Tübingen ²1964); *H. Köster – J. M. Robinson,* Entwicklungslinien durch die Welt des frühen Christentums (Tübingen 1971); diese Offenheit auf die Gesetzesproblematik betont (in Aufnahme von Gedanken von *H. Gese*) mit Recht *P. Stuhlmacher,* Das Gesetz als Thema biblischer Theologie, in: ZThK 75 (1978) 251–280, wertet aber ebd. 277ff Jakobus und Matthäus gegen Paulus und Johannes ab; sachlich angemessen ist auch die Tora-Darstellung von *H. Seebass,* Der Gott der ganzen Bibel (Freiburg i.Br. 1982) 101–130, auch wenn er ebd. 63ff generell vom „Scheitern der Tora" im Hinblick auf Paulus meint schreiben zu müssen (vgl. die zu diesem Punkt außerordentlich positive jüdische Rezension von *J. J. Petuchowski,* in: Orientierung 47 [1983] H. 2, 22–24).

grammatisch und zu akzentuiert: „Seine ,*Werkfrömmigkeit*' als Ausdruck lebendigen Glaubens liegt ganz auf der Linie der Bergpredigt", auch wenn dies im Exkurs „Das ,Werk' bei Paulus und Jakobus" (152–157) etwas differenziert wird: „Die ,Werk'-Frömmigkeit des Jak-Briefes hat mit dem ,Leistungsprinzip' nichts zu tun" (157). Diese kantigen, holzschnittartigen Sätze riefen nicht ganz zu Unrecht die Kritik von S. Schulz hervor: „Mit solchen Scheinprophetien ist freilich der eigentliche Gegensatz zwischen Paulus und dem Jakobusbrief noch gar nicht in den Blick gekommen; denn für Paulus ist das Handeln des Christen immer eine Konsequenz, für Jakobus dagegen typisch frühkatholisch ausschließlich eine Vorbedingung der Rechtfertigung!"[4] Letzteres ist sicher nicht die Position des Jakobus (s. u.).

2. Im Kommentar-Pendant auf evangelischer Seite erhält man nach M. Dibelius, Der Brief des Jakobus, Göttingen [11]1964, im Jak bei einem Vergleich mit den Paulus-Briefen „statt eines lebensvollen Bildes von bestimmter Prägung ein seltsames und unwahrscheinliches Gemisch von ursprünglicher Bewegtheit und zweifellosem Verfall" (S. 7). Bedingt ist dies nicht zuletzt dadurch, daß Glaube und Werke in 2,22 „zwei verschiedene Größen" sind, worin sich im Gefolge des Paulinismus eine „ganz unjüdische Zerreißung" dokumentiert (220; vgl. auch 200f). Entsprechend versteht G. Lüdemann[5] Jakobus als „Ausläufer eines antipaulinischen Judenchristentums" (204), der – geprägt vom hellenistischen Diasporajudentum – Vertreter eines „nomistischen Positivismus" (201) ist. Der Begriff stammt von R. Walker, der im Sinne seiner Titel-These[6] – entgegen dem Sinngefälle des Kontextes – postuliert: „Die Werke der Gesetzeserfüllung allein entscheiden die Rechtfertigung; was der Mensch etwa

---

[4] In seinem ansonsten ebenso einseitigen Buch: Die Mitte der Schrift. Der Frühkatholizismus im Neuen Testament als Herausforderung an den Protestantismus (Stuttgart – Berlin 1976) 72. Wie angemessen auch evangelische Exegeten formulieren können, beweist z. B. *G. Eichholz* in seiner kleinen Schrift: Glaube und Werke bei Paulus und Jakobus (München 1961) 37–44 und der dreibändige Römerbriefkommentar von *U. Wilckens,* vor allem etwa I (Zürich - Neukirchen 1978) 250–257.

[5] *G. Lüdemann,* Paulus der Heidenapostel. II. Antipaulinismus im frühen Christentum (FRLANT 123) (Göttingen 1983).

[6] *R. Walker,* Allein aus Werken. Zur Auslegung von Jakobus 2,14–26, in: ZThK 61 (1964) 155–192; nicht ganz so extrem *Chr. Burchard,* Zu Jakobus 2,14–26, in: ZNW 81 (1980) 27–45, ebd. 37f und 43 zu 2,24: „Bedeuten kann V. 24 … nur, daß jeder Mensch nur auf Grund von Werken als gerecht anerkannt wird".

‚sonst noch' hat, ist für die Rechtfertigung belanglos" (176). „Die
Lehre von der Rechtfertigung auf Grund von Werken (der Gesetzeserfüllung) im Angesicht von 2,10 ist der herausforderndste Ausdruck für den leidenschaftlichen und unreflektierten nomistischen
Positivismus des Jakobusbriefs" (177). Folglich kann Glaube
(πίστις) nur „passiv-nomistisch als christliche Gesetzesfrömmigkeit" verstanden werden (189). – Gewiß, dies ist eine extrem „prote-
stantierende" Position, der aber weitere, etwas mehr zurückhaltende
protestantische Stimmen leicht zuzuordnen wären. Auch eine sich
als historisch-kritisch verstehende Exegese ist durch die von der Reformation herkommende Perspektive bis heute hermeneutisch vorgeprägt, wenn nicht hier und dort belastet (s. u. III).

3. Die Stimmen auf jüdischer Seite zu Jakobus sind naturgemäß
höchst selten. Am ausführlichsten und explizit hat sich der konservative Rabbiner und amerikanische Gelehrte Ph. Sigal nach Vorarbeiten zur Halacha im MtEv und zur Geschichte des Judentums, zu
der nach ihm auch die ntl Entwicklungslinien gehören, geäußert[7].
Sigal sieht im Jak unter Verweis auf 1,1 und 2,1 „zweifellos" eine
christliche Schrift (337), ebenso sieht er bei Paulus und Jakobus
mögliche „proto-rabbinische" (338) Positionen, da auch Paulus bei
aller Betonung der Rettung durch den Glauben zuvor in Röm
2,13.25 das Gericht nach den Werken ansetzt (349 Anm. 5). Jakobus
mit Jesus (nach Mt 7,21–27; 28,20) und Paulus verstehen mit dem
Lehrer von Qumran, wenn auch je unterschiedlich akzentuiert, die
Verbindung von „Glaube – Werke" als notwendiges „desideratum"
(338). Alle stehen in der Tradition von Weish, Spr und Dtn mit der
emphatischen Zentralisierung der Tora für das Glaubensleben der
Juden bzw. Judenchristen, das Wort Gottes nicht nur zu hören, sondern es zu tun (vgl. Jak 1,22–25 u.a.). Der Satz „Nicht die Hörer des

---

[7] Vgl. seine hervorragende Dissertation: The Halakhah of Jesus of Nazareth according
to the Gospel of Matthew (Pittsburgh 1979) (ebd. 35–57 ein Überblick zur nachexili-
schen-protorabbinischen Zeit bis 70 n. Chr.) sowie seine jüdische Geschichte von David bis ins 20. Jh. und zur halachischen Vielfalt seit dem 3. Jh. v. Chr.: The Emergence
of Contemporary Judaism I–III (Pittsburgh 1980/77/85) (zu Jak ebd. I 422–426); zu Jak
speziell *ders.*, The Halakhah of James, in: Intergerini Parietis Septum (Eph. 2:14). Es-
says in Honor of M. Barth, ed. *D. Y. Hadidian* (Pittsburgh 1981) 337–353. – Mit Sigal
stimmen neuere jüdische Stellungnahmen zum Thema „Gesetz" überein; vgl. *R. J. Z.
Werblowsky,* Judentum. B. aus jüdischer Sicht, in: NHbthG 2 (1984) 264–272, bes. 268 f
und *J. Amir,* Gesetz. II. Judentum, in: TRE 13 (1984) 52–58.

Gesetzes, sondern die Täter des Gesetzes werden bei Gott gerecht gesprochen werden" (Röm 2,13) bzw. „Seid Täter des Wortes und nicht allein Hörer" (Jak 1,22) hat zahlreiche Parallelen in der gesamten frühjüdischen Literatur (zum „Tun der Tora" vgl. Ex 24,3; Jos 22,5; Neh 9,34; Sir 19,20; Josephus, Ant. 20,44; Philo, Praem 79; Pirke Aboth 3,8.16; 5,17; 6,4; 1,17: „Nicht das Forschen ist die Hauptsache, sondern das Tun!")[8]. Daher gibt es nach Sigal keinen Grund, das christliche vom jüdischen Gesetzesverständnis zu trennen (342); dies gilt erst recht für Jakobus, da seine These vom „Gesetz der Freiheit" (2,12) nicht vom christlichen Evangelium her zu erklären sei, sondern aus jüdischen Voraussetzungen (343).

Bei einer solch großen Übereinstimmung im Grundsätzlichen ist um so mehr auf die Akzente im Detail und auf die Art der Zuordnung der Begriffe „Gesetz und Werke" im jeweiligen Kontext, also auch im Jak, zu achten. Dies soll ausführlich (V) geschehen. Zuvor jedoch seien stichwortartig – aufgrund der deutlichen christlich-jüdischen Gegenpositionen – einige religionswissenschaftliche Thesen zum frühjüdischen/frühchristlichen Gesetzes-Verständnis (II) sowie zum konfessionell christlichen Vorverständnis (III) formuliert und nach dieser hermeneutischen Vorklärung auch einige Konsequenzen für Paulus (IV) thesenhaft gezogen.

II. Vergewisserungen und Stichworte
zum frühjüdisch/frühchristlichen Gesetzes-Verständnis[9]

In der Tat: Wer Jakobus verstehen will, muß die frühjüdische Theologie kennen, während seine speziellen Akzente beim Thema „Gesetz" von der konkreten Gemeindesituation mitbedingt sind, auf die er einwirken möchte[10].

---

[8] Zu diesen und weiteren Stellen vgl. *P. Billerbeck,* Kommentar zum Neuen Testament aus Talmud und Midrasch III (München [5]1969) 84–88. 753 sowie *H. Braun,* ποιέω κτλ, in: ThWNT 6 (1959) 632–645; Sigal, Halakhah 341 f.

[9] Dieser Punkt ist sachlich identisch mit dem Arbeitspapier, das Verf. den Teilnehmern von Brixen vorab zur Information zugeschickt hatte. – Zur Begründung im einzelnen vgl. jetzt auch oben den Beitrag von *K. Müller.*

[10] Zur methodischen Begründung dieses pragmatischen Textverständnisses vgl. *H. Frankemölle,* Biblische Handlungsanweisungen. Beispiele pragmatischer Exegese (Mainz 1983); zur Auswirkung auf das Verständnis des Jak vgl. *ders.,* Gespalten oder

1. Dtn 30,11–14 (LXX): „Dieses Gebot, das ich dir heute auftrage, geht nicht über deine Kraft und ist nicht fern von dir. Es ist nicht oben im Himmel, so daß du sagen müßtest: Wer steigt für uns in den Himmel hinauf und holt es herunter, damit wir es hören und halten können? ... Nein, das Wort ist ganz nah bei dir. Es ist in deinem Mund und in deinem Herzen, und in deinen Händen, damit es getan wird." Zur Dignität der Gebote: „Die Tafeln hatte Gott selbst gemacht, und die Schrift, die auf den Tafeln eingegraben war, war Gottes Schrift" (Ex 32,16). Daß die schriftliche Tora vom „Himmel", d. h. von Gott stammt, ist Voraussetzung und Basis jüdischen Glaubens, nur darum gibt es den jüdischen way of life, den Ἰουδαισμός (vgl. 2 Makk 2,21; 8,1; 14,38). „Die Tora des Herrn ist vollkommen" (Ps 19,8); als solche ist sie nicht nur die Voraussetzung der Existenz Israels, sondern stiftet auch ein Leben in Sinnhaftigkeit und Fülle.

2. Die Übergabe der *schriftlichen Tora* an Israel, ihre Anthropologisierung impliziert ihre Vielgestaltigkeit: „Eines hat Gott gesagt, zweierlei habe ich gehört" (Ps 62,12), und: „Ist nicht mein Wort wie Feuer – Spruch des Herrn – und wie ein Hammer, der Felsen zerschmettert?" (Jer 23,29). In der Schule des Rabbi Ismael (bedeutender Tannait um 100 n. Chr.) legte man diesen Schriftvers folgendermaßen aus: „Was geschieht, wenn der Hammer auf den Felsen aufprallt? Funken sprühen! Ein jeder Funke ist das Ergebnis des Hammerschlages auf den Felsen; aber kein Funke ist das einzige Ergebnis. So kann auch ein einziger Schriftvers viele verschiedene Lehren vermitteln" (b. Sanhedrin 34a) [11].

3. Die vielfältigen Aktualisierungen, Zusätze und Abwandlungen der biblischen Weisungen, Satzungen, Gebote, Vorschriften und Mahnungen sind – hermeneutisch – mit dem jüdischen Offenbarungsverständnis gegeben. Die *mündliche Tora* war Folge der sich

---

ganz. Zur Pragmatik der theologischen Anthropologie des Jakobusbriefes, in: *H. U. v. Brachel – N. Mette* (Hg.), Kommunikation und Solidarität (Freiburg – Münster 1985) 160–178.

[11] Zitiert nach *J. J. Petuchowski,* Wie unsere Meister die Schrift erklären (Freiburg i. Br. 1982) 7; zur jüdischen offenen Lesart vgl. ebd. 12–14.

[12] *J. Maier,* Kontinuität und Neuanfang, in: *ders. – J. Schreiner* (Hg.), Literatur und Religion des Frühjudentums (Würzburg – Gütersloh 1973) 1–18; *J. Schreiner,* Interpretation innerhalb der schriftlichen Überlieferung, ebd. 19–30; zur Tora vgl. ebd. 43–105 auch die Beiträge von *E. Zenger, J. Maier – J. Neusner* und *K. Müller.*

ständig ändernden sozialpolitischen Umstände der glaubenden Juden (bekanntlich kann man bereits auch schon im AT einen ständigen Prozeß der Neuaktualisierung feststellen[12]). Insofern und weil die mündliche Tora die schriftliche Tora auf das je neu zu gelingende Leben überträgt, nimmt sie an deren theologischer Dignität teil[13]: „Selbst die Entscheidung, die in der fernen Zukunft ein scharfsinniger Schüler in der Anwesenheit seines Lehrers fällen wird, wurde dem Moses schon auf dem Berge Sinai offenbart" (P.Pe-ah II,6, ed. Krotoschin, p. 17a).

4. Das Verhältnis von vorgegebenem Text und stets neuen Rezipienten ist auch Gegenstand der modernen Sprachwissenschaft. Wie immer man in den Rezeptionstheorien den Akt der schöpferischen Aneignung eines textlich vorgegebenen Sinnes umschreibt (mit den Begriffen „Leer-" bzw. „Unbestimmtheitsstellen" durch W. Iser, stärker thematisch bei P. Ricoeur durch die Begriffe „Sinnüberschuß" bzw. „fester Kern" oder durch den Begriff „Sinnpotential" bei H. R. Jauß), es gilt: Der Sinn eines vorgegebenen Textes verwirklicht sich stets neu bei neuen Lesern. Der Sinn eines Wortes oder eines Textes übertrifft also seinen Autor. Der wirkliche Sinn eines Textes hängt „eben nicht von dem Okkasionellen ab, das der Verfasser und sein ursprüngliches Publikum darstellen. Er geht zum mindesten nicht darin auf, denn er ist immer auch durch die geschichtliche Situation des Interpreten mitbestimmt und damit durch das Ganze des objektiven Geschichtsganges." Verstehen ist nicht nur reproduktiv, sondern auch stets produktiv. Der Sinn „ist ein Aggregat von abgelagerten Bedeutungen, die sich fortwährend aus neuen Retrospektiven ergeben. Deshalb ist ein tradierter Sinn im Prinzip unvollständig, nämlich offen für Sedimente aus zukünftigen Retrospektiven (Unabschließbarkeit des Sinnhorizonts)"[14]. – Auch nach jüdischer Hermeneutik enthielt die Tora, die Moses vermittelt wurde, mehr, als Moses bewußt war. Vgl. die Erzählung in b. Menachot 29b, wonach Moses einem Lehrvortrag des Rabbi Akiba (50–135 n.Chr.) beiwohnen durfte, aber von dessen Textinterpreta-

---

[13] C. Thoma, Christliche Theologie des Judentums (Aschaffenburg 1978) 154; Petuchowski, Meister 120–138; vgl. auch die sachlich fundierte, für einen weiteren Leserkreis gedachte Serie „Biblische Begriffe in jüdischer Sicht" von K. Müller, in: Christ in der Gegenwart 36 (1984) Heft 49–53 und 37 (1985) Heft 1–20, ebd. Heft 7.
[14] J. Habermas, Zur Logik der Sozialwissenschaften (Frankfurt ²1971) 265f.

tion „trotz größter Aufmerksamkeit" nichts verstand, obwohl Akiba
bei „einem umstrittenen Punkt" darauf verweist: „Es ist eine Halacha, die Moses am Sinai gegeben wurde", worauf Moses – jüdische
Theologie kennt auch die Selbstironie – „aufatmete und sich beru-
higt zurücklehnte." Auch in neuen Situationen ist Jahwe je neu Geber einer vertieften Kenntnis der Tora.

5. Die Vielfalt der Tora-Auslegungen im Laufe der Geschichte
und bei verschiedenen religiösen Gruppen zu einer bestimmten Zeit
ist historisch konsequent und im Kontext des oben Gesagten theologisch legitim. Gerade große jüdische Theologen waren von einem
„dialektischen Verhalten" zur Tora[15] geprägt; neben Hillel I. (Ende
des 1. Jh. v. Chr./Anfang des 1. Jh. n. Chr., R. Jehoshua ben Cha-
nanja (Anfang des 2. Jh. n. Chr), R. Meir (Mitte des 2. Jh. n. Chr.) ist
auch auf Jesus von Nazareth und auf Paulus hinzuweisen. „Es gibt
natürlich bei Jesus eine ihm eigentümliche Problematik in seiner Beziehung zum Gesetz und seinen Geboten, aber diese entsteht bei einem jeden gläubigen Juden, wenn er sein Judentum ernst nimmt", so
daß „Erleichterungen, Dispensationen und Aufhebungen von Ein-
zelgeboten"[16] auch schon vor Jesus reichlich belegt sind. Da Theologie (wissenssoziologisch betrachtet[17]) am Streit um die Wirklichkeit
und ihre richtige Deutung teilnimmt, gehört im Interesse eines gelin-
genden Lebens der ständige Streit im Wechsel der Geschichte um
die richtige Auslegung der Tora ipso facto dazu. Schon deswegen ist
bis heute jüdische Tora-Auslegung außerordentlich kreativ.

6. Außerjüdische Rezeption bzw. außerjüdische Beschäftigung
mit der Tora sind geprägt von der unaufgebbaren Verschränkung
der eigenen (christlichen) Situation und der davon abhängenden
theologischen Argumentation. Die eigene (christliche) Identität und
das eigene (theologische) Selbstbewußtsein artikuliert sich nicht ge-
schichts- und situationslos. Ein Beispiel: Die antinomistische und

---

[15] *Thoma*, Theologie 156; vgl. auch *Sigal*, Emergence I 377–507.
[16] Das erste Zitat stammt von *D. Flusser*, Jesus in Selbstzeugnissen und Bilddokumen-
ten (Hamburg 1968) 44, das zweite von *Nissen* (vgl. Anm. 26) als Überschrift zu den
Seiten 359–389; zur Sache vgl. auch *Sigal*, Halakhah 35–57.
[17] Vgl. *P. Berger – H. Luckmann*, Die gesellschaftliche Konstruktion der Wirklichkeit
(Frankfurt 1969), unter dem Stichwort „Sinnwelt" im Register; auch *Stuhlmacher*, Gesetz 255 verweist allgemein auf die „geschichtliche Situation" der Texte; zum soziologischen Ansatz in der Exegese vgl. *G. Theißen*, Studien zur Soziologie des Urchristentums (WUNT 19) (Tübingen ²1983) und *Frankemölle* (vgl. Anm. 23).

antijüdische Polemik Tertullians (ca. 160–220) ist nur verstehbar vor dem Hintergrund der Konkurrenz der christlichen und jüdischen Gemeinde in Karthago und von Konversionen von polytheistisch glaubenden „Heiden" zum Judentum statt zum Christentum und aufgrund von dabei entstehenden Streitgesprächen (Adv. Jud. 1; PL 2,597); vielleicht wurden „Streitgespräche" auch fiktional eingesetzt als innerchristliche Argumente zur Stabilisierung der Christen, die lediglich durch Juden verunsichert waren. Die „Besorgnis über die Attraktivität des Judentums trotz Christentum und am Christentum vorbei" sowie „die Aufarbeitung pastoraler Ängste"[18] lassen es zu den (in christlicher Literatur allzu bekannten) polemischen, verzeichnenden Äußerungen kommen wie: „Das alte Gesetz behauptete sich durch Ahndung mit dem Schwert, forderte Auge um Auge und nahm Rache für die Unbill. Das neue Gesetz aber hat Sanftmut verkündet, leitet das frühere Wüten und Toben mit Schwertern und Lanzen zu friedlicher Ruhe an und lenkt das frühere kriegerische, gegen die äußeren Feinde und Gegner des Gesetzes gerichtete Treiben in die friedliche Tätigkeit des Pflügens und Ackerbaues hinüber" (ebd. 3; PL 2,604). Die bukolischen Visionen sind dem NT ebenso fremd wie das imperialistische Waffengeklirre im Namen des „Gesetzes" dem AT, ganz abgesehen davon, daß das „Auge um Auge" (Ex 21,24; Lev 24,20; Dtn 19,21) primär die Rechtsgleichheit aller vor dem Gesetz einklagt.

Tertullian ist auch im Hinblick auf das „Gesetzes"-Verständnis des Paulus interessant, wenn er zur klassischen, kontroverstheologischen Auseinandersetzung um das reformatorische Thema von „Gesetz und Evangelium" notiert: „Separatio legis et evangelii proprium et principale opus est Marcionis" (Adv. Marc. I, 19; PL 2,267f), wozu A. v. Harnack bemerkt: „Das Verdienst, den Gegensatz von Evangelium und Gesetz aus den Briefen des Paulus heraus-

---

[18] C. Thoma, Die theologischen Beziehungen zwischen Christentum und Judentum (Darmstadt 1982) 42f. Zum Streit um eine Scheinpolemik gegen Juden bei Tertullian vgl. den Überblick bei R. Kampling, Das Blut Christi und die Juden (NTA N.F. 16) (Münster 1984) 27–38, bes. 29ff; H. Schreckenberg, Die christlichen Adversus-Judaeos-Texte und ihr literarisches und historisches Umfeld (1.–11. Jh.) (Frankfurt – Bern 1982) 216–225, der zwar eine Beeinflussung, aber eine „im ganzen unpolemische Einstellung" (224) meint feststellen zu können; eine rein innerchristliche Auseinandersetzung sehen H. Tränkle (Hg.), Tertulliani adversus Judaeos (Wiesbaden 1964) LXXIIff und D. Rokeah, Jews, Pagans and Christians in Conflict (Leiden 1982) 40–83.

gezogen und für alle Zeiten formuliert zu haben, gebührt dem Marcion", wozu wiederum F. Mußner kommentiert: „Das klingt so, als ob Paulus selbst diesen Gegensatz gar nicht kennen würde, er erst in Paulus hineingetragen worden wäre."[19] Hier deutet sich zumindest die Möglichkeit an, das Christentum zu verstehen ohne die Alternative „Gesetz und/oder Evangelium".

Das Beispiel macht deutlich: Das Vorverständnis bzw. das leitende Interesse ist ein Element jeder Rezeption und jeder Stellungnahme. Die Erkenntnis der neueren Hermeneutik (auch im theologischen Raum) lautet: Dieses jeweilige Vorverständnis ist zu erheben, als Element der Interpretation anzugeben und kritisch zu befragen. Die Relativität der eigenen biblischen Lesart ist dadurch gegeben.

7. Da die jüdische Bibel als AT Teil der christlichen Bibel ist, sind auch christliche Exegeten an das Tora/Gesetzes-Verständnis der hebräischen und griechischen Bibel der Juden bei einer die Glaubens-*geschichte* beachtenden Interpretation verwiesen. Die bleibende theologische Relevanz des AT betonen die „Richtlinien und Hinweise für die Konzilserklärung ‚Nostra Aetate‘, Art. 4", Trier 1976, 35: „Man soll bemüht sein, besser zu verstehen, was im Alten Testament von eigenem und bleibendem Wert ist (vgl. Dei Verbum Nr. 14–15), da dies durch die spätere Interpretation im Lichte des Neuen Testaments, die ihm seinen vollen Sinn gibt, nicht entwertet wird, so daß sich vielmehr eine wechselseitige Beleuchtung und Ausdeutung ergibt (ebda. Nr. 16)".

Heißt dies, daß neben der ntl-christlichen Lesart für Christen auch die atl-jüdische Lesart normativ ist? Dies wäre zu diskutieren, auf jeden Fall dürfte nicht ein einseitiges Paulus-Verständnis für die ganze Schrift maßgebend sein. Konkret heißt dies: Gegen katholische juristische Engführung im Vorverständnis und gegen Vorurteile von „modernen protestantischen (liberalen!) Theologen"[20] sind auch die Gesetzes-Psalmen (Ps 1; 19,8–15; 119) nicht kasuistisch und legalistisch zu interpretieren, wie vor allem Ps 119 vom Kontext her verdeutlichen kann. Überhaupt: Das jüdische Selbstverständnis ist von Christen grundsätzlich zu akzeptieren: „Tora heißt also nie

---

[19] *F. Mußner,* Gesetz und Evangelium, paulinisch und jesuanisch gesehen, in: *J. Reikerstorfer* (Hg.), Gesetz und Freiheit (Wien – Freiburg – Basel 1983) 85–97, ebd. 85 mit den Belegen von Tertullian und v. Harnack.
[20] *R. Smend – U. Luz,* Gesetz (Stuttgart 1981) 34.

Gesetz im Gegensatz zur Gnadenreligion, wie meistens in der christl. Polemik, z. T. als Resultat des hellenistischen Sprachgebrauchs, in dem jede Religion als νόμος galt. Für das Judentum ist die Gabe der Tora das Summum göttlicher Liebe ... Glaube heißt gläubiges Gottvertrauen, hoffende Standhaftigkeit und das aus ihnen erwachsende gehorsame Handeln."[21] Die Benediktionen im täglichen Morgengebet, das jüdische Abendgebet, aber auch das Fest der Torafreude (Simchat Tora) am Ende des Laubhüttenfestes bestätigen: „Das Gesetz ist ganz und gar gut, positiv, erfreulich, glückbringend, es stärkt, baut auf, hilft zum Leben."[22] Die Begriffe Tora und νόμος haben ein außerordentlich weites Bedeutungsspektrum (s. o.), das in den einzelnen Texten jeweils synchron zu erheben ist. Zu einer Systematisierung kam es (wie in der Theologie überhaupt) im Judentum nicht. Die Dichotomien Gesetz-Gnade bzw. Gesetz-Freiheit sind nicht konfessionsspezifisch auf Christentum oder Judentum zu verteilen (s. o. das Motto).

8. Entgegen der historischen Realität einer 1700 Jahre langen Theologiegeschichte und der dort vorherrschenden Klischees, wonach Heil und Erlösung primär in verborgener Innerlichkeit sich vollzog und die gesellschaftliche Einbindung des Menschen in diesem Zusammenhang nicht thematisiert wurde[23], wird im gesamten Judentum „das Alltagsleben als der eigentliche Schauplatz des Gottesdienstes in sein Recht gesetzt, was als Korrektiv gegenüber weltflüchtigen Regungen gewirkt hat"[24]. Eine nüchterne Lesart der Bücher Ex, Lev, Num und Dtn belegt, daß ein großer Teil der „dem Moses am Sinai geoffenbarten Tora" Sozialgesetzgebung ist, die die zwischenmenschlichen und gesellschaftlichen Probleme zu regeln versucht. Daneben wird in Gen vom „Daß" der Volkswerdung Israels und der kosmischen Ermöglichung (Schöpfung) relativ kurz er-

---

[21] *Werblowsky,* Judentum 268f; vgl. *ders.,* Tora als Gnade, in: Kairos 15 (1973) 156–163.

[22] *Smend – Luz,* Gesetz 34.

[23] Vgl. die Kritik von *G. Scholem,* Über einige Grundbegriffe des Judentums (Frankfurt 1970) 168–170. Zur Schwierigkeit, in der deutschen Exegese und Theologie sozialgeschichtliche Fragen theologisch legitim zu machen, vgl. *H. Frankemölle,* Sozialethik im Neuen Testament. Neuere Forschungstendenzen, offene Fragen und hermeneutische Anmerkungen, in: Katholische Soziallehre in neuen Zusammenhängen (Theologische Berichte 14), hg. von *J. Pfammater – F. Furger* (Zürich – Einsiedeln – Köln 1986) 15–88.

[24] *Amir,* Gesetz 52; vgl. auch *Müller,* Begriffe Nr. 4 und 5.

zählt. Insgesamt gilt: Wie Jahwe die Welt konkret erschafft und das Volk sozialpolitisch heranwachsen läßt, erwählt und befreit, so ist auch (in menschlicher Perspektive) die sozialgeschichtliche Grundorientierung eines toragemäßen Lebens ein streng theo-zentrischer Gedanke. Heiliges und Profanes kann im Judentum nicht dualistisch getrennt werden. Dem entspricht: Ein Glaube, der sich in Jahwe und in seiner Ordnung/Tora vertrauend festmacht, ein solcher Glaube „macht dann erst selig", wenn er durch die ihm folgende Tat be-glaubigt wird.

9. Aufgrund dieser theozentrischen Grundorientierung von Kosmos und menschlicher Ordnung ist die Korrelation von Erwählung/Bund und Weisungen/Gebote nicht nur für alttestamentliche Glaubenskonzeptionen festzuhalten, sie ist auch Kennzeichen neutestamentlicher Theologien[25]: „Die Tora ... ist die umfassende, erschöpfende und unüberbietbar-endgültige Offenbarung Gottes selbst, die Erschließung seines Wesens und Willens im Zeugnis von seinem Wirken, das als Heilshandeln sein Ziel und Zentrum hat in der Gemeinschaft zwischen dem sich herabbeugenden Gott und dem ihm gehorsamen Menschen ... Die Tora als Offenbarung und Offenbarungsmitte" ist vom jüdischen Glauben her ebenso identisch wie „die Identität der Offenbarung mit dem sich offenbarenden Gott", so daß die Tora nicht den Zugang zu Gott verstellt, sondern ihn geradezu schafft und ihn gegenwärtig macht. „Diese Deckungsgleichheit der Tora mit der vollen Offenbarung Gottes und die Identität der Offenbarung Gottes mit Gott selber in seiner Selbstmitteilung, mit dem Ort, in dem er als der Erschlossene gegenwärtig ist: dies ist der Grundstein des Judentums. In *diesem* Zentrum findet alles seine Einheit."[26] Sir 17,11 f: „Er hat ihnen Weisheit

---

[25] Zum AT vgl. *W. Zimmerli*, Grundriß der alttestamentlichen Theologie (Stuttgart ⁴1982) 39–49.94; im NT wird u. a. dieser Gedanke vor allem von Matthäus herausgearbeitet; vgl. dazu *H. Frankemölle*, Jahwe-Bund und Kirche Christi. Studien zur Form- und Traditionsgeschichte des „Evangeliums" nach Matthäus (NTA N.F. 10) (Münster ²1984) 91–105.273–307; doch vgl. auch Gal 5,6; Röm 3.21; 12,1 – 15,13.
[26] *A. Nissen*, Gott und der Nächste im antiken Judentum. Untersuchungen zum Doppelgebot der Liebe (WUNT 15) (Tübingen 1974) bes. 330–416, ebd. 330.43.45; vgl. auch *M. Limbeck*, Die Ordnung des Heils. Untersuchungen zum Gesetzesverständnis des Frühjudentums (KBANT) (Düsseldorf 1971). Zu einem traditionsgeschichtlich differenzierten Überblick zum AT vgl. *G. Liedke – C. Petersen*, tora, in: ThHAT 2 (1976) 1032–1043.

geschenkt und ihnen die Tora des Lebens gegeben; den ewigen Bund richtete er mit ihnen auf, er hat ihnen seine Gebote mitgeteilt." Die Dynamik der Herrschaft Gottes und seiner Selbstdurchsetzung in der Welt ist gebunden an die Tora bzw. mit ihr identisch; dem entspricht die Identität der Liebe zu Gott mit der Liebe zur Tora und ihrer Befolgung[27]. Ein Mensch, der so auf Gott und auf die göttliche Tora ausgerichtet ist, glaubend seine Existenz in ihr gründet, ist wahrhaft frei. Dies ist gut jüdisch, wie die Interpretation von Ex 32,16 durch R. Jehoschua b. Levi zeigt: „Ferner heißt es (Ex 32,16): ‚Die Tafeln sind ein Werk Gottes, und die Schrift ist Gottes Schrift, auf die Tafeln eingegraben.' Lies aber nicht Charut (eingegraben), sondern Cherut (Freiheit)! Denn frei ist allein der, der sich mit dem Gesetzesstudium befaßt" (Pirke Abot 6,2; vgl. ebd. 3,7: „Jedem, der das Joch des Gesetzes trägt, nehmen sie das Joch des Königtums und das Joch der weltlichen Sorgen"). Philo bestätigt in seiner Schrift „Jeder rechtschaffene Mensch ist frei" diese Überzeugung (45: ὅσοι μετὰ νόμου ζῶσιν, ἐλεύθεροι), womit er stoische Gedanken variieren dürfte (vgl. Seneca, De vita beata 15,7: deo parere libertas est).[28] Wie die stoischen Weisen, die sich der göttlichen Weltordnung unterordnen, wahrhaft frei werden, so auch jüdische Glaubende, die sich der Tora als der Offenbarung Gottes anheim geben. Hier wie dort wird ein gelingendes Leben innerhalb der menschlichen Gemeinschaft vorausgesetzt. Auch die weisheitlichen Mahnsprüche in der ältesten synoptischen Tradition[29] (sie bilden den Grundbestand der Bergpredigt) zielen als Lebensregeln in Weiterführung von frühjüdischen Weisheitstraditionen auf eine menschlichere und bessere soziale Lebensqualität. Die Wendungen „das vollkommene Gesetz der Freiheit" (Jak 1,25) und „Gesetz der Freiheit" (Jak 2,12) dürften von diesem Kontext vorgeprägt sein.

---

[27] Vgl. *Nissen* 192–197.205–219.

[28] Zu den Stellen vgl. *Sigal,* Halakhah 344–346, und *Dibelius,* Jakobus 148–152.

[29] Vgl. *D. Zeller,* Die weisheitlichen Mahnsprüche bei den Synoptikern (FzB 17) (Würzburg ²1983) *M. Küchler,* Fühjüdische Weisheitstraditionen. Zum Fortgang weisheitlichen Denkens im Bereich des frühjüdischen Jahweglaubens (OBO 26) (Freiburg – Göttingen 1979); zur synoptischen Weisheit ebd. 553–592. Zum umstrittenen Verhältnis der weisheitlichen Begründung zur eschatologischen Begründung (die auch für den Jak hermeneutisch grundlegend ist) vgl. *Frankemölle,* Sozialethik 73–76; die eschatologische Begründung ist eine Möglichkeit neben gleichberechtigten anderen Sprechweisen.

In einem solchen Ansatz ist „Erfüllung der Tora" kein Zeichen von Formalismus oder Beweis von Leistungsfrömmigkeit oder von menschlichem Leistungswillen, es geht nicht um „Werkfrömmigkeit", vielmehr sind die Werke als Zeichen zu verstehen: „Sie offenbaren das Innere des Menschen gegenüber anderen Menschen und vor Gott. In dieser Funktion werden sie im Neuen Testament positiver beurteilt als eine tief in protestantischer Tradition verwurzelte Ablehnung von ,Werkgerechtigkeit' vermuten läßt."[30]

10. Die einzelnen Konzeptionen im NT sind, soweit möglich, jeweils vom biographisch vorgeprägten Vorverständnis des jeweiligen Theologen, dann aber auch umfassend im sozialgeschichtlichen Kontext und in der pragmatischen Wirkintention (jeder Text will bei konkreten Adressaten etwas anderes erreichen) zu interpretieren. Daß dabei die paulinische Lösung weder heute noch für das Urchristentum als kanonkritisches Prinzip eingesetzt werden darf (so Luther, jedoch erst nach 1518), wird auch von evangelischen Interpreten zusehends beachtet.

11. Bei allem christlichen Reden über die Tora und das jüdische Gesetzes-Verständnis ist für uns Christen selbstkritisch ein Wort von J. J. Petuchowski bei einem fachwissenschaftlichen Gespräch zwischen jüdischen und christlichen Theologen zum Thema zu beherzigen: „Ich hoffte das Schofar zu hören, höre aber nur Posaunen." Können wir christliche Theologen jüdische Identität wirklich nachempfinden? Die Hypothek der Kirchengeschichte ist gewaltig.

III. Vergewisserungen und Stichworte zum eigenen Vorverständnis

Christliches „Gesetzes"-Verständnis ist – ob man es will oder nicht – bewußt oder unbewußt von Reformation und Gegenreformation und deren Wirkungsgeschichte geprägt. Dies ist speziell Teil auch der deutschen Geschichte. Man kann sie nicht aufheben, wohl aber sich bewußt machen – auch als Perspektive im eigenen hermeneuti-

---

[30] So mit Recht der evangelische Exeget *R. Heiligenthal,* Werke als Zeichen. Untersuchungen zur Bedeutung der menschlichen Taten im Frühjudentum, Neuen Testament und Frühchristentum (WUNT 2, 9) (Tübingen 1983) V; seine These belegt er eindrücklich auch an den neutestamentlichen Texten (zu Jak ebd. 26–52).

schen Vorverständnis bei der (immer selektiven) Auslegung biblischer Texte.

1. In diesem Kontext auf Luthers Position zum Jak hinzuweisen, ist üblich und sachlich angemessen – sofern seine biographische Sprechsituation mitbeachtet wird (was nicht üblich ist). Bekanntlich sieht Luther in der allgemeinen Vorrede zur Septemberbibel von 1522 im Jak „eyn rechte stroern Epistel gegen sie [im Vergleich zum JohEv und zum Röm, Gal, Eph und 1 Petr], denn sie doch keyn Euangelisch art an yhr hat" (WA, DB 6,10). In der speziellen Vorrede zum Jak heißt es zwar zunächst etwas doppeldeutig: „Die Epistel Sanct Jacobi ... lobe ich vnd halt sie doch für gutt, darumb, das sie gar keyn menschen lere setzt vnd Gottis gesetz hart treybt", was jedoch im reformatorischen Sinn negativ zu interpretieren ist, da „sie stracks widder Sanct Paulon vnnd alle ander schrifft den wercken die rechtfertigung gibt". Der Jak kann somit keine Schrift eines Apostels sein, denn im Vergleich zu allen anderen Schriften, die „alle sampt Christum predigen vnd treyben", stellt Luther zu Jak fest: „Aber diser Jacobus thutt nicht mehr, denn treybt zu dem gesetz vnnd seynen wercken" (WA, DB 7, 384 f).

In modernerem Deutsch[31] lautet seine generelle Begründung: „In Summa: er (Jakobus) hat denen wehren wollen, die sich auf den Glauben ohne Werke verließen und ist für diese Sache an Geist, Verstand und Worten zu schwach gewesen. Er zerreißt die Schrift und widersteht damit Paulus und aller Schrift, wills mit Gesetz Treiben ausrichten, was die Apostel mit Anreizen zur Liebe ausrichten. Darum will ich ihn nicht in meiner Bibel in der Zahl der rechten Hauptbücher haben."

Seitdem klar ist, daß Luther nicht (wie Lutheraner im 17. Jh. meinten[32]) nach 1526 diese abfälligen Bemerkungen stillschweigend zurückgezogen hat, sondern sie im Gegenteil in seinen Tischreden verschärfte (vgl. WA, TR 5, 157.382.414), gehört die lutherische literarische und theologische Einschätzung des Jak sowie die paulini-

---

[31] K. Aland (Hg.), Martin Luther. Die Schriftauslegung (Stuttgart – Göttingen 1963) 64. Zu Luthers Schriftverständnis vgl. die ausgewogene Stellungnahme von P. Stuhlmacher, Vom Verstehen des Neuen Testaments (Göttingen 1979) 90–98.

[32] Vgl. G. Kawerau, Die Schicksale des Jakobusbriefes im 16. Jahrhundert, in: Zeitschrift für Kirchl. Wissenschaft und Kirchl. Leben 10 (1889) 359–370, ebd. 367 f.

sche Theologie als Maßstab für Jakobus bis heute in der Regel zum Repertoire evangelischer Exegeten. Dies unter zwei weitreichenden und hermeneutisch bedeutsamen Fakten: 1. Die Kritik anderer Reformatoren (Karlstadt, Zwingli, Calvin, Melanchthon, Bullinger)[33] an Luthers Kritik am Jak wird nicht beachtet, ebenso nicht die erstaunliche Tatsache: „Im 17. und 18. Jahrhundert steht Jakobus ... bei allen Protestanten in hohen Ehren"[34] (was sich durch die historische Kritik der Neuzeit und durch die konfessionelle Situation wiederum grundlegend änderte).

2. Luthers Kritik am Jak ist nicht nur eine idealistische „religiöse Kritik ... aus dogmatischen Gründen", indem Luther Jakobus mit Paulus konfrontiert oder „neben diesem rein religiösen Grund" auch religionsgeschichtlich zu wenig Christliches im Jak entdeckt[35], Luthers Kritik ist vielmehr als religiöse primär im Kontext seiner Auseinandersetzung um eine Reform der Kirche an Haupt und Gliedern zu verstehen. Nur so ist es zu erklären, daß Luther in seiner Vorlesung über den Römerbrief (1515/16) oder den Galaterbrief (1516/17) durchaus Paulus und Jakobus harmonisieren konnte (Paulus rede von den opera legis, Jakobus von den opera fidei)[36]. Die scharfen, kritischen Äußerungen zum Jak „hängen offensichtlich mit seiner reformatorischen Entscheidung zusammen ... Die einseitige Entscheidung Luthers für Paulus brachte – notwendigerweise – auch ein neues kanonkritisches Prinzip mit sich, insofern nun ‚kanonisch' identisch wird mit ‚apostolisch', wobei aber der Begriff ‚apostolisch' nicht historisch gemeint ist – im Sinne einer apostolischen Verfasserschaft –, sondern kerygmatisch im Sinne von ‚Christentum predigen vnd treyben'"[37], so daß das paulinische Evangelium (vgl. WA 12, 259) Norm aller Theologie wird. Grundgelegt war dieses Formalprinzip lutherischer Theologie bereits im Juni und Juli 1519 in der Leipziger Disputation, als Johannes Eck als Vertreter des Papstes Jak 2,26 den lutherischen Thesen entgegenhielt.

---

[33] Vgl. den Überblick von *M. Meinertz*, Luthers Kritik am Jakobusbriefe nach dem Urteile seiner Anhänger, in: BZ 3 (1905) 273–286; *H. Heinz*, Jakobus in der Sicht Martin Luthers, in: Andrews University Seminary Studies 19 (1981) 141–146.

[34] *Meinertz*, Luthers Kritik 276.

[35] *Dibelius*, Jakobus 78.79 f.

[36] Vgl. z. B. *M. Luther*, Vorlesung über den Römerbrief 1515/1516. Lateinisch-deutsche Ausgabe I (Darmstadt 1960) 95.185.213.233.291.365.

[37] *F. Mußner*, Der Jakobusbrief 45.

In der schriftlichen Erwiderung vom August 1519 (vgl. WA 2, 425) findet sich zum ersten Mal auch eine schriftliche Abwertung des Jak aufgrund der paulinischen Theologie.

Worum es Luther ging, vermag die Wartburgpostille von 1521/22 treffend zu umschreiben: „Gute Werke nennen sie, die Gott nicht geboten hat, als da sind: Wallfahrt, Fasten den Heiligen zu Ehren, Kirchen bauen und schmücken, Meßvigilien stiften, Rosenkränze beten, viel plappern und plärren in den Kirchen, Mönch, Nonne, Pfaffen werden, sonderlich Speis, Kleider und Stätt brauchen, und wer mag sie alle herzählen, die greulichen Greuel und Verführung, das ist des Papstes Regiment und Heiligkeit ... Sie unterstehen sich, das zu tun aus sich selbst, das allein Christus getan hat und tun konnt, von welchem sie es auch gewarten sollten, durch den Glauben" (WA 10 I, 2, 38 f. 43). Die lutherische Theologie ist in höchstem Maße situative Theologie, Element einer ganz konkreten, einmaligen Sprech- und Handlungssituation, in den Anfängen mehr als Re-Aktion denn als Aktion zu verstehen, was auch katholischerseits bei der Aufarbeitung der Ursachen der Reformation in der Gegenwart immer deutlicher gesehen wird[38]. Der biographische Kontext ist, wie die ähnliche kirchenpolitische Situation bei Zwingli und Calvin mit einer anderen Lesart der Bibel zeigen, Teil der Theologie, die grundsätzlich nicht ohne diese sozialgeschichtliche Rück- und Einbindung zu sehen ist. Luthers Sermon von den guten Werken wie auch sein Kleiner und Großer Katechismus, aber auch das Augsburger Bekenntnis (vgl. Art. 20: „Den Unseren wird zu Unrecht nachgesagt, daß sie gute Werke verbieten ...") bestätigen diesen „Sitz im Leben" theologischer Aussagen. Hat Luther (wenn er von Paulus her denkt) die Begriffe Gesetz, Glaube, Werke im Jak sachgerecht bestimmt? Dies ist zu verneinen (s. u. V).

U. Luck hat wie kein anderer in aller Deutlichkeit in jüngster Zeit die Schwierigkeit einer sachgerechten Würdigung des Jak mit der Grundorientierung evangelischer Theologie verbunden. Mit Recht hebt er hervor, „daß natürlich konfessionelle Vorgaben nach wie vor

---

[38] Vgl. z. B. *E. Iserloh,* Geschichte und Theologie der Reformation im Grundriß (Paderborn ²1982) 9–51; *G. Müller – V. Pfnür,* Rechtfertigung – Glaube – Werke, in: *H. Meyer – H. Schütte* (Hg.), Confessio Augustana. Bekenntnis des einen Glaubens (Paderborn – Frankfurt 1980) 106–138; *O. H. Pesch,* Frei sein aus Gnade. Theologische Anthropologie (Freiburg i. Br. 1983).

auch den wissenschaftlichen Umgang mit dem Jakobusbrief bestimmen. Dies kann auch gar nicht anders sein, solange die evangelische Theologie in der reformatorischen Interpretation der paulinischen Rechtfertigungslehre die Mitte der Schrift und den articulus stantis et cadentis ecclesiae sieht."[39] Könnte hier stillschweigend eine Änderung impliziert sein („solange …"), so wird diese bereits in der Einleitung noch ausdrücklich verneint, da es „selbstverständlich" ist, daß „die protestantische Forschung, für die Theologie immer durch die reformatorische Grunderkenntnis bestimmt ist", diesen bleibenden Rückbezug hat[40]. Dennoch versteht Luck nicht wie z. B. R. Walker[41] den Jak antipaulinisch, wonach „die Lehre von der Rechtfertigung auf Grund von Werken … der herausforderndste Ausdruck für den leidenschaftlichen und unreflektierten nomistischen Positivismus des Jakobusbriefs (ist)" und Glauben nach Jak nur „passiv-nomistisch als christliche Gesetzesfrömmigkeit" zu verstehen ist.

Wie stark konfessionsspezifische Standpunkte abgebaut werden können, kann im Hinblick auf Jak an W. Schrage verdeutlicht werden. 1973, in der 1. Auflage der Auslegung des Jak, heißt es am Ende eines Exkurses zum Thema „Glaube und Werke bei Paulus und Jakobus": „Würde Jak in einer Zeit eines libertinistisch verfälschten Paulus gegen einen solchen pervertierten Paulinismus kämpfen und dann stärker als Paulus die Werke betonen, so wäre das durchaus legitim. Aber Jak geht darüber hinaus und trifft Paulus selbst, wenn er die Werke in die Rechtfertigung einbezieht und diese damit nomistisch korrumpiert. Hier scheiden sich die Geister, und evangelische Theologie und Verkündigung wird sich bei diesem Entweder – Oder auf die Seite des Paulus stellen." 1980 lautet diese Stelle in der 2. Auflage fast gleich; statt „nomistisch korrumpiert" heißt es jetzt aber „synergistisch korrumpiert", jedoch wird direkt vorher im Hinblick auf 2, 14 ff – geschichtlich angemessen – festgehalten, „daß die Gesetzesthematik inzwischen keine Rolle mehr spielt"; dennoch bleibt – wohl aus systematischen, konfessionsspezifischen Grün-

[39] U. Luck, Die Theologie des Jakobusbriefes, in: ZThK 81 (1984) 1–30, ebd. 1.
[40] Ebd. 2.
[41] R. Walker, Allein aus Werken. Zur Auslegung von Jakobus 2, 14–26, in: ZThK 61 (1964) 155–192, ebd. 177.189; vgl. auch S. Schulz, Die Mitte der Schrift (Stuttgart – Berlin 1976) 281–291.

den (?) – bestehen: „Entscheidend ist und bleibt die Differenz in der Sicht der Rechtfertigung."[42] Paulus bleibt absoluter Maßstab, Jakobus bietet dagegen konsequent weiterhin eine Korruption. 1982 wertet Schrage in seiner „Ethik des Neuen Testaments"[43] den Jak bereits stärker in sich, wenn er schreibt: „Der Brief ist ganz und gar paränetisch ausgerichtet und protestiert rigoros gegen ein quietistisches, bloß verbal oder kognitiv-theoretisch ausgerichtetes Christentum, das die praktische Verwirklichung im Alltag christlichen Lebens vernachlässigen zu können meint und dadurch zu einem Pseudochristentum erstarrt", jedoch wird weiterhin deutlich diese (berechtigte) Kritik als „Polemik gegen die These von der Rechtfertigung sola fide" gewertet. In 2, 14 ff sieht Schrage nicht nur die These von der „Sinnlosigkeit eines behaupteten Glaubens ohne Werke", vielmehr meint er im Sinne des Jakobus „nur von den übergeordneten Werken auf den untergeordneten Glauben" schließen zu können: „Eine umgekehrte Schlußfolgerung ist dagegen unmöglich." Hier wird der von Jakobus behauptete Synergismus deutlich aus einer hypothetisch vorausgesetzten „Frontstellung des Briefes" gegen einen falschverstandenen Paulinismus einseitig aufgelöst, insgesamt jedoch das Thema des Jak als „konsequente Realisierung eines praktischen, leibhaftigen und konkreten Tatchristentums" angemessen in sich gewürdigt. 1983 schließlich formuliert Schrage, daß „Schlagworte wie Nomismus, Synergismus, Kasuistik, Ethisierung u. ä. ... oft mehr bequeme Schablonen (sind), die zumal im christlich-jüdischen und im evangelisch-katholischen Dialog recht klischeehaft gebraucht werden ... Das Neue Testament drängt nicht bloß auf ein neues Fundament, auf eine Veränderung der Grundhaltung oder gar auf bloßen Gesinnungswandel, sondern auch auf eine konkrete Lebensgestaltung und auf ein ethisches Verhalten zur Welt im einzelnen ... Die Angst vor Gesetzlichkeit und Kasuistik hat hier im Protestantismus oft den Blick verstellt ... Und wer es frühkatholisch nennt, daß im Endgericht danach gefragt wird, was getan und unterlassen worden ist, müßte absurderweise selbst Jesus schon so heißen ... eine Rechtfertigung, die die Gerechtigkeit Gottes nicht als Zu-

---

[42] *W. Schrage,* Der Jakobusbrief, in: NTD 10 (Göttingen 1973) 36 ([2]1980, 37).
[43] *Ders.,* Ethik des Neuen Testaments (GNT 4) (Göttingen 1982) 266–279, ebd. 266.269.268; vgl. auch ebd. 20.

griff auf das Leben verstehen und von der Erfüllung der Gebote dispensieren würde, ist nicht einmal paulinisch."[44]

Diese historisch-kritische, sachgerechte Interpretation basiert auf einem Vorverständnis, für das Werke nicht eo ipso Beweis für eine Leistungsethik oder „Werkfrömmigkeit" sind. Sie sind vielmehr in ihrer Zeichenfunktion[45] für einen wirklichen Glauben zu verstehen, bei dem Bekenntnis und Ethik eine unzertrennbare Einheit bilden. Dies hat (mit Schrage) für die Beurteilung des Jak Konsequenzen: „Man sollte auch den gesamten Jakobusbrief nicht aus der Perspektive seiner in der Tat unpaulinischen Rechtfertigungslehre in 2, 14 ff beurteilen ... Aber damit ist der ganze Brief noch nicht als vom Verdienstgedanken beherrscht abzuqualifizieren. Der Verfasser weiß, daß Christen Empfangende sind (1, 17 f). Er weiß, daß die fruchtbringende Weisheit, die sich in friedensbereiten und erbarmenden Werken manifestiert, von oben kommt (3, 17)."[46] Damit wäre (was von Schrage nicht mehr thematisiert wird) auch im Jak das Problem von Indikativ und Imperativ angesprochen. Hermeneutisch noch entscheidender und weittragender ist die Erkenntnis, „daß die befreiende und in Anspruch nehmende Person Jesu Christi die Mitte neutestamentlicher Ethik ist". Wenn „die Entsprechung zu Jesus Christus die entscheidende Orientierung neutestamentlicher Ethik" ist[47], dann ist mit Schrage nicht nur auf das fast völlige Fehlen des Christusnamens im Jak hinzuweisen, sondern u. a. mit F. Mußner

---

[44] *Ders.*, Zur Frage nach der Einheit und Mitte neutestamentlicher Ethik, in: Die Mitte des Neuen Testaments. FS. E. Schweizer, hg. von *U. Luz – H. Weder* (Göttingen 1983) 238–253, ebd. 242 f.245.241. Zur Schwierigkeit evangelischer Exegeten, „von der konkreten Bedeutung der Rechtfertigung in der Existenz des Christen" zu sprechen, vgl. auch *U. Wilckens*, Römer I 250–257, ebd. 255. Zu einem Überblick zu gegenwärtigen Ansätzen vgl. *D. Schellong*, Ethik (aus evangelischer Sicht), in: NHthG 1 (1984) 287–297 und *O. H. Pesch*, Rechtfertigung, ebd. 3 (1985) 452–470.

[45] Vgl. *Heiligenthal*, Werke als Zeichen passim, bes. 312–315.

[46] *Schrage*, Einheit 243 f, wobei Schrage allerdings darauf hinweist, daß Jakobus diese Sicht nicht zum Tragen bringt. Auch wenn Jakobus sie nicht ausdrücklich in aller Breite entfaltet, trägt sie dennoch sein ganzes theologisches Gebäude; vgl. dazu z. B. *J. L. Blondel*, Le fondement théologique de la parénèse dans l'épitre de Jacques, in: RThPh 29 (1979) 141–152, sowie die Feststellung aus dem Jahre 1985 von *R. Hoppe*, Der theologische Hintergrund des Jakobusbriefes (FzB 28) (Würzburg 1977; ²1985) 173: „*Daß* hinter dem Jak also eine theologische Konzeption steht, scheint mir evident zu sein. Erfreulicherweise hat sich diese prinzipielle Sicht mittlerweile auch allgemein durchgesetzt."

[47] *Schrage*, Einheit 250.

die Frage nach der Einheit und Übereinstimmung der Ethik des Jakobus mit der Ethik Jesu (nach Matthäus) zu stellen[48]. Diese Besinnung auf den „christozentrischen Grundzug" jeder neutestamentlichen Ethik[49] und jeder neutestamentlichen Theologie[50] könnte in hohem Maße fähig sein, verkrustete konfessionelle Vorverständnisse aufzubrechen. Auch Luck[51] deutet mit knappen Hinweisen diese Richtung an, wenn er abschließend die für Paulus und Jakobus erarbeiteten gemeinsamen Weisheits-Traditionen mit der ältesten Jesusüberlieferung in Q verbindet. Vergleicht man jedoch die weisheitlich geprägten Mahnsprüche des Jakobus und die weisheitlichen Mahnsprüche bei den Synoptikern[52], ist nicht nur „eine unverkennbare Nähe" des Jak „zur synoptischen Jesusüberlieferung" zu konstatieren[53], sondern auch deren gemeinsame Wurzel in der frühjüdischen Theologie (s. o. II). Für das Gesetzesverständnis des Jakobus hat dies weittragende Folgen, da er nun nicht mehr theologiegeschichtlich im Widerspruch zu Paulus interpretiert wird, sondern als eigenständige christliche Transformation im jüdischen Kontext.

Daß diese Verlagerung nicht nur für die Interpretation des Jak bedeutsam ist, sondern auch für das interkonfessionelle Gespräch, sei abschließend nur angedeutet.

IV. Vergewisserung und Stichworte zu Paulus

Bei diesem Punkt kann es noch weniger darum gehen, auch nur im Ansatz argumentativ die Thesen abzusichern. Es seien nur einige Impulse formuliert, die die Richtung des Weges angeben können, auf dem man (vielleicht) zu sachgerechten Ergebnissen kommt.

---

[48] Vgl. dazu F. Eleder, Jakobus und die Bergpredigt (masch.-schriftl. Diss., Wien 1964); E. Schawe, Die Ethik des Jakobusbriefes, in: WuA 20 (1979) 132–138; Mußner, Jakobusbrief 47–52; Hoppe, Hintergrund 119–148.

[49] Vgl. dazu R. Schnackenburg, Die neutestamentliche Sittenlehre in ihrer Eigenart im Vergleich zu einer natürlichen Ethik, in: J. Stelzenberger (Hg.), Moraltheologie und Bibel (Paderborn 1964) 39–69, ebd. 48 ff.

[50] Vgl. dazu jetzt etwa U. Luz, Einheit und Vielfalt neutestamentlicher Theologien, in: Luz – Weder, Mitte 142–161, bes. die These ebd. 146, die im folgenden begründet und entfaltet wird.

[51] Luck, Theologie 29 f.

[52] Vgl. Zeller, Mahnsprüche (Anm. 29).

[53] Hoppe, Hintergrund 148 (als Ergebnis).

1. Es ist in der Exegese unbestritten, daß die paulinische These von der Rechtfertigung allein aus Glauben vor und neben Paulus bislang nicht belegt ist, da für die jüdische Theologie jeder Provenienz eine Alternative von Glaube-Werke nicht existiert und vom üblichen jüdischen Glaubens-Verständnis es diese auch gar nicht geben kann. Dies bedeutet generell für Jakobus: Paulus als Ausnahmetheologe kann nicht Norm und Maßstab für andere Theologen sein, vielmehr ist Paulus selbst am sprachlichen und nichtsprachlichen Handeln Jesu (Botschaft von der Basileia Gottes und ihrer Praxis/Ethik) zu messen[54]. Im Hinblick auf Paulus ist in aller Nüchternheit historisch festzustellen, „daß eine antipaulinische Einstellung seit der korinthischen und der galatischen Krise Anfang der fünfziger Jahre sowohl von dem liberalen als auch konservativen Judenchristentum Jerusalems geteilt wurde"[55].

2. Entgegen dem christlich-europäischen Hang zur Systematisierung der paulinischen Theologumena ist verstärkt die Sperrigkeit der paulinischen Gedanken und ihre Situationsbezogenheit zu beachten. „Der unbekannte Paulus" ist neu zu entdecken, bei dem es „ganz offenbare Gegensätze – theologisch und persönlich (gibt). Er ist der leidende, verfolgte und schwache Apostel und zugleich der charismatische Kraftmensch", bei dem es eine theologische Entwicklung gibt und der „teilweise viel mehr gemeinchristlich bestimmt (war), als wir es erlauben"[56]. Neue pastorale Situationen und neue Gesprächspartner erforderten von ihm neue theologische Antworten, so daß das Verhältnis des Paulus zum Judentum ebenso „komplex und widersprüchlich" ist[57] wie zur Gesetzes-Frage[58].

---

[54] Vgl. z. B. *H. Schürmann,* „Das Gesetz des Christus" (Gal 6,2). Jesu Verhalten und Wort als letztgültige sittliche Norm nach Paulus, in: Neues Testament und Kirche. FS R. Schnackenburg, hg. v. *J. Gnilka* (Freiburg i. Br. 1974) 282–300. Zur Antinomie des paulinischen Gesetzes-Begriffes im Gal (mit dem Wendepunkt Gal 5,12) vgl. auch *H. Hübner,* Das ganze und das eine Gesetz, in: KuD 21 (1975) 239–256.

[55] *Lüdemann,* Paulus (Anm. 5) 165 (als Ergebnis); vgl. auch *Smend – Luz,* Gesetz 75–79.

[56] *J. Jervell,* Der unbekannte Paulus, in: *S. Pedersen* (Hg.), Die Paulinische Literatur und Theologie (Aarhus – Göttingen 1980) 29–49, ebd. 34.48.49.

[57] Vgl. als ersten Einstieg: *G. Lüdemann,* Paulus und das Judentum (München 1983); das Zitat findet sich ebd. 41.

[58] Vgl. *U. Wilckens,* Zur Entwicklung des paulinischen Gesetzesverständnisses, in: NTS 28 (1982) 154–190; anders jetzt wiederum, stark systematisierend, *Klein,* Gesetz 65 (ebd. ein Kurzüberblick zum Diskussionsstand).

197

Auch bei Paulus ist die Interdependenz von Situation und Theologie unaufhebbar.

3. Das paulinische Denken selbst in ein und demselben Text (wie dem Gal oder Röm) ist nicht systematisch, sondern additiv und akkumulativ. „Denn das kontroversielle Problem ‚Jk und Paulus' ist ebensosehr ein Problem innerhalb des Römerbriefs als solchem. Das Verhältnis zwischen Röm 2,6.13 und Röm 3,28 ist ein genauso akutes Problem wie die ‚Doctorfrage' nach der Relation zwischen Jk 2,24 und Röm 3,28." [59] Solche Aporien und „Widersprüche" im Verlauf der paulinischen Briefe als Gelegenheitsliteratur sind ebenso auszuhalten wie die genannte Aporie im Römerbrief selbst, wie immer man sie erklärt. Eine isolierte Versexegese desavouiert sich selbst angesichts der Einheitlichkeit der vorliegenden Briefe.

4. Ökumenisch bedeutsam ist die Tatsache, daß neben der verstärkten Feststellung und Aufarbeitung von Weisheits-Traditionen bei und durch Paulus, durch die er mit ältesten synoptischen Traditionen verbunden wird, auch Parallelen zwischen Paulus und Jesus in der Eschatologie, Theologie und Christologie deutlicher gesehen werden[60]. Die Bedeutung solcher Beobachtungen für die paulinische Theologie ist unzweifelhaft (selbst in dieser „Relativität" verliert Paulus seine einzigartige theologiegeschichtliche Stellung nicht), ebenso unzweifelhaft ist sie jedoch für die Eigenständigkeit des Jakobus und seines Gesetzes-Verständnisses (auch dies trotz allem Eingebundensein in jüdische Theologie und angesichts der zu Paulus unterschiedlichen Position).

---

[59] E. Baasland, Der Jakobusbrief als Neutestamentliche Weisheitsschrift, in: StTh 36 (1982) 119–139, ebd. 130. Die These von Stuhlmacher, Gesetz 278, „Matthäus und Jakobus nicht einfach als Äquivalent, sondern als Korrektiv des paulinisch-johanneischen Glaubensverständnisses" zu werten, da „die dialektische Gesetzestheologie des Paulus und des 4. Evangeliums" der Verkündigung Jesu „in sachlich höherem Maße entspricht" als die theologischen Konzeptionen von Jakobus und Matthäus, wäre sachlich zu diskutieren, bevor sie akzeptabel ist.

[60] Vgl. E. Schweizer, 1. Korinther 15,20–28 als Zeugnis paulinischer Eschatologie und ihrer Verwandschaft mit der Verkündigung Jesu, in: Jesus und Paulus. FS W. G. Kümmel (Göttingen 1975) 301–314; W. Schrage, Theologie und Christologie bei Paulus und Jesus auf dem Hintergrund der modernen Gottesfrage, in: EvTh 36 (1976) 121–154.

V. Das Gesetz im Jakobusbrief

1. Zum methodischen Ansatz

Auch theologisch wichtige Begriffe werden im Jak ohne nähere Erläuterungen eingeführt, der Verfasser setzt sie also bei den Adressaten als bekannt voraus. Für sekundäre Rezipienten des Jak heute kann die Frage, wie verstand Jakobus z. B. den Begriff „Gesetz", „nur aus einer semantischen Kontextanalyse gewonnen werden"[61]. Diesem methodischen Ansatz Mußners in der 3. Auflage seines Kommentars zum Jak von 1975 ist ohne jeden Abstrich zuzustimmen: Begriffe sind nur von ihrem Kontext und von der jeweiligen Sprachverwendung her zu interpretieren. Anders gesagt: Das übliche traditionsgeschichtliche Lesemodell des Jak ist durch die redaktionsgeschichtliche Lesart zu ersetzen, wobei traditionsgeschichtliche Hinweise für das synchrone Lesen weiterhin ihre unaufgebbare Bedeutung behalten (s. o.). Der thematisch-theologische Gewinn einer solchen synchronen, *text*linguistischen Betrachtungsweise (bekanntlich wird die Frage immer wieder gestellt, ob denn die moderne Sprach- und Literaturwissenschaft für die exegetische Arbeit etwas austrage) ist – durch die größere Aufmerksamkeit gegenüber dem vorliegenden Text bedingt – bei Mußner selbst festzustellen. Im Hinblick auf den Begriff „Gesetz", der neben 1,25 und 4,11 (4mal) vor allem 5mal in dem zusammenhängenden Text 2,8–12 vorkommt, hatte er 1964 und in der 2. Auflage 1967 zu 2,8 f formuliert: „Welchen Sinn aber hat im V 8 die Redeweise vom ‚königlichen' Gesetz? Der weitere Kontext zeigt, daß damit nicht ‚das' Hauptgebot im Sinn von Mt 12,31 parr gemeint ist; denn im folgenden geht es nicht um das ‚Hauptgebot' und das Verhältnis der anderen Gebote zu ihm, sondern um die These, daß die Verletzung eines einzigen Gebotes eine unteilbare Totalverletzung des ganzen Gesetzes ist ... Darum scheint mit dem Ausdruck ‚königliches Gesetz' nur gesagt zu sein, daß das Gebot von Lev 19,18 *königlichen Rang* unter den anderen Geboten hat" (124). 1975 lautet die Schlußfolgerung in der 3. Auflage wie folgt: „In dem ausdrücklich angeführten Liebesgebot von Lev 19,18 sieht aber Jak ganz deutlich die Zusammenfas-

---

[61] *Mußner,* Jakobusbrief 241.

sung der 2. Tafel; denn er nennt ja ausdrücklich das Liebesgebot das
Gebot von ‚königlichem' Rang. Dieser Zusammenhang wird außerdem sprachlich hergestellt durch die Begründungspartikel γάρ Anfang des V 10. Das bedeutet: Jak stellt nicht x-beliebige Gebote
heraus, sondern sieht das ‚ganze Gesetz' zentriert im Liebesgebot.
Jak macht also die von Jesus und Paulus schon vollzogene Reduk-
tion der vielen Gebote auf das Liebesgebot entschlossen mit, so daß
es Unsinn ist, Jak der Vergesetzlichung des Evangeliums zu bezichti-
gen. Das ist nicht das Ergebnis einer nachträglichen, ‚katholischen'
Harmonisierung, sondern einer am Text und Kontext orientierten
Exegese" (242f)[62].

Diese Aufhebung der Relativität des Liebesgebotes „unter den anderen Geboten" und sein Verständnis als Zusammenfassung der
ethischen Gebote wird im folgenden aber zu der These zugespitzt:
„Die theologische ‚Mitte' des Briefes ist ... der auf das Liebesgebot
radikal reduzierte νόμος" (249). Läßt sich diese These am Jak nachweisen? Muß es überhaupt (angesichts der jüdischen Art, Theologie
zu treiben) eine systematische „Mitte" geben? Zunächst: Was heißt
νόμος im Sinne des Jakobus? Diese Frage soll zunächst innertext-
lich, semantisch beantwortet werden; im Nachhinein soll die Frage
dann auch unter textpragmatischen Aspekten, d. h. unter Einbeziehung der intendierten Wirkung des Verfassers auf ganz bestimmte
Adressaten, skizziert werden. Dies sind Arbeitsschritte, die sich
sachlich gegenseitig bedingen, da erst das „Gewebe" (textum: Tex-
til) des ganzen jakobinischen Textes auf Einstellungen und Verhaltensweisen der Adressaten wirkt[63].

2. Der Begriff „Gesetz" im Jak unter textsemantischen Aspekten
(Glaube, Werke)

Die Statistik ist unbestritten. Der Begriff νόμος findet sich 10mal im
Jak. Außer in 1,25 4mal in 4,11; neben diesem isolierten Vorkom-

---

[62] Der vorletzte Satz ist bei *Mußner* gesperrt.
[63] Zur methodischen und linguistischen Begründung dieser Schritte vgl. *Frankemölle*,
Handlungsanweisungen 29–49 und 199–204.209–213 u. ö. – Das Adjektiv „jakobinisch"
entspricht analogen Bildungen im NT (petrinisch, paulinisch); es sollte nicht aufgrund
von anachronistischen Assoziationen an die radikalen Republikaner Frankreichs
Ende des 18. Jh. aus dem ntl. Sprachgebrauch verbannt sein.

men dann vor allem auch kontextuell in einer u. a. von diesem Begriff strukturierten kleinen Einheit 2, 1–13 (2, 8.9.10.11.12). Neben dem absoluten Begriff in 4, 11 herrschen Syntagmen vor, seien dies nun Verbindungen mit Adjektiven oder Substantiven. Es sind zu notieren: „Das vollkommene Gesetz der Freiheit" (1, 25), „das königliche Gesetz" (2, 8), „das ganze Gesetz" (2, 10) und „das Gesetz der Freiheit" (2, 12):

1,25 ὁ δὲ παρακύψας εἰς νόμον τέλειον τὸν τῆς ἐλευθερίας
2,8   εἰ μέντοι νόμον τελεῖτε βασιλικόν
2,9   ἐλεγχόμενοι ὑπὸ τοῦ νόμου ὡς παραβάται
2,10 ὅστις γὰρ ὅλον τὸν νόμον τηρήσῃ
2,11 γέγονας παραβάτης νόμου
2,12 ὡς διὰ νόμου ἐλευθερίας μέλλοντες κρίνεσθαι
4,11 καταλαλεῖ νόμου καὶ κρίνει νόμον
      εἰ δὲ νόμον κρίνεις, οὐκ εἶ ποιητὴς νόμου ἀλλὰ κριτής.

Der variierende Rückgriff in 2, 12 auf 1, 25 ist ebenso auffällig wie die Ersetzung des Adjektivs τέλειον von 1, 25 durch das Verbum τελεῖτε („wenn ihr vollendet/erfüllt das königliche Gesetz") in 2, 8. Das Verbum in 2, 10: „das ganze Gesetz halten" ist zu 2, 8 eine sprachliche Variation. Die Gegenbegriffe finden sich substantiviert in 2, 9 und 2, 11 („Übertreter des Gesetzes") – je nach Kontext an der ersten Stelle pluralisch, an der zweiten Stelle singularisch. Der anthropologische Bezug des „Gesetzes" ist an allen Stellen vorherrschend, er ist vor allem garantiert durch die Funktion des „Gesetzes" als Objekt einer menschlichen Handlung. Dies ist für die pragmatische Interpretation festzuhalten, da bereits durch diese syntaktischen Bemerkungen deutlich wird, daß Jakobus sich nicht als Lehrer (vgl. 3, 1) einer systematischen Theologie, sondern von praktischen Handlungsanweisungen versteht. Eine Sonderstellung nimmt 2, 12 ein („So redet und so handelt als solche, die durch das Gesetz der Freiheit gerichtet werden"), aber auch hier bleibt das Gesetz als Maßstab des göttlichen Gerichtes anthropologisch orientiert. In pervertierter Form wird dieser Gerichts-Gedanke in 4, 11 aufgenommen („Wenn du aber das Gesetz richtest, bist du nicht ein Täter des Gesetzes, sondern ein Richter"), ist doch nach gemeinjüdischer und gemeinchristlicher Auffassung „ein einziger Gesetzgeber und Richter" (4, 12): Gott. Es ist nicht am Menschen, das Gesetz zu richten, sondern es zu tun („Täter des Gesetzes"), womit Jakobus am

Ende des Briefes zum praxisorientierten Gesetzesverständnis zurücklenkt.

Dieser knappe Überblick mag verdeutlichen, wie sehr die einzelnen Stellen thematisch zusammenhängen, aber auch, wie sehr trotz dieser Kontextualität die Begriffe nicht sehr viel eindeutiger werden. Hier liegen die Grenzen einer verengten Wortfeldanalyse, die durch eine umfassende Kontextanalyse ausgeglichen werden können. Was bleibt, ist jedoch die Korrelativität der einzelnen Stellen.

Neben der anthropologischen, auf die Praxis der Christen bezogenen Rückbindung des Begriffes „Gesetz" ist vorab noch auf eine weitere Beobachtung hinzuweisen, damit nicht unter der Hand die Beschäftigung mit dem Gesetz im Jak sich verselbständigt.

a) Ort und Funktion des „Gesetzes" im Jak

Nicht nur das faktische Vorkommen von Begriffen, auch ihr Fehlen (vor allem in naheliegenden Zusammenhängen) gibt wichtige Hinweise für deren Verständnis. Im Hinblick auf den Begriff „Gesetz" im Jak ist es auffällig, daß er in 2, 14–26 – den allgemein mit „Herzstück" und als „sachliche Mitte" des ganzen Briefes charakterisierten Versen – fehlt. In dieser kleinen Abhandlung über Glaube und Werke und ihr Verhältnis zueinander drängte es sich geradezu auf, die Tora auch explizit als Autorität anzuführen und sie nicht nur zu zitieren (vgl. Gen 22, 2.9 in 2, 21 und Gen 15, 6 in 2, 23 sowie das Beispiel von Rahab in 2, 25). Dieser theologische Autoritätsbeweis fehlt nicht nur hier, dieses Fehlen ist vielmehr Kennzeichen des ganzen Briefes. Damit stimmt überein, daß Jakobus in 2, 14 ff wohl von den Werken, nirgendwo jedoch von den „Werken des Gesetzes" (wie Paulus) spricht. Somit geht es auch in 2, 14 ff (s. u.) nicht um eine Gesetzesproblematik. Im ganzen Brief entwickelt Jakobus keine Gesetzes-Lehre, nirgendwo wird das Gesetz im eigentlichen Sinne thematisiert; wo es auftaucht, bildet es nicht den Hauptgedanken, steht vielmehr in Funktion zu diesem. Weil dies so ist, sieht Jakobus sich auch nicht genötigt, die Verkürzung der Tora um Kult- und Zeremonialgesetze und ihre Konzentration auf die zweite Tafel des Dekaloges zu begründen – selbst dort nicht, wo er dazu auffordert, „das ganze Gesetz" zu halten (2, 10). Dies in der (sicheren) Erkenntnis, daß nach atl-jüdischer Auffassung alle Gebote der Tora gleichwertig sind und darum jedes unantastbar ist, denn: „Die Tafeln

hatte Gott selbst gemacht, und die Schrift, die auf den Tafeln eingegraben war, war Gottes Schrift" (Ex 32,16). Diese prinzipielle
Gleichwertigkeit aller Gebote ist im vorrabbinischen ebenso belegt
wie im rabbinischen Judentum (vgl. auch Gal 3,10; 5,3; Röm
2,25).[64] Wie die synoptische und paulinische Literatur zeigt, kann
ein Gesetzes-Verständnis zwar kritisch-selektiv, jedoch nicht stillschweigend exklusiv die Hälfte der Tora unbeachtet lassen. Dies ist
keine Frage, ob dies Jakobus „offenbar nicht zum Bewußtsein"
kam[65], wohl jedoch, ob Jakobus überhaupt eine Gesetzes-Didachē
abfassen wollte, was zu verneinen ist. Jakobus betreibt in primärer
Intention keine gelehrte Gesetzesauslegung.

Diese Erkenntnis wird bestätigt durch eine Beobachtung am Prolog (1,2–12) und Epilog (5,7–20). Während alle anderen kleinen Ab-
handlungen im Prolog oder im Prolog und Epilog ihre Stichworte
haben, taucht „Gesetz" als Leitwort weder im Prolog noch im Epilog
auf. Die formale und thematische Einheit des Jak[66] ist nicht „gesetz-
lich" orientiert. Diese Ausrichtung ist auch unter textpragmatischer
Hinsicht beachtenswert. Es bleibt zu fragen: Wenn nicht das „Gesetz" theologische Mitte des Briefes ist, welchem Thema bzw. welchen Themen dient dann der Begriff „Gesetz" an den Stellen, wo er
belegt ist? Nicht das isolierte Wort vermag eine Antwort geben, sondern nur das semantische Feld, in das das Wort wie in ein Netz syntaktisch und semantisch eingebunden ist. Dies gilt es im folgenden
herauszuarbeiten.

b) 1,25: „Wenn er hineingeschaut hat in das vollkommene
   Gesetz der Freiheit ..."

Bereits die im Griechischen partizipiale Wendung (ὁ δὲ παρακύψας)
zeigt aufgrund ihrer syntaktischen Stellung die Unterordnung des
Gedankens. Das Verbum „hineinschauen" variiert die Verben „betrachten" in 1,23b und 24a. V 25 nimmt also deutlich die Metapher

---

[64] Vgl. *Amir*, Gesetz 53; zu den Stellen und zu einem kurzen Überblick vgl. *Nissen*,
Gott und der Nächste 335–342.

[65] *Schrage*, Ethik 273, der jedoch ebd. 272 f zu Recht betont, daß „die Gesetzesthematik
und -auslegung im Brief als Ganzem trotz der programmatischen Sätze in 2,8–12 keine
herausragende Stellung in der Paränese" einnimmt.

[66] Zu Prolog und Epilog vgl. den Exkurs „Zur formalen und thematischen Einheit des
Jak" in meinem z.Z. in Arbeit befindlichen Kommentar zum Jak in der Reihe „Öku-
menischer Taschenbuch-Kommentar" (Gütersloh – Würzburg).

vom Spiegel und V 23 f auf, damit aber auch das leitende Thema, das von Oppositionsbegriffen/Antonymen geprägt ist, und zwar nicht nur durch Einzelworte, sondern durch Syntagmen/feste Wendungen als da sind: 1,22: „Täter des Wortes" – „nicht allein Hörer (des Wortes)"; 1,23: „Hörer des Wortes" – „nicht Täter (des Wortes)"; 1,25: „nicht ein vergeßlicher Hörer (des Wortes)" – „Täter des Werkes" mit der abschließenden Seligpreisung in 1,25 c: Nur der „Täter des Werkes" „wird selig sein durch sein Tun". Das kontrastive syntagmatische, semantische Feld ist eindeutig: es geht um den Gegensatz von Hören und Tun, von Rede und Tat[67]. Da der „Hörer des Wortes" in V 23 mit dem vergeßlichen (24 b.25 b) Mann verglichen wird, der direkt nach Betrachten seines Gesichtes es schon wieder vergessen hat, kann – parallel dazu – „das vollkommene Gesetz der Freiheit" von 1,25 nur das von den Christen angenommene „eingepflanzte Wort" (1,21) (aber konkretisiert durch ein Christentum der Tat) sein. Mit den Worten des Jakobus: „Werdet aber Täter des Wortes!" (1,22), was mit der Wendung „Täter des Werkes" (1,25 b) demnach identisch ist. Synonym ist demnach auch die Wendung „das vollkommene Gesetz der Freiheit" (25 a) mit „das eingepflanzte Wort" (21 b).

Zwar kennt Jakobus nicht den Begriff „Evangelium", jedoch bleibt zu überlegen, ob der Sprachgebrauch der hellenistischen christlichen Missionssprache mit der Identifikation von „Wort Gottes" mit Evanglium (vgl. Mk 4,14; 1 Thess 2,13; 1 Kor 1,18; Apg 4,31; 6,2.7 u. a.)[68] nicht auch für Jakobus vorauszusetzen ist. Immerhin hängt in 1,21 b von der Annahme dieses Wortes für die christlichen Adressaten die Rettung ihrer Seelen ab („das eure Seelen zu retten vermag"). Dabei wird nach Jakobus das Wort/Evangelium nicht von einem Missionar bzw. Lehrer eingepflanzt (1,21), sondern von Gott, wie der Stichwortanschluß zu V 18, dem Schlußvers der ersten größeren Einheit (1,2–18), bestätigt: „Kraft seines Willens hat er (der Vater: 17; Gott: 13) uns geboren durch das Wort der Wahrheit, damit wir eine Art Erstlingsfrucht seiner Geschöpfe seien". Hier geht es um die Annahme des verkündeten Wortes/Evangeliums allgemein oder auch speziell in der Taufe[69]. Gottes Aktivität

---

[67] Gegen *Mußner*, Jakobusbrief 241, der nur das „Wort" als Stichwort-Verbinder sieht.
[68] Zu einem Überblick vgl. *H. Ritt*, λόγος, in: EWNT 2 (1981) 880–887.

wird betont durch die Verben in 1, 18.21. Dem *Tun* Gottes soll das *Tun* des Menschen entsprechen[70]. Dies war bereits die Aussagerichtung in 1, 2 ff; auch dort leitet Jakobus aus dem Sein und Handeln Gottes das christliche Sein und Handeln ab: Da Gott ganz, ungeteilt ist und vorbehaltlos und ohne zu nörgeln gibt, sollen auch die Christen ganz und ungespalten sein[71]. Dieses Thema wird in der zweiten kleinen Einheit des Jak (1, 19–27) im Hinblick auf die christliche Praxis verstärkt fortgeführt.

Treffen die syntaktischen und semantischen Hinweise zu, dann meinen „Wort der Wahrheit" (1, 18) und „das eingepflanzte Wort" (1, 21) im christlich verstandenen Sinn des Evangeliums „in diesem Zusammenhang nichts anderes als das Gesetz, wie der Schluß des Absatzes V 25 zeigt, aber eben das vollkommene Gesetz, das Gesetz der Freiheit"[72]. „Das ‚vollkommene Gesetz der Freiheit', das ‚Gesetz' also, das den Menschen in die Freiheit zu führen vermag, ist aufgrund des Kontexts kein anderes als das eingepflanzte Wort der Wahrheit, durch das uns Gott gezeugt hat. Das vollkommene Gesetz der Freiheit ist identisch mit dem Wort der Wahrheit von V 18"[73], wobei allerdings in beiden Zitaten im Sinne des Jakobus die parallelen Begriffe „Wort" und „Gesetz" inhaltlich praxisorientiert zu verstehen sind. Evangelium (hätte Jakobus diesen Begriff benutzt) und „das vollkommene Gesetz der Freiheit" wären identisch, beide Begriffe allerdings im christlich transformierten Sinn. Ob dabei das Genetivattribut „der Freiheit" eine kontrastive, „abhebende Funktion" („das vollkommene Gesetz der Freiheit wird abgehoben von einem unvollkommenen Gesetz, das nicht in die Freiheit zu führen vermag"[74]) hat oder als Genetivus qualitatis den Sinn dieses Begriffes qualitativ festlegt, ist von der Syntax offenzuhalten. Angesichts der Freude und Freiheit vermittelnden Tora im AT und Judentum

---

[69] Letzteres bes. *Mußner,* Jakobusbrief 95 f.241.243 (zu Beginn betont er jedoch beide Möglichkeiten).

[70] Nur vom „Reden Gottes" zu sprechen (*Heiligenthal,* Werke 29), verkürzt die textliche Dynamik.

[71] Zur Begründung vgl. *H. Frankemölle,* Gespalten oder ganz (Anm. 10).

[72] *K. G. Eckart,* Zur Terminologie des Jakobusbriefes, in: ThLZ 89 (1964) 521–526, ebd. 524.

[73] *Mußner,* Jakobusbrief 241.

[74] Ebd. 242.

(vgl. oben II) ist eine kritische Nuance – auch angesichts der positiven Grundorientierung des Jak hinsichtlich des Judentums – bei Jakobus aus traditionsgeschichtlichen und semantischen Gründen nicht zu vermuten.

Zusammenfassend ist 1. auf den stark theozentrischen Grundzug als Ansatzpunkt im jakobinischen Denken hinzuweisen (1,18.21), 2. auf die anthropologischen Konsequenzen aus diesem Angebot: will der Mensch gerettet werden und zur Freiheit gelangen, muß er Gottes Angebot „annehmen" (1,21), wobei das aktive Annehmen die Konkretisierung des Wortes im Tun erfordert. Dies ist wahre „Frömmigkeit" (1,26 a.b.27), „Witwen und Waisen in ihrer Bedrängnis" zu helfen (27 b), wie es den traditionellen Werken der Barmherzigkeit entspricht[75]. Mit diesem abschließenden Beispiel verbaut Jakobus einer möglichen Gefahr, über die Praxis nur zu theoretisieren, jeden Ansatz. 3. Die soteriologische Zusage (in 1,21 an die Annahme des Wortes gebunden) wird im Verlauf der Argumentation auf den „Täter des Werkes" beschränkt (25 c). Nur er ist „Erstlingsfrucht seiner (Gottes) Geschöpfe" (1,18). Der Makarismus wird dabei nicht mehr weisheitlich verstanden, sondern mit dem Gerichtsgedanken verbunden (vgl. 1,12; 2,14; 5,20). 4. Es dürfte eindeutig sein, daß „Gesetz" nicht als Einzelforderung in diesem Text zu verstehen ist, sondern als umfassender theologischer Begriff. Wie „für das ganze Judentum" so steht auch für Jakobus fest, daß das rechte Verhalten gegenüber Gott nicht abgesehen und abseits von dem rechten Verhalten gegenüber den Mitmenschen zu denken ist, ebensowenig wie dieses ohne jenes, nicht nur, weil Gott beides geboten hat, so daß der Gehorsam gegen das eine den Gehorsam gegen das andere einschließt, sondern zugleich, weil alles Rechte und Gute – auch das gegenüber den Mitmenschen Rechte und Gute – allein aus Gott kommt, allein aus seiner Offenbarung zu erkennen und allein im Gebundensein an die Offenbarung, an Gott, als Vollzug der Gottzugehörigkeit innerhalb des Erwählungszusammenhanges zu verwirklichen ist. Ebenso fest steht es, daß die Tora als die Offenbarung des das ganze Leben tragenden und beanspruchenden Gottes alles umschließt, was der Mensch Gott und den Mitmenschen zu erwei-

---

[75] Vgl. *Heiligenthal*, Werke 30; *ders.*, Werke der Barmherzigkeit oder Almosen? in: NovTest 25 (1983) 289–301.

sen hat, von der innersten Herzensregung bis hin zur kleinsten Vollzugsbestimmung, so daß die Forderung, der Tora zu folgen, das eine umfassende Gebot, die Grundlage des ganzen Lebens sein kann."[76]

c) 2,8–12: „Wenn ihr das königliche Gesetz erfüllt …"

Auch die kleine Einheit 2,1–13 enthält trotz fünfmaligem Vorkommen von „Gesetz" nicht im eigentlichen Sinne eine Gesetzes-„Lehre"; dies schon deswegen nicht, weil Jakobus auch hier das Kultgesetz stillschweigend ausspart. Begründet ist diese Beschränkung in der vorherrschenden Thematik, bei der es um die falsche und richtige Glaubenspraxis geht.

Daß die Frage nach dem Gesetz eher den Hintergrund bildet, belegt das erstmalige Auftauchen von νόμος ab V 8, dann aber auch die jeweilige syntaktische Verwendung (8: „*Wenn* ihr das königliche Gesetz erfüllt"; 10: „*Wer* immer das ganze Gesetz hält"; 11: „… bist du ein Gesetzesübertreter geworden"). Dem entspricht, daß die falsche Glaubenspraxis „durch das Gesetz" (2,9.12) überführt wird – wiederum im zukünftigen Gericht (12f).

Gemäß seinem übrigen Vorgehen reflektiert Jakobus nicht theoretisch die Probleme, er führt sie vielmehr an signifikanten Beispielen vor, die jedem einleuchten. Vorgegeben waren sie ihm in der von ihm verarbeiteten Zusammenstellung in Sir 35,14–17, wo es heißt: „Versuche keine Bestechung, denn er (Gott: 13) nimmt nichts an, und vertrau auf kein Opfer von Unrecht. Denn: Der Herr ist Richter (κριτής), und bei ihm gibt es keine Parteilichkeit (δόξα προσώπου). Er nimmt nicht Partei (λήμψεται πρόσωπον) gegen den Armen (πτωχοῦ), und das Flehen des ungerecht Behandelten hört er. Er weist das Rufen der Waise (ὀρφανοῦ) nicht zurück, noch die Witwe (χήραν), wenn sie mit vielen Worten klagt". Jesus Sirach beendet in 35,22 den kleinen Abschnitt mit dem Vers: „Und der Höchste wird den Gerechten Recht schaffen und Gericht halten/tun". Neben dieser traditionsgeschichtlichen Vorlage[77] rezipiert Jakobus in 2,8 explizit Lev 19,18: „Du sollst deinen Nächsten lieben wie dich selbst".

---

[76] *Nissen,* Gott und der Nächste 239f; vgl. ebd. 161–167.
[77] Gegen *Hoppe,* Hintergrund 72, der keinen Zusammenhang sieht; mit *Mußner,* Jakobusbrief 114 und *Heiligenthal,* Werke 30, der jedoch lediglich Witwen, Waisen und Arme allgemein als traditionelle Empfänger von Barmherzigkeit postuliert.

Diesem Gebot der Nächstenliebe gehen unmittelbar die Verse voraus: „Ihr sollt in der Rechtsprechung (κρίσει) kein Unrecht tun. Du sollst weder für einen Armen noch für einen Mächtigen Partei nehmen (λήμψῃ πρόσωπον); in Gerechtigkeit sollst du deinen Nächsten richten" (Lev 19,15). Aufgrund der unmittelbaren Nähe der Mahnung zur Unparteilichkeit zum Gebot der Nächstenliebe bleibt zu vermuten, daß sich in diesen und anderen atl Stellen eine feste Auslegungstradition niedergeschlagen hat[78]. Dies ist hier nicht zu untersuchen. Wichtig ist jedoch, daß Jakobus in 2,8 von solchen Stellen sein Thema bezogen hat, das da lautet: „Unparteilichkeit gegenüber Hoch- und Niedriggestellten" gehört „zu den sozial ausgerichteten Forderungen des Gesetzes"[79]. Die Forderung nach Unparteilichkeit richtet sich also nicht nur an Arme, wie in der Regel angenommen wird (dagegen spricht schon 1,9f, wo die Gegenseitigkeit betont wird). Daß Jakobus darüber hinaus – wohl aufgrund der sozialen Zusammensetzung seiner Gemeinde und im Rahmen der biblisch vorgegebenen Armentheologie – die Armen primär als Erwählte Gottes betont (2,5), wurde oft gesehen und braucht nicht eigens aufgearbeitet zu werden. In 2,1ff (vgl. die Anrede „Meine Brüder") ist die ganze Gemeinde angesprochen, sie zeigt insgesamt ein falsches sozialethisches Verhalten gegen Arme *und* Reiche, wie die Fallanalyse in 2,2–4 und die Interpretation von der Tora her in 2,5–9 zeigt. Solidarisches Verhalten zum Nächsten generell (ob arm oder reich ist dahingestellt) wird mit dem Zitat aus Lev 19,18 theozentrisch begründet. Diese intersubjektive, ekklesiale Solidarität nennt Jakobus Erfüllung des „königlichen Gesetzes" (2,8), wenn auch dem Armen seine „hohe Würde" (1,9) und seine „Erwählung" durch Gott (2,5) nicht nur vom Reichen anerkannt wird, sondern er sich auch selbst so versteht (1,9). Jakobus geht es um ein neues Selbstbewußtsein der Armen und Reichen (1,9f) – coram deo, wobei diese theologische Begründung der Identität sozialethisches Verhalten impliziert, wie der ganze Brief zeigt. Wenn die torawidrige Behandlung der Armen (im Gegensatz zur Behandlung der Reichen) durch die Gemeinde

---

[78] So *Heiligenthal,* Werke 31 mit Anm. 19 mit *K. Berger,* Die Gesetzesauslegung Jesu (Neukirchen 1972) 362–395.

[79] *Heiligenthal,* Werke 31, der diese Erkenntnis bei Jak 2,1–13 jedoch nicht durchführt.

stärker expliziert wird, war dieses Problem in der Gemeinde des Jakobus wohl drängender.

Bei dem Thema, das in 2, 1 überschriftartig formuliert und christologisch begründet wird (in einer reichlich überladenen Konstruktion) geht es nicht um eine innere Einstellung der Adressaten (dies legen Übersetzungen wie „Ansehen der Personen" u. ä. nahe), es geht vielmehr um konkrete Handlungen, um „parteiliche Bevorzugungen" (im Plural)[80]. Das Verhalten zum Reichen gehört ebenso dazu wie das zum Armen (2, 2–4). Nicht individuelle Ethik steht an, sondern Sozialethik in ekklesialer Perspektive. Darum ist auch das Liebesgebot in Lev 19, 18/Jak 2, 8 nicht nur auf den Armen zu beziehen, wie die Wiederaufnahme des Themas von 2, 1 in 2, 9 in verbaler Form („wenn ihr aber parteilich bevorzugt") bestätigt. Durch diese Wiederaufnahme wird im Hinblick auf das Verständnis des Begriffes „Gesetz" im Jak auch deutlich, daß der „Glaube an unseren Herrn Jesus Christus" (2, 1) und das Gesetz (2, 9) „dasselbe fordern"[81], so daß Glaube und Gesetz im Jak „zumindest funktional identisch" sind[82]. Doch dürfte zu vermuten sein, daß parallel zur Gleichstellung von Wort und Gesetz in 1, 21–25 auch hier in 2, 1–12 Glaube und Gesetz nicht nur ihrer Funktion nach identisch sind, sondern auch ihrem Inhalt nach. Dies zeigt sich nicht nur in der Konzentration der vielen Gebote auf das eine Liebesgebot (vgl. 2, 11 mit 2, 8 und 2, 10, vgl. auch Gal 5, 14), sondern auch in folgender Beobachtung: Nach 2, 5 f haben die angeredeten Christen („meine geliebten Brüder") – als Reiche – „dem Armen die Ehre genommen" (6 a). Jakobus denkt von einer sozial geschichteten Gemeinde her, wie 6 bf und 2, 16 zeigen. Beide Gruppen müssen ihr soziales Verhalten überprüfen und ändern (wie in 1, 9 f). Dies ist „typisch" für das mit dem Wort „parteiliche Bevorzugung" gebildete semantische

---

[80] So die Übersetzung von K. Berger, προσωπολημψία, in: EWNT 3 (1983) 433–435.
[81] Dies betont zu Recht auch Chr. Burchard, Zu Jakobus 2, 14–26, in: ZNW 71 (1980) 27–45, ebd. 29, der jedoch hinzufügt: „Daß Glaube und Gesetz hier dasselbe fordern, heißt nicht, daß sie zwei Seiten derselben Sache oder wenigstens auf irgendeine Weise eins wären" mit der Begründung: „Das Gesetz der Freiheit ist eine Instanz unabhängig vom Glauben, auch viel älter ...", so als könne der Glaube an Jesus Christus und an seine δόξα in 2, 1 mit der implizit gegebenen Praxis (keine Parteilichkeit!) ebenso voneinander gelöst werden wie Jahwes Offenbarung in der Tora von dem damit gebotenen menschlichen Gehorsam im Tun des Willens Gottes.
[82] Heiligenthal, Werke 31; ebd. in Anm. 20 eine berechtigte Kritik an Burchard.

Feld, zu dem „die Aufhebung sozialer Unterschiede" gehört (so zwischen groß und klein, zwischen Sklaven und Freien, Armen und Reichen, Geringen und Hohen, Juden und Heiden)[83]. Die These des Jakobus lautet: Nur wer als sozial Armer sich den Reichen gegenüber richtig verhält (zu den Reichen vgl. 1, 10), den hat Gott „als Erben des Reiches (βασιλείας) erwählt" (2, 5). Wie das Stichwort „Glaube" (5c) den christologisch gefüllten Glauben von 2, 1 aufnimmt, so wird das Stichwort βασιλεία in V 8 im Begriff „königliches (βασιλικόν) Gesetz" variiert. Inhaltlich meint dies das Liebesgebot, das Vertretern jeder sozialen Schicht falsches Verhalten gegenüber anderen nur aufgrund ihres An- und Aussehens verbietet. Es betrifft das Reden (2, 3.7), aber vornehmlich das Tun, wie der ganze Abschnitt zeigt. Die Folgerung am Ende in 2, 12 („*So* redet und *so* tut als solche, die durch das Gesetz der Freiheit gerichtet werden"), ist demnach konsequent. Der Glaube im Sinne des Jakobus zielt wie das Gesetz auf Reden und Tun. Dabei ist das Gesetz jedoch jene Größe, das man zitieren kann und das in seiner verschriftlichten Form Maßstab und Norm auch des christlichen Glaubens ist, zugleich aber auch Maßstab für das Gericht (2, 12 f). Indem Jakobus in 2, 12 das Syntagma „Gesetz der Freiheit" von 1, 25 aufnimmt, betont er nochmals, daß jeglicher Nomismus und Formalismus fernliegen.

Neben dem Gedanken, daß durch Glauben und Gesetz dem Christen jegliche Freiheit, also Lebenssinn und Friede ermöglicht werden, ist also auch in dieser kleinen Einheit die eschatologische Motivierung zu beachten. Sie betrifft alle Christen, reiche und arme, da nach 2, 5 Gott selbst die unausrottbare menschliche Grundeinstellung nach dem Modell des Tun-Ergehen-Zusammenhangs (Reichtum als Zeichen für Gottwohlgefälligkeit, Armut als Zeichen für Sündhaftigkeit und Bestrafung durch Gott) durchbrochen hat, indem er „die Armen in der Welt auserwählte" (2, 5) und dadurch gerade keine „parteilichen Bevorzugungen" nach menschlichen Maßstäben vorgenommen hat. Wie in Lk 12, 13–21 und 1 Tim 6, 17–19 verurteilt Jakobus nicht den Reichtum an sich, wohl jedoch die falsche Selbstsicherheit und das falsche Vertrauen der Reichen aufgrund ihres Besitzes (4, 13–17) wie auch die Art der Gewinnung von Reichtum durch Erpressung und Vernichtung von Arbeitskräften

---

[83] Vgl. *Berger*, προσωποληψία 434 mit entsprechenden Belegen.

(5, 4. 6). Einziger Maßstab für die Christen soll die Gottesliebe sein (vgl. im Rückgriff auf den Dekalog 2, 5 d: „die ihn lieben" in Aufnahme von 1, 12)[84], die Gottesliebe aber muß sich in der Nächstenliebe ekklesial/sozial konkretisieren, da „Barmherzigkeit über das Gericht triumphiert" (2, 13); Barmherzigkeit und Liebe zu Gott – oder anders gesagt – Werke und Glaube sind bekanntlich das Thema von 2, 14–26. Gottesliebe und Nächstenliebe, die Liebe zu Jahwe und das Halten seiner Gebote stehen – wie im Frühjudentum – auch bei Jakobus in „Einheit und Bezogenheit" zueinander[85]. Auch darin stimmt Jakobus mit dem Frühjudentum überein (vgl. 2, 10f), daß alle Gebote prinzipiell theologisch gleichwertig sind, „weil sie als ineinandergreifende Glieder einer erst in der Gesamtheit aller Gebote vollkommenen Ordnung gleicherweise an deren Vollkommenheit beteiligt sind"[86]. Nur von diesen jüdischen Voraussetzungen her, die mit den christlichen Überzeugungen des Jakobus identisch sind (2, 1), ist der Begriff „Gesetz" im Jak zu verstehen.

Dies gilt auch für den Glaubensbegriff (2, 1. 5 c), der ausdrücklich in 2, 14–26 thematisiert wird. Wie es im Judentum (nur scheinbar bei Paulus! Doch vgl. 2 Kor 5, 10; Gal 5, 6; Röm 2, 13) eine Alternative Glaube/Werke nicht gibt, so ist auch nach Jakobus (schon in 1, 2–4) Glaube nicht eine Haltung, die in sich selbst ruht, sich im Bekenntnis bereits als angemessen erweist, sondern „ein vollendetes Werk enthalten muß" (1, 4). Nur so sind die Christen nicht mehr gespalten, sondern ganz und vollkommen – wie Gott (1, 5)[87]. Der Glaube zielt nicht nur auf Werke oder gelangt erst dort zu seiner vollkommenen Form, wo er in Werken konkretisiert wird (dies alles wäre für Jakobus noch zu wenig), für Jakobus ist Glaube eine Grundhaltung des Menschen, die sein Bekenntnis, seine Praxis und damit seine Grundorientierung auf Gott hin umfaßt. Abraham (2, 21–24)[88] und Rahab (2, 25) sind die lebendigen Beweise aus der jüdischen Glaubensgeschichte, daß Glaube immer die Glaubenspraxis mit einschließt.

---

[84] Zur traditionsgeschichtlichen Begründung der Wendung „die ihn lieben" vom jüdischen Hauptgebot her (vgl. Dtn 6, 4ff) siehe *J. Beutler*, Habt keine Angst. Die erste johanneische Abschiedsrede (Joh 14) (Stuttgart 1984) 55–62.

[85] Dazu *Nissen*, Gott und der Nächste 161–167.219–244.

[86] *Nissen*, aaO. 337–342, ebd. 337; vgl. *Amir*, Gesetz 53.

[87] Zur Begründung vgl. *Frankemölle*, Gespalten oder ganz 165–168.

[88] Vgl. auch *R. B. Ward*, The Works of Abraham. James 2, 14–26, in: HThR 61 (1968) 283–290.

Eine auch nur geringfügige Trennung beider Größen wäre so widersinnig wie die Behauptung der Existenz des lebendigen Leibes ohne den Geist (2, 26). Wie der Mensch nur ganzheitlich (1, 2–8) als Mensch existieren kann, so kann Glaube im Sinne des Jakobus nur als praxisorientierter Glaube, der sich vor allem in Werken der Barmherzigkeit zeigt (vgl. 1, 27; 2, 14–26 u. a.), existieren. „Der Glaube, wenn er keine Werke hat, ist für sich allein tot" (2, 17), er ist es deswegen, weil er – wie Jakobus in einem schönen Wortspiel in 2, 20 variiert – „ohne Werke ἀ-εργός", un-tätig, un-wirksam und darum nutzlos (ἀργός) ist. Das α-privativum raubt dem Glauben seine Lebenskraft (2, 17) wie der fehlende Geist dem Leib (2, 26).

Damit erfordert aber „Glaube" im Sinne des Jakobus dasselbe wie das „Gesetz". Das „Ge-setz" als die von Jahwe in der Offenbarung am Sinai ge-setzte Lebensordnung zielt in seiner theozentrischen Grundstruktur ebenso auf Ganzheit und Einheit in der Antwort Israels wie der Begriff „Glaube" in seiner anthropologischen Struktur. Die Begriffe Glaube und Gesetz sind bei Jakobus (im NT stimmt er in auffälliger Weise mit Mt überein[89]) „zwei Seiten derselben Sache"[90]. Prüfstein des Glaubens an Gott ist die Liebe zur notleidenden Schwester und zum notleidenden Bruder (2, 13–16), wodurch parteiliche Bevorzugungen aufgrund sozialer Höherstellung ausgeschlossen sind (2, 2–4), sowie die Erfüllung der Gebote (2, 8–11). Aufgrund der traditionellen Motivverbindung[91] vom Halten der Gebote und Liebe zu Gott finden sich bei Jakobus konsequenterweise beide Aspekte des Hauptgebotes in Kap. 2 vereint; dem „die ihn (Gott) lieben" (2, 5; wörtlich auch in 1, 12) entspricht das wörtliche Schriftzitat „Du sollst deinen Nächsten lieben wie dich selbst" (2, 8). Der innere Zusammenhang beider Aspekte ist aufgrund seiner deuteronomistischen Grundstruktur konstitutiv auch für das Verhältnis von „Liebe zu Gott" und „Halten seiner Gebote" in der Theologie des Jakobus. Auch dieser Kontext (vgl. noch das Stichwort der Erwählung durch Gott in 2, 5) verdeutlicht, daß es

[89] H. Frankemölle, Jahwe-Bund (Anm. 25) 21–27.95–98. 111–115.294–307; zur Zustimmung vgl. Mußner, Jakobusbrief 243 Anm. 24.
[90] Burchard, Jakobus 29, der dies jedoch energisch ablehnt.
[91] Vgl. Beutler, Abschiedsrede 55–62; an Stellen vgl. Ex 20, 5 f; Dtn 5, 9 f; 7, 9 mit Rezeption in Neh 1, 5; Dan 9, 4 und CD 19, 1 f; Sir 2, 15 f; Jub 20, 7; 36, 5 ff: TestBenj 3, 1; 1 Kor 2, 9; Röm 8, 28; Joh 14, 15.21–24 u. a.

Jakobus nicht um eine Gesetzesparänese im engeren Sinn geht, sondern um die Entfaltung des Hauptgebotes des jüdischen und zugleich christlichen Glaubens, wie er in Dtn 6, 4–25 (zur christlichen Bestätigung vgl. Mk 12, 30 par Mt 22, 37; Lk 10, 27 und Mt 4, 10 par Lk 4, 8) programmatisch formuliert ist. Vor allem dürfte das „Höre Israel" (Dtn 6, 4 ff) als tägliches Morgen- und Abendgebet der Juden auch für die Theologie des Jakobus normativ geblieben sein.

Die Wendungen „das königliche Gesetz" (2, 8) und „das ganze Gesetz" (2, 10) sowie die Vorstellung, daß derjenige, der nur ein Gebot übertritt, das ganze Gesetz übertritt (2, 11), also vom „Gesetz als Übertreter" (2, 9) überführt wird, da es als Gesetz Gottes „Gesetz der Freiheit" (2, 12) für die Glaubenden ist, werden deutlich vom vorhin skizzierten traditionsgeschichtlichen, semantisch-theologischen Netz getragen und bestimmt.

d) 4, 11: Täter des Gesetzes, nicht Richter des Gesetzes

Die in der Überschrift positive Formulierung ist eine Transformierung eines negativen Satzes, der im Gedankengang des Jakobus konsequent ist: „Wer seinen Bruder verleumdet oder seinen Bruder richtet, der verleumdet das Gesetz und richtet das Gesetz. Wenn du aber das Gesetz richtest, bist du nicht ein Täter des Gesetzes, sondern ein Richter. Ein einziger ist Gesetzgeber und Richter, der retten und verderben kann. Du aber, wer bist du, der du den Nächsten richtest?" (4, 11 f) Der Tiefenstruktursatz der Überschrift als positiver Appell liegt auf der Hand.

Für den, der als Leser des Jak mit den Informationen der ersten drei Kapitel die Stelle 4, 11 f im Kontext liest, ist die 4malige Verwendung des nicht mehr näher erläuterten Gesetz-Begriffes ohne weiteres einsichtig. Der Sache nach geht es in 4, 1–10 wie in 4, 13 – 5, 6 um unsolidarisches, innergemeindliches Fehlverhalten, um Spannungen zwischen Gruppen, um „Kriege" und „Kämpfe" in der Gemeinde (4, 1; von der Sache her sind weniger angesehene, sozial schwache Christen primär die Adressaten; vgl. bes. 4, 2: „Ihr begehrt und habt nichts. Ihr seid neidisch (varia lectio: ihr tötet) und eifert und könnt (doch) nichts erlangen"). Bleibt die erste Reihe der Paränesen etwas allgemein, so richtet sich die zweite Reihe ab 4, 13 ff in aller Schärfe und Deutlichkeit gegen das Fehlverhalten von reichen Christen – gesteigert bis zur Totenklage in 5, 1–6. Die sozialethische, anthropologisch-ekklesiale Ausrichtung beider kleinen Einheiten (4,1–12 und 4,13–5,6) ist unzweifelhaft. In diese Perspektive sind die Gesetzes-Hinweise in 4,11 eingeordnet – semantisch, aber auch syntaktisch in V 11 selbst.

Ging es in 2,1 ff um parteiliche Bevorzugungen, so hier kontrastiv dazu um „Verleumdungen" gegenüber christlichen „Brüdern" und deren „Richten" (4,11a), womit die unterschiedlichen, unsozialen Verhaltensweisen von 4,1–10 wohl zusammengefaßt werden (vgl. das alle Christen umfassende Eröffnungssignal „Brüder" in 4,11a). Diese anthropologische Praxis überträgt Jakobus auf das Gesetz, indem er rhetorisch „einen Bruder verleumden" mit „Gesetz verleumden" bzw. „einen Bruder richten" mit „das Gesetz richten" parallelisiert. Diese Wendungen sind ungewöhnlich, jedoch erklärt sich die Anwendung der Verben auf das Gesetz „aus dem Zwang der Korrespondenz"[92]. Die anthropologisch-ethische, ekklesiale Perspektive bestimmt die Tora-Terminologie. Der Sinn ist in der Auslegung unbestritten: Ein Christ, der so handelt, übertritt das Gesetz, da er „nicht ein Täter des Gesetzes ist, sondern ein Richter" (11d).

Daß es wiederum nicht um Einzelgesetze, sondern um die Tora insgesamt geht, wird durch zwei Faktoren bestätigt: 1. Es dürfte nicht die Lust an Variation sein, wenn Jakobus das Stichwort „Bruder" aus 11a in 12c durch den Begriff „Nächster" ersetzt. Im Kontext des Briefes (s.o. zu 2,8 mit dem wörtlichen Tora-Gebot aus Lev 19,18, das auch den Christen verpflichtet) wird damit Gesetz auch hier als umfassende Tora verstanden, die im Liebesgebot ihre kritische Norm hat. Dem widerspricht das Richten des Nächsten diametral, da Nächstenliebe gefordert ist. 2. Eindeutig auf die ganze Tora zielt die – jetzt ausdrücklich formulierte und an das „Höre Israel" anknüpfende (vgl. 2,19: „Ein einziger ist Gott") – theozentrische Begründung in 4,12: εἷς ἐστιν ... Was von Gott bereits 2mal in 4,1 ff durch „die Schrift" (4,5a.6a) und ebenso 2mal durch ihn selbst (4,6b.10a) eingefordert wurde, nämlich solidarisches Verhalten der Christen untereinander, erfährt seine grundsätzliche theo-logische Begründung in dem Glaubenssatz, daß die Tora ureigene Offenbarung Gottes ist. Daher ist auch Gott nur selbst Richter – nicht der Tora, sondern aller Menschen zu ihrer Rettung oder zum Verderben

---

[92] *Dibelius,* Jakobus 273.

(12b). Der Mensch kann in diesem Kosmos nur „Täter des Gesetzes" (11 d), nicht jedoch Richter des „Nächsten" sein (11 d.12 c; von
12 c her erklärt sich, warum am Ende von 11 d bei „Richter" das Objekt fehlt). Unsolidarisches Verhalten in der Gemeinde ist nach Jakobus nicht nur unsozial, ein zwischenmenschliches Fehlverhalten
(und steht damit im Widerspruch zur Tora Gottes), vielmehr stellt es
auch Gottes Gottsein selbst in Frage! Eine fundamentalere theo-logische Begründung ist nicht denkbar. Enger können Anthropologie
und Theologie[93] nicht miteinander verbunden werden, als es hier geschieht (vgl. auch 1, 2–12; 1, 18 mit 1, 19 ff). Wer Gott in seinem Herr-
Sein anerkennt (4, 10 a), den wird Gott im eschatologischen Gericht
„erhöhen" (4, 10 b) und „retten" (4, 12 b). Wer sich (als Armer gegenüber den Reichen bzw. als Reicher gegenüber den Armen: 4, 1–10;
4, 13 – 5, 6) unsolidarisch verhält, den wird Gott „verderben"
(4, 12 b).

Nicht zufällig dürfte Jakobus gegen Ende des Briefes in aller Eindeutigkeit den theozentrischen Aspekt zum Thema „Gesetz" noch
einmal betont haben, da nur so das Gesetz (als Tora Gottes) eschatologische Norm für Heil oder Unheil des Menschen ist. Die Tora als
die gnädige göttliche Willensoffenbarung der Lebensordnung Israels in ihrer Gesamtheit und in den unterschiedlichen Konkretionen
verpflichtet unweigerlich/eschatologisch den Glaubenden zur Einheit von Bekenntnis und Ethik. Die Ethik hat sich dabei in Kap. 4
primär als Solidarität in einer sozial geschichteten Gemeinde zu erweisen, womit zugleich parteiliche Bevorzugungen in der Einstellung zum anderen (4, 6.10: Hochmütige, Demütige), aber auch
wirtschaftliche Ausbeutung (5, 4 f) ausgeschlossen sind.

Was das „Gesetz" angeht, erfüllt es auch im Kontext von 4, 11 f
eine Funktion für die pragmatische Intention des Autors, der seine
Leser zu einer ganzheitlichen Grundorientierung (= Glaube an Gott
und an seine Tora) veranlassen will, die in der Brüderlichkeit (vgl.
das dreifache „Bruder" in 4, 11) und in solidarischer Gegenseitigkeit
(vgl. das reziproke ἀλλήλων in 4, 11; 5, 9.16) ihre unersetzbare, zei-

---

[93] Zum Gottesbild des Briefes vgl. *Mußner*, Jakobus 97 f, allerdings zu einseitig inner-
theologisch zum „Wesen Gottes", ohne die Auswirkungen für die Anthropologie und
christliche Praxis zu beachten. Vgl. demnächst den Exkurs „Theo-logie und Anthropologie im Jak" in meinem Kommentar zum Jak nach 1, 18; zu einigen Grundlinien vgl.
Frankemölle, Gespalten oder ganz 161–168.172 f.

chenhafte Konkretisierung findet. Nur in der Einheit von Anerkennung der Herrschaft Gottes und solidarischem zwischenmenschlichen Verhalten ist der Christ „Täter des Gesetzes" (4,11 d).

3. Der Begriff „Gesetz" im Jak unter textpragmatischen Aspekten

Historische, sozialgeschichtliche und pragmatische Exegese interpretiert Texte in ihrem Außenbezug (gegenseitige Beeinflussung von Verfasser und Adressaten, der Text als Teil einer soziokulturellen und religiösen Lebenswirklichkeit, näherhin als Element einer konkreten Sprechsituation), wobei der pragmatische Ansatz theologische Texte als kommunikative Sprachhandlungen interpretiert, mit denen ein Verfasser die Glaubenspraxis und das Glaubensverständnis seiner Leser verändern will. Ein solches Textverständnis[94] zielt auf solidarisches Handeln aller an der Kommunikation und Interaktion Beteiligten hin, wobei in diesem Handeln die Wirklichkeit Gottes ent-deckt und erfahren wird.

In einem solchen (hier notwendig sträflich verkürzt angesprochenen) Textverständnis werden explizite oder implizite Hinweise im Text befragt, die die singuläre Kommunikationssituation andeuten und die Frage vielleicht beantworten lassen, warum und wie der Verfasser auf die spezifische Situation der Adressaten einwirken wollte. Einige Fragen und Thesen sollen abschließend die mögliche Situation der Adressaten des Jakobus verdeutlichen:

a) Wenn νόμος syntaktisch und semantisch nicht eigentliches Thema ist, sondern in Funktion zu anderen Theologumena steht, nämlich zu den Begriffen Glaube, Werke/Tun, Freiheit, vollkommen, ganzheitlich/ungespalten (s.o.) lassen sich daraus Rückschlüsse auf die Adressaten und ihre Situation ziehen? Läßt sich damit das unbestrittene Faktum verbinden, wonach die spezifischen Kennzeichen des Judentums wie Sabbat, Beschneidung, levitische Reinheitsvorschriften, Ritualgesetze u.a. überhaupt nicht angesprochen werden (die Hälfte der Tora demnach fehlt)? Was besagt die Erkenntnis, daß „Werke" im Jak nie „Werke des Gesetzes" meinen? Ist dies ein Zeichen dafür, daß dies alles bei den Adressaten (noch)

---

[94] Zur sprachwissenschaftlichen und historisch-kritischen Begründung vgl. *Frankemölle*, Handlungsanweisungen, mit einer Reihe biblischer Beispiele.

nicht in Frage stand (dies wäre Grund für eine äußerst frühe Datierung des Jak) oder dafür, daß Jakobus ein anderes Verständnis von νόμος hatte (wie hier entwickelt wurde) und ihm alles daran lag, daß auch die Adressaten ein solches fundamentales Verständnis von νόμος sich aneignen sollten?

b) Wenn Jakobus keine „Gesetzes-Lehre" entwickelt, warum charakterisiert er νόμος dort, wo er den Begriff nennt, so außerordentlich positiv? Welches falsche Verständnis seiner Adressaten will er korrigieren? Dies unter der Voraussetzung jeder Textpragmatik, daß der Text bei den Lesern Einstellungen, eingeschliffene Handlungsmuster verändern will. Deuten nicht auch die verwendeten Sprechformen (Gattungen) wie weisheitliche Mahnworte, diatribenhaftes Streitgespräch (vgl. 2, 14–26), allgemein die paränetischen Sprüche mehr auf das Tun denn auf Einsicht, primär auf zwischenmenschliche Orthopraxie denn auf Orthodoxie (vgl. 2, 19 f)? Verbindet man diese Beobachtungen zudem mit den jeweils konkret angesprochenen christlichen Gruppen, die als einzelne und ipso facto dann auch untereinander als Gemeinde in einer Krise, in Versuchungen (1, 2–14) stehen[95], dann gewinnt die Theologie des Jakobus sozialethische Dimensionen[96]. Wie der einzelne gespalten und unvollkommen ist, auch in seinem Tun (1, 2–8), so auch die Gemeinde, in der sich die verschiedenen Gruppen unsolidarisch zueinander verhalten. Dies bedeutet konkret: Es gibt Christen, die Weisheit haben (3, 13–18), und solche, die ihrer ermangeln (1, 5); Arme und Reiche verhalten sich gegeneinander unsolidarisch, da beide parteiliche Bevorzugungen praktizieren (1, 9–11.27; 2, 1–9.13–16; 4, 13–17; 5, 1–5); es gibt Glaubende als Nur-Worthörer oder als Worttäter (1, 19–27; 2, 14–26); es gibt wohl Christen, die das Gericht nicht mehr erwarten

---

[95] Vgl. *Frankemölle,* Gespalten oder ganz 161–168.
[96] Vgl. dazu u.a. *Th. Zahn,* Die soziale Frage und die Innere Mission nach dem Brief des Jakobus, in: ZKWL 10 (1889) 295–307; *J. B. Soucek,* Zu den Problemen des Jakobusbriefes, in: EvTh 18 (1958) 460–468; *Ch. Burchard,* Gemeinde in der strohernen Epistel, in: Kirche. FS. G. Bornkamm (Tübingen 1980) 315–328; *Heiligenthal,* Werke 42–48. Zur Begründung der soziologischen Auslegung vgl. besonders *G. Theißen,* Studien zur Soziologie des Urchristentums (Tübingen ²1983); zum Liebespatriarchalismus, der auch für die Gemeinde des Jakobus entscheidend gewesen sein dürfte, im Hinblick auf Paulus vgl. ebd. 268–271; zu Jakobus vgl. *Heiligenthal,* ebd. 44 und *Frankemölle,* Gespalten 169–172. Allgemein vgl. auch *L. F. Rivera,* Sobre el socialismo de Santiago (Sant 2, 1–13), in: RevBibl 34 (1972) 3–9.

(passim) u. a. Die Gemeinde des Jak ist bildungsmäßig und sozial geschichtet; sie entspricht ganz den Angaben etwa Plinius d. J. (61–113 n. Chr.), wonach zu den Christen Menschen aus jedem Stand (omnis ordinis) gehören (ep X 96,9).

Wichtig ist, daß Jakobus christliche Schwesterlichkeit und Brüderlichkeit, daß er die Sozialethik theozentrisch begründet (1, 5.7 b.13–18 u. ö.): Gottes Sein und Handeln ermöglicht christliches Sein und Handeln. Haben die Adressaten ein falsches, verkürztes und einseitiges Gottesbild? Sehen sie ihre christliche Identität losgelöst vom Glauben an Gottes schöpferisches Wirken in der Taufe (1, 18) und im Leben der Christen bis zum Gericht?

c) Mit diesem theozentrischen Defizit (für die Christologie scheint dies bei den Adressaten nicht existiert zu haben, darum kann Jakobus sich mit den knappen Hinweisen in 1, 1 und 2, 1 begnügen) dürfte zusammenhängen, warum Jakobus so stark und fast exklusiv nicht nur Sein und Handeln der Christen aus Gottes Sein und Handeln ableitet, sondern demgemäß auch νόμος als gnädige und freiheitsstiftende Willensoffenbarung Gottes umschreibt als das „ganze/ganzheitliche (ὅλος: 1, 4; 3, 2.3.6) Gesetz" (2, 10). Christen, die ihren Glauben durch das Tun be-glaubigen, erfahren konsequent νόμος als „das vollkommene Gesetz der Freiheit" (1, 25), wenn sie nach 2, 8 wirklich „das königliche Gesetz der Freiheit erfüllen" (τελεῖτε; vgl. τέλειος in 1, 4.17.25; 3, 2). Der Begriff νόμος ist weder kultisch einzuengen noch ritualistisch und formalistisch zu verstehen, sondern theozentrisch weit und offen: νόμος ist Sinn, Freiheit und Leben stiftend, da νόμος Gott selbst offenbart.

Hängt mit diesem Komplex auch sprachlich und sachlich die vielfache Rezitation atl Zitate als Offenbarungsworte, der Rückgriff auf atl Exempla (Abraham, Rahab, Propheten, Hiob, Elija) und auf „die Schrift" allgemein (2, 8.23; 4, 5) sowie der Gebrauch des theologischen Passivs oder der indirekten Redeweise von Gott zusammen? Diese hörerbezogene Strategie wäre nicht nur unter theo-logisch inhaltlichen Aspekten zu würdigen, sondern auch unter dem Gesichtspunkt, daß der Verfasser „als Gottes und des Herrn Jesus Christus Sklave" (1, 1) keine Handlungsanweisungen in eigener Autorität oder aufgrund allgemeiner, philosophischer Einsicht und menschlicher Zustimmung formuliert. Jakobus erhebt nichts Geringeres als den Anspruch, normative Weisungen zu formulieren – in der Autorität der Schrift, d. h. in der Autorität Gottes. Nicht nur unmittelbar er-schließt er aus dem Sein und Handeln Gottes elementar Sein und Handeln der Christen (jeweils in untrennbarer Einheit; alles andere wäre ein Widerspruch in sich: 1, 19; 2, 15 f.26), sondern auch mittel-bar mit der Schrift und mit der in ihr überlieferten Theologie.

Es bleibt die Frage, ob mit der überaus starken Betonung der jüdi-schen Wurzeln und Denkkategorien des christlichen Glaubens und der christlichen Ethik als solidarischer Gemeindeethik etwa eine philosophisch begründete hellenistische Ethik, die „im Kern streng individualistisch" ist[97], abgewehrt werden soll. So sehr Jakobus – griechisch formuliert – zur Autonomie und Autarkie des einzelnen eine Gegenposition einnimmt (*Gott* ist der Geber von allem Guten im Menschen: 1, 17; 3, 15), so läßt sich doch weder eine direkte noch eine indirekte Auseinandersetzung feststellen. Selbst im Bekenntnis zum εἷς θεός in 2, 19 ist keine antipolytheistische Spitze zu spüren, da es Jakobus um den Gegensatz „nur glauben" und „glauben und tun" geht. Dies aber ist ein genuin jüdisches und ebenso genuin christliches Problem (und nicht nur in Auseinandersetzung mit Pau-lus oder mit einem Pseudo-Paulinismus zu interpretieren). Dies ist das Grundproblem des Jakobus, das sich aus der Situation seiner Adressaten ergibt, auch wenn das Thema „Werke als sichtbare Zei-chen der inneren Eigenschaften des Menschen" in pagan-griechi-schen Texten breit belegt ist[98].

d) Das Verständnis der Adressaten vom Verhältnis von Gesetz, Glaube und Werke und von der damit verbundenen Praxis kommt am deutlichsten zum Vorschein in den aufgrund ihrer antithetischen Struktur nur polemisch zu verstehenden konstanten Variationen wie „werdet/seid aber Täter des Wortes und nicht Hörer allein" (μόνον: 1, 22); „nicht ein vergeßlicher Hörer, sondern Täter des Werkes" als Christen, die „in das vollkommene Gesetz der Freiheit geschaut" ha-ben (1, 25); „aufgrund von Werken wird der Mensch (von Gott) ge-rechtfertigt und nicht aufgrund von Glauben allein" (μόνον: 2, 24); seid „Täter des Gesetzes" (4, 11). Nicht nur die Identifizierung von Wort (λόγος) und Gesetz (s. o. zu 1, 21–25) ist charakteristisch für Ja-kobus, sondern auch die Variation von Gesetz, Wort, Werke beim

---

[97] *A. Dihle,* Ethik, in: RAC 6 (1966) 646–796, ebd. 652.
[98] *Heiligenthal,* Werke 1–25.

Verbum „tun" (auch dies spricht gegen eine verengte Gesetzes-Sicht im Jak). Noch wichtiger für die Situation der Adressaten und die Gegenposition des Jakobus ist das 2malige exkludierende μόνον: dem „Hörer allein" entspricht der „Glaube allein". Dazu steht die Gegenthese in Parallele: nur den Täter des Wortes, des Gesetzes, der Werke, der aufgrund seines Glaubens handelt, rechtfertigt Gott. Nur ein Glaube, der sich im Werk erweist, ist Glaube coram deo und findet darum im Gericht seine Bestätigung. Die Einheit von sprachlichem (3, 1–12) und nichtsprachlichem Handeln, von Reden und Tun (2, 15 f), von Hören und Tun (1, 19) beim einzelnen und in der Gemeinde ist das Grundthema, um dessen Zustimmung durch die Adressaten Jakobus ringt. Er „stellt dabei" gerade nicht „christliches Werk- gegen jüdisches Glaubensverständnis"[99], sondern fordert – im Namen Gottes! – deren Einheit ein. Glaube ist nach ihm ein „Werk-Glaube", was genuin jüdisch ist[100]. Gerade darum kann er die innergemeindliche Solidarität der verschiedenen Gruppen, vor allem der Reichen und Höhergestellten gegen Waisen und Witwen und sehr ausführlich gegen die Armen (als dritte traditionelle Gruppe, die aber aufgrund ihrer ausführlichen Behandlung für die sozial geschichtete Gemeinde des Jakobus ein aktuelles Problem gewesen sein dürfte) – ebenfalls im Namen Gottes (vgl. die vielen Hinweise auf das Gericht) – einklagen. Jakobus setzt alles daran, den „Widerspruch zwischen Anspruch und Wirklichkeit im alltäglichen praktischen Lebensvollzug der Christen"[101] aufzudecken, bewußt zu machen und positiv zu verändern.

Was den pragmatischen Impuls für uns betrifft, nur soviel: Welcher Christ wollte bestreiten, daß diese pragmatische Wirkabsicht des Jakobus heute nicht mehr aktuell ist? Die berühmte Antwort Gandhis („Ich wäre Christ geworden, wenn Christentum wäre, was es vorgibt zu sein, Religion der Liebe"), die Existenz des Christentums als zwei Ismen (Katholizismus und Protestantismus) und von über dreihundert christlichen Denominationen, deren Attraktivität in der Liebe untereinander und zu allen Menschen zu bestehen hätte (nach dem frühchristlichen Motto: Seht, wie sie einander lieben!)

---

[99] *Burchard*, Jakobus 32 Anm. 21 a.
[100] Dies arbeitet zu Recht *Sigal*, Halakah (gegen Dibelius u. a.) heraus.
[101] *Heiligenthal*, Werke 45.

u. a. bestätigt die Notwendigkeit von Impulsen durch die jakobini-
sche Theologie. Die christliche Individualethik und die gemeindli-
che Sozialethik[102] sähe, würde man die pragmatische Wirkabsicht
des Jak tatsächlich – durch die Praxis – rezipieren, anders aus.

Daß die pragmatische Exegese nur eine verschüttete Lesart der
Bibel (und überhaupt von Texten)[103] neu bewußt macht, spricht
nicht gegen sie. Bereits 1734 schreibt der schwäbische Pietist J. A.
Bengel in der Vorrede zur Ausgabe des griechischen NT[104] den programmatischen Satz (der sich bis zur 25. Auflage als Motto im
Nestle-Aland fand): „Te totum applica ad textum: rem totam applica ad te." Hier wird zutreffend die umfassende Aufgabe der Exegese angegeben, was unter den gegenwärtigen, sprachwissenschaft-
lich verantwortbaren Bedingungen bedeutet: alle Methoden und
Lesarten der Bibel sind einzubringen, um im synthetischen Verstehen des Sinnes des ganzen Textes ihn stets neu unter den je anderen
Bedingungen von Christsein zu rezipieren und transformiert durch
die Praxis auch zu verwirklichen. Für alle Kirchen, nicht nur für die
evangelischen, ist der Jak ein „Stachel im Fleisch", nicht zuletzt
auch deswegen, weil er verdrängte Kategorien der „jüdischen Wurzel", ohne die Christentum nach Röm 11, 18 nicht existieren kann,
wieder lebendig machen könnte.

---

[102] Zu Aspekten neutestamentlicher Sozialethik und zu einem kritischen Forschungs-
überblick vgl. *H. Frankemölle,* Sozialethik im Neuen Testament (Anm. 23).
[103] Vgl. *Frankemölle,* Handlungsanweisungen 26.
[104] *J. A. Bengel,* Vorrede zu: Novum Testamentum Graecum ... (Tübingen 1734).

X

Das Hauptgebot im Johannesevangelium

Von Johannes Beutler, Frankfurt a. M.

1. Das Problem

Wer nach dem mosaischen Gesetz im Neuen Testament fragt, wird auch nach dem Gesetz im Johannesevangelium und in den johanneischen Schriften fragen müssen. Angesichts der zentralen Rolle, die in der tragenden Schicht des Johannesevangeliums der Auseinandersetzung mit den „Juden" über Herkunft und Sendung Jesu zufällt, wäre ein Beitrag zum „Gesetz" im Johannesevangelium fast gleichbedeutend mit einem solchen über Grundstrukturen johanneischer Christologie und Glaubenstheologie überhaupt. Dies zu entwickeln, kann nicht Aufgabe eines Kurzreferates sein.

Das Ziel, das wir uns hier gesteckt haben, ist bescheidener. Wir konzentrieren unsere Fragestellung auf die fundamentale Forderung des „Gesetzes", in der Jesus nach den synoptischen Evangelien den Inbegriff von „Gesetz und Propheten" gesehen hat, nämlich die Forderung der Liebe zu Gott, ergänzt durch diejenige nach der Liebe zum Nächsten (Mk 12,28–34; Mt 22,34–40; Lk 10,25–28). Welche Rolle spielt diese grundlegende Forderung des „Gesetzes" im Johannesevangelium und in den johanneischen Schriften? Da die Texte, die vom Gebot der Bruderliebe handeln, nach einem wachsenden Konsens zumindest im deutschen Sprachgebiet eher einer nachjohanneischen Redaktion im Johannesevangelium zuzuschreiben sind[1], konzentriert sich unsere Frage vor allem auf das

---

[1] Vgl. u. a. *H. Thyen,* Johannes 13 und die „Kirchliche Redaktion" des vierten Evangeliums, in: Tradition und Glaube. Das frühe Christentum in seiner Umwelt. FS K. G. Kuhn, hg. von *G. Jeremias* u. a. (Göttingen 1971) 343–356, hier 354–356; *G. Richter,* Studien zum Johannesevangelium, hg. von *J. Hainz* (BU 13) (Regensburg 1977) 171 u. ö.; *J. Becker,* Das Evangelium nach Johannes. II. (ÖTK 4/2) (Gütersloh – Würzburg 1981) 477 f.; *R. Schnackenburg,* Das Johannesevangelium. III (HThK IV/3) (Freiburg i. Br. 1975) 101–103.

Gebot der Gottesliebe im Evangelium und in den Briefen des Johannes. Ein Blick auf das übrige Neue Testament kann hier unsere Aufmerksamkeit noch schärfen.

Das Neue Testament redet von einer Liebe zu Gott oder Jesus seltener und viel weniger selbstverständlich, als man vielleicht meinen sollte. Viel häufiger und vorherrschender ist von einer Liebe Gottes oder Jesu zu den Menschen bzw. den Gläubigen die Rede. Die einzige Stelle, an der in allen drei synoptischen Evangelien von der Liebe zu Gott gesprochen wird, ist das erwähnte Gespräch Jesu mit dem Schriftgelehrten über das größte Gebot in Mk 12,28–34 par. Es stellt zumindest in der Fassung des Matthäus (22,40) diese Liebe zu Gott als Inbegriff von Gesetz und Propheten und nach allen drei Synoptikern als die fundamentale Forderung des Gesetzes nach Dtn 6,4f dar. Ebenfalls im Rückgriff auf das Deuteronomium verweist Jesus nach der Versuchungsgeschichte der Spruchquelle auf die Forderung, sich vor dem Herrn, dem Gott Israels, niederzuwerfen und ihm allein zu dienen, wobei Dtn 5,9 und 6,13, der Abschluß des *Sch*ᵉ*ma*ᶜ, verbunden werden (Mt 4,10; Lk 4,8). An den beiden Stellen, an denen je Matthäus und Lukas allein von der Liebe zu Gott sprechen, läßt sich jeweils zeigen, daß das Hauptgebot zumindest im Hintergrund steht. In Lk 11,42 werden periphere Vorschriften des Gesetzes wie das Verzehnten von Minze usw. der Gerechtigkeit und Liebe zu Gott gegenübergestellt, in Mt 24,12 korrespondiert das endzeitliche Erkalten der Liebe mit dem Überhandnehmen der „Gesetzlosigkeit".

Ähnliche Traditionsbindung ließe sich auch bei Paulus aufzeigen. In zwei Fällen (Röm 8,28; 1 Kor 2,9) spricht er von der Liebe zu Gott im typischen Partizipialstil des Bilderverbots im Dekalog (τοῖς ἀγαπῶσιν αὐτόν, s.u.), wobei im zweiten Fall ohnehin ein Zitat aus einer apokryphen Schrift vorliegt. An der verbleibenden Stelle 1 Kor 8,3 ist im folgenden Vers durch den Verweis auf die Einzigkeit Gottes das Hauptgebot zumindest nicht fern. Ähnliches gilt von den wenigen Stellen in den Deuteropaulinen (2 Thess 3,5[2]) und im Jakobusbrief (1,12; 2,5[3]).

---

[2] Hier ist möglicherweise auf 1 Chr 19,18 angespielt, wo der Gedanke von der Ausrichtung der Herzen auf Gott zum Halten der Gebote überleitet (V. 19).

[3] Beide Stellen verraten erneut durch den Partizipialstil, mit dem von der Liebe zu Gott gesprochen wird, die Nähe zum Dekalog. S.u.

Von der Liebe zu Jesus ist im Neuen Testament außerhalb des Evangeliums und der Briefe des Johannes nur in 1 Petr 1,8 die Rede. Sie steht hier dem Glauben als der fundamentalen Grundhaltung Jesus gegenüber parallel. Alle verbleibenden Stellen gehören dem Evangelium und den Briefen des Johannes an.

2. Neuere Arbeiten

Sieht man von spärlichen Hinweisen zu sprachlichen Formulierungen ab, die im Johannesevangelium an solche aus dem Deuteronomium erinnern, so schenken die Kommentare zum Vierten Evangelium der Rolle des Hauptgebots als Gebots der Liebe zu Gott bei Johannes gewöhnlich keine besondere Aufmerksamkeit. Nur zum Gebot der wechselseitigen Liebe, wie es in Joh 13,34f; 15,12–17 formuliert wird, erfolgen die entsprechenden Verweise auf alt- und neutestamentliche Parallelen.

Die beiden wichtigsten neueren Monographien, die zumindest in die Nähe unseres Themas führen, sind die Studie „The Law in the Fourth Gospel" aus der Feder des Kanadiers Severino Pancaro[4] und die Arbeit von Michael Lattke „Einheit im Wort. Die spezifische Bedeutung von ἀγάπη, ἀγαπᾶν und φιλεῖν im Johannesevangelium"[5]. Beide Dissertationen – die eine in Münster, die andere in Freiburg i. Br. entstanden –, stammen aus dem Jahr 1975. So lohnt sich auch unter dieser Rücksicht ein Vergleich.

Pancaro stellt in den ersten beiden Teilen seiner Arbeit die Verwendung des „Gesetzes" durch die Juden gegen Jesus und das Zeugnis des „Gesetzes" für den Anspruch Jesu in seiner Auseinandersetzung mit den Juden einander gegenüber. Der römische Prozeß Jesu bringt dann den Höhepunkt auch der gerichtlichen Auseinandersetzung mit den „Juden" und ihrem Gesetz. Hiervon spricht Pancaro im dritten Teil seiner Arbeit. Besonders wichtig ist für uns der vierte Teil, in dem er die Transformation „nomistischer" Begriffe und die Übertragung symbolischer Umschreibungen für das Gesetz auf Jesus im Vierten Evangelium darstellt. Wir werden dabei auf die Ab-

---

[4] (NT. S 42) (Leiden 1975).
[5] (StANT 41) (München 1975).

schnitte über das „Bewahren des Wortes (bzw. der Worte)" Jesu bzw. über das „Halten der Gebote" zurückzukommen haben, da diese Ausdrücke bei Johannes fast durchgängig mit der Liebe zu Jesus bzw. zum Vater verbunden sind. Daß diese Verbindungslinie bei Pancaro nicht gezogen wird und es bei semantischen Untersuchungen zum „Bewahren des Wortes (der Worte)" bzw. „Halten der Gebote" bleibt, ist für unser Thema wohl die größte Schwäche seiner Arbeit. Immerhin behält sie den Vorteil, daß die Verwurzelung gerade der rechtlichen Sprache und Argumentation des Johannesevangeliums im Alten Testament, und zwar vor allem im Pentateuch, gesehen ist.

Auf einen ganz anderen religionsgeschichtlichen Herkunftsbereich ist die Studie von M. Lattke über das Thema der Liebe im Johannesevangelium ausgerichtet. In der Tradition von W. Bauer, R. Bultmann, E. Käsemann und L. Schottroff versucht Lattke die von der Liebe sprechenden Texte aus gnostischen Denkvorstellungen zu erklären. Hauptbelegtexte bleiben diejenigen der Mandäer sowie die von ihm besonders bevorzugten Oden Salomos. Sonstige Belege werden vor allem dem heterodoxen Judentum, etwa den Qumrantexten, entnommen. Rückgriffe auf das Alte Testament bleiben spärlich. So wird der gesamte Pentateuch außer der Szene von der „Bindung Isaaks" in Gen 22 überhaupt nicht zitiert, womit für unsere Fragestellung bereits die Vorentscheidung gefällt ist. Festzuhalten bleibt bei Lattke die Erarbeitung der „Reziprozität" und „kettenartigen Abbildhaftigkeit" der Liebe zwischen Vater und Sohn, Sohn und den „Seinen" in den johanneischen Schlüsseltexten zum Thema der Liebe und damit auch die Einsicht, daß der bekannte Text Joh 3, 16 „Also hat Gott die Welt geliebt …" eben gerade nicht das Eigentümliche der Liebesvorstellung des Vierten Evangelisten zum Ausdruck bringt.

Am stärksten in die Nähe der im Folgenden vorzulegenden Untersuchungen führt vielleicht der in zweifacher Form veröffentlichte Beitrag von A. Lacomara „Deuteronomy and the Farewell Discourse"[6]. Er sieht die vielfache Verflechtung der johanneischen Abschiedsreden, in denen sich ja die wichtigsten johanneischen Texte zum Thema der Liebe finden, mit dem Deuteronomium. Doch leidet

---

[6] CBQ 36 (1974) 65–84. Vgl. ThD 22 (1974) 232–239.

seine Untersuchung zum einen daran, daß sie sich nicht auf ausreichende Strukturuntersuchungen stützt, zum anderen daran, daß sie zu wenig mit der Existenz von literarischen Schichten in den Abschiedsreden rechnet. So bleibt es bei mehr punktuellen Berührungen zwischen den Abschiedsreden und dem Deuteronomium, ohne eine voll befriedigende Erklärung gerade des zentralen Teils von Joh 14, in dem von der Liebe zu Jesus und dem Halten seiner Gebote die Rede ist.

3. Liebe zu Gott und Einzigkeit Gottes in Joh 5,41–44

Nach diesem kurzen Überblick über die Fragestellung und bisherige Annäherungsversuche können wir nun mit der Einzelanalyse von Texten beginnen.

Joh 5,42 ist bis zur Stunde immer noch eine *crux interpretum*. Im Anschluß an den Abschnitt 5,31–40, in dem Jesus begründet, warum er kein Zeugnis von Menschen annimmt und demgegenüber auf das Zeugnis Gottes für sich verweist, weist er in 5,41 auch die Ehre von Menschen zurück: „Ehre von Menschen nehme ich nicht in Anspruch, aber von euch weiß ich, daß ihr die Liebe Gottes nicht in euch habt." Die Frage ist, wie τὴν ἀγάπην τοῦ θεοῦ hier zu verstehen ist. Eine Reihe von Autoren bis in die neueste Zeit hinein[7] versteht den Ausdruck als genetivus subiectivus, bezieht ihn also auf die Liebe Gottes zu uns. Zur Begründung wird etwa auf den vorangehenden Vers 38 verwiesen, wo es heißt: „Ihr habt sein (Gottes) Wort nicht bleibend in euch." Oder es werden Stellen angeführt, die deutlicher von der Liebe Gottes zu den Menschen sprechen wie Joh 3,16 oder 1 Joh 2,15; 4,16. Dieser Auffassung steht eine andere, weiter verbreitete[8] gegenüber, die in der ἀγάπη τοῦ θεοῦ einen genetivus obiectivus sehen möchte, d.h. die Rede von der Liebe zu Gott.

---

[7] Vgl. *E. C. Hoskyns,* The Fourth Gospel, ed. by *F. N. Davey* (London ²1948) 274; *D. Mollat,* L'évangile de Saint Jean, in: *D. Mollat – F.-M. Braun,* L'évangile et les épîtres de Saint Jean (La Sainte Bible) (Paris ³1973) 111; *A. Wikenhauser,* Das Evangelium nach Johannes (RNT 4) (Regensburg ³1961) 150; *J. Painter,* John, Witness and Theologian (London 1975 = Reading John's Gospel Today, Atlanta 1980) 96.

[8] Vgl. *R. Bultmann,* Das Evangelium des Johannes (KEK 2) (Göttingen 1941) 202; *C. H. Dodd,* The Interpretation of the Fourth Gospel (Cambridge 1953) 330; *C. K. Barrett,* The Gospel According to St John (London ²1978) 269; *R. E. Brown,* The Gospel According to John. I–II. (AncB 29/29 A) (Garden City, N. Y., 1966–1970) 226;

Auch für diese Auffassung verweist man auf Stellen aus dem Ersten Johannesbrief wie 1 Joh 2,5.25; 3,17; 4,12; 5,3[9]. Diese sind freilich bis auf die letzte diskutabel; 2,15 diente auch als Beleg für die Gegenseite. Besonders fällt bei den neueren Auslegern ein Schwanken zwischen beiden Übersetzungsmöglichkeiten oder der Versuch auf, sie theologisch miteinander zu verbinden (obwohl damit eine klare philologische Entscheidung eher verhindert wird). So die erwähnte Monographie von Lattke, der zu dem Schluß kommt: „Eine Entscheidung über den Genetiv τοῦ ϑεοῦ läßt sich m. E. nicht treffen."[10]

Die Lösung dieser bis heute noch offen erscheinenden Frage scheint mir im Kontext von V. 42 zu liegen. Die Verse 41–44 werden durch das Thema der δόξα in V. 41 und 44 zusammengehalten, das sie rahmt. Jesus stellt sich selbst den Juden als jemand gegenüber, der Ehre nicht von Menschen in Empfang nimmt (V. 41), während sie die Ehre voneinander suchen und nicht von dem alleinigen Gott (V. 44). Dazwischen steht nun der Vorwurf der fehlenden Gottesliebe bei den Juden (V. 42) und der Vorwurf, Menschen aufzunehmen, die im eigenen Namen daherkommen, und nicht Jesus, der im Namen Gottes, seines Vaters, gekommen ist (V. 43). Es entsprechen sich also:

Suchen der Ehre von Menschen (V. 41.44)	vom alleinigen Gott (44)
Liebe (nicht)	zu Gott (42)
Kommen im eigenen Namen (43)	im Namen des Vaters (43).

Der „Liebe" sind das „Glauben" (44) und das „Annehmen", bezogen auf Jesus (43), parallel. Besonderes Licht fällt von V. 44 her auf unseren Ausdruck: es ist die einzige Stelle, an der im Johannesevangelium außer 17,3 im wohl nachjohanneischen Hohepriesterlichen Gebet von dem einzigen Gott mit dem Adjektiv μόνος die Rede ist:

R. *Schnackenburg,* Das Johannesevangelium. II (HThK IV/2) (Freiburg i. Br. 1971) 178 f; *J. Becker,* Das Evangelium nach Johannes. I. (ÖTK 4/1) (Gütersloh – Würzburg 1979) 257; *J. Blank,* Das Evangelium nach Johannes. 1. Teil b. (Geistliche Schriftlesung 4/1 b) (Düsseldorf 1981) 52. *F. F. Segovia,* Love Relationships in the Johannine Tradition (SBLDS 58) (Chico, CA, 1982) 164 f.

[9] So schon *J. H. Bernard,* A Critical and Exegetical Commentary on the Gospel According to St. John, ed. by *A. H. McNeile.* I–II. (ICC) (Edinburgh 1928) 254.

[10] *M. Lattke,* Einheit im Wort (Anm. 5) 105; vgl. *Bultmann, Brown, Schnackenburg, Blank* (Anm. 8), *B. Schwank,* Das Johannesevangelium. II. (WB 7/2) (Düsseldorf 1968) 32.

„daß sie dich, den einzigen wahren Gott erkennen und Jesus Christus, den du gesandt hast."

Es gibt in der Tat Autoren, die zu Joh 5, 44 τοῦ μόνου θεοῦ auf das Hauptgebot von Dtn 6, 5 verweisen. Der Hinweis findet sich sowohl bei Schnackenburg als auch bei Becker zur Stelle. So schreibt Schnackenburg: „Der Gedanke an den ‚alleinigen Gott' (vgl. 17, 3) spielt im jüdischen Bekenntnis (Dtn 6, 4) und in der jüdisch-hellenistischen Propagandaliteratur eine beherrschende Rolle. Ihm die Ehre vorzuenthalten, muß von den Juden als härtester Vorwurf empfunden werden." [11] Daneben gibt es Autoren, die zu dem Stichwort ἀγάπη τοῦ θεοῦ in V. 42 auf das Hauptgebot von Dtn 6, 4f verweisen. Hier ist unter den älteren Kommentatoren als wohl einziger Büchsel zu nennen [12], unter den neueren, soweit mir bekannt, J. Blank [13]. Doch zieht keiner von ihnen die Verbindungslinie zu V. 44, und Blank bleibt, wie erwähnt, unschlüssig bezüglich der Deutung des Genetivs in V. 42. Unsere Hypothese ist, daß beide Verse in ihrer Zusammengehörigkeit zu sehen sind und der Gedanke des Hauptgebots, der in V. 44 deutlich zum Ausdruck kommt, bereits hinter V. 42 steht. Daß die Juden Jesus als den Gesandten Gottes nicht annehmen, liegt also daran, daß sie nicht dem Hauptgebot entsprechend Gott lieben und ihn allein verehren, vielmehr Ehre voneinander suchen und ihresgleichen im eigenen Namen eher aufnehmen als Jesus als den Gesandten Gottes. So erhält der Abschnitt vom Hauptgebot des Deuteronomium her seine innere Einheit, und selbst der parenthetisch empfundene Vers 43 fügt sich sinnvoll ein.

Daß die hier gegebene Deutung richtig ist, scheint sich mir auch von dem weiteren Kontext her zu bestätigen. In den Versen 45–47 wird das Thema des Zeugnisses von V. 31–40 insofern weitergeführt, als nun Mose ausdrücklich als Zeuge der Anklage gegen die Juden ins Spiel gebracht wird. Von den Schriften des Alten Testament als Zeugen für Jesus war bereits in V. 39 f die Rede gewesen. Nicht Jesus klagt die Juden nach Vers 45 an, sondern Mose, auf den sie ihre Heilszuversicht gesetzt hatten. Dabei werden dann die Schriften des Mose in eine innere Beziehung zum Wort Jesu gesetzt: haben sie sei-

---

[11] *Schnackenburg* (Anm. 8) 180; *Becker* (ebd.) 257.
[12] F. Büchsel, Das Evangelium nach Johannes (NTD 4) (Göttingen 1937) 80.
[13] (Anm. 8) 52.

nen Schriften nicht geglaubt, werden sie auch Jesu Worten nicht glauben. Der Abschnitt V. 41–44 ist also gerahmt von einem Verweis auf die Schriften des Mose als Zeugnis für Jesus bzw. Anklage gegen die Juden. Es ist nur natürlich, wenn Mose dann auch durch die Forderung der Liebe zu Gott und die Notwendigkeit der alleinigen Jahweverehrung mit dem Hauptgebot hinter V. 41–44 steht. Der gesamte Abschnitt V. 31–47 erhält so eine noch größere Geschlossenheit und Stringenz.

4. Liebe zu Gott und zu Jesus und Einzigkeit Gottes in Joh 8, 41 f

An noch einer anderen Stelle scheint in den Streitgesprächen und Jesusreden der ersten Hälfte des Johannesevangeliums das Hauptgebot von Dtn 6, 4 f im Hintergrund zu stehen. Es ist die einzige Stelle vor der Abschiedsrede von Joh 14, an der im Vierten Evangelium von der Liebe zu Jesus die Rede ist.

Der Abschnitt Joh 8, 31–58 enthält bekanntlich die härteste Auseinandersetzung zwischen Jesus und den „Juden" im ganzen Vierten Evangelium, wobei wir offenlassen können, ob mit den Ἰουδαῖοι hier die ganze jüdische Volks- oder Glaubensgemeinschaft, die „Judäer", eine Führungsschicht in Jerusalem oder vielleicht noch eher Judenchristen mit unvollkommenem christologischem Bekenntnis gemeint sind, wie V. 30 nahezulegen scheint[14].

Der behaupteten Abrahamsabstammung der Juden, die ihre – von Jesus unabhängige – Freiheit verbürgt, stellt Jesus eine Teufelssohnschaft aufgrund des Unglaubens gegenüber. Das Thema der wahren und vermeintlichen Kinder Abrahams erinnert dabei an die Predigt des Täufers in der Spruchquelle (Mt 3, 9 par. Lk 3, 8) sowie an die paulinischen Texte von Gal 3 f; Röm 4. Dazwischen steht der Gedanke der Gottessohnschaft, zu dem in V. 41 übergeleitet wird. Die „Juden" selbst bringen ihn ins Spiel, indem sie sich gegen den Vorwurf Jesu zur Wehr setzen, sie stammten von einem ganz anderen Vater ab als von Abraham (V. 41 a). Ihre Antwort ist: „Wir stammen

---

[14] Zu den verschiedenen Bedeutungen des Ausdrucks vgl. *J. Beutler,* Die „Juden" und der Tod Jesu im Johannesevangelium, in: Exodus und Kreuz im ökumenischen Dialog zwischen Juden und Christen, hg. von *H. H. Henrix – M. Stöhr* (Aachen 1978) 75–93 und die dort angegebene Literatur.

nicht aus der Unzucht, sondern wir haben als einzigen Vater Gott
(ἕνα πατέρα ἔχομεν τὸν θεόν)." Die Ausleger geben hier Hinweise
sowohl zum Thema der Unzucht als auch zu dem der Gotteskind-
schaft der Israeliten: zum ersten wird hier verwiesen auf Stellen wie
Jer 2,20; Ez 16,15f; Hos 1,2; 2,6[15], wo die Untreue Israels gegenüber Jahwe mit dem Ehebruch gleichgesetzt wird, zum zweiten auf
Texte wie Ex 4,22; Dtn 32,6; Jes 63,16; 64,7[16] oder auch in neuerer
Zeit Mal 2,10[17]: „Haben wir nicht alle einen Vater? Hat nicht ein
Gott uns erschaffen?" Als einziger verweist unter den älteren Kommentatoren Odeberg[18] zu V. 41.ἕνα πατέρα ἔχομεν τὸν θεόν auf das
Sch^{e}ma^c Israel von Dtn 6,4f. Freilich zieht auch er keine Verbindungslinie zum folgenden Vers 42 mit dem Motiv der Liebe zu (Gott
und) Jesus. Doch ist diese Zusammenschau von unseren Beobachtungen zu Joh 5,41f sehr naheliegend. Es entsprechen sich nicht einfach Abstammung aus der Ehe, d.h. vom einen Gott, und Liebe zu
Jesus, sondern eheliche Abstammung, allein Gott zum Vater haben,
und Liebe zu (Gott wie zu) Jesus: „Wenn Gott euer Vater wäre, wür-
det ihr mich lieben, denn ich bin von Gott ausgegangen und bei
euch." (V. 42) Der Text ist also vom Bundesgedanken her zu verstehen, wie unter den neueren Auslegern etwa Hoskyns[19] oder Mollat[20]
gesehen haben. Einen direkten Bezug zum Hauptgebot in beiden
Versen hat bisher m.W. nur Blank[21] erkannt, auch wenn er ihn für
die innere Zusammengehörigkeit beider Verse nicht voll fruchtbar
macht und mit Bultmann[22] u.a. in V. 42 das „Lieben" für ein Synonym von „Glauben" hält. Sowohl Pancaro[23] als auch Lattke[24] ist
der traditionsgeschichtliche Zusammenhang auch hier entgangen.

Die Argumentation erhält auch an dieser Stelle ihre sprachliche
Stütze dadurch, daß nur hier innerhalb des Evangeliums und der
Briefe des Johannes das Zahladjektiv εἷς auf Gott bezogen erscheint

---

[15] Vgl. *Mollat* (Anm. 7) 138.
[16] Vgl. *Bernard* (Anm. 9) 312. Jes 64,8 ist in 64,7 zu verbessern.
[17] Vgl. *Hoskyns* (Anm. 7) 342; *Wikenhauser* (ebd.) 180.
[18] *H. Odeberg,* The Fourth Gospel (Uppsala 1929, repr. Amsterdam 1968) 302.
[19] (Anm. 7) 342.
[20] (Anm. 7) 138.
[21] (Anm. 8) 160, 162.
[22] (Anm. 8) 239 mit Anm. 5.
[23] Vgl. oben, 2, mit Anm. 4.
[24] Vgl. oben, 2, mit Anm. 5.

(vergleichbar ist nur noch der „eine" Hirte, auf Jesus bezogen, in Joh 10,16). Wir haben also eine ganz ähnliche Textlage wie in Joh 5,42.44. Eheliche Treue zu Jahwe, Abstammung von Gott allein und nicht aus der Unzucht mit fremden Göttern sowie Liebe zu Gott und damit auch zu Jesus gehören zusammen. Das Hauptgebot ermöglicht auch hier die Einheitlichkeit der Gedankenführung.

5. Die Liebe zu Gott und zu Jesus in den Abschiedsreden

Obwohl das Thema der Liebe die Abschiedsreden beherrscht und ihnen geradezu das charakteristische Gepräge zu geben scheint, so ist in ihnen doch nur an einer Stelle von der Liebe zu Gott die Rede. Joh 14,31 schließt Jesus seine erste (und wohl zunächst einzige) Abschiedsrede vor den Jüngern mit den Worten: „die Welt soll erkennen, daß ich den Vater liebe und daß ich so handle, wie es mir der Vater aufgetragen hat. Steht auf, laßt uns von hier fortgehen." Viel stärker beherrscht das Thema der Liebe Jesu oder des Vaters zu den Jüngern, der Jünger zu Jesus oder untereinander die Abschiedsreden. Es gilt also, den Blick dafür zu behalten, daß die Rede von der Liebe zu Gott nicht das Selbstverständliche ist, auch nicht in den johanneischen Abschiedsreden.

Bei der Frage nach dem möglichen traditionsgeschichtlichen Hintergrund für die singuläre Stelle von der Liebe Jesu zum Vater – die als solche kaum johanneisch ist –, fällt uns die Verbindung des Themas der Liebe zu Gott, dem Vater, mit demjenigen des Gehorsams gegenüber seinem Gebot, seinem Auftrag auf. Das hier verwendete griechische Verb ἐντέλλεσθαι ist dem Substantiv ἐντολή „Gebot", „Auftrag" verwandt, mit dem auch sonst im Johannesevangelium der Auftrag umschrieben werden kann, den Jesus vom Vater her hat – so im Abschlußvers der Hirtenrede (10,18), wo er mit der Bereitschaft Jesu zur Hingabe seines Lebens verbunden erscheint, in dem gleichfalls abschließenden Abschnitt 12,49f unmittelbar vor dem johanneischen Passionsbericht und – wohl schon nachjohanneisch – in 15,10, wo dem Bewahren der Gebote des Vaters durch Jesus das Bleiben in seiner Liebe entspricht.

„Liebe" und „Gebote" erscheinen nun schon im näheren Kontext von Joh 14,31 als eine feste Begriffsverbindung. In 14,15 lesen wir: „Wenn ihr mich liebt, werdet ihr meine Gebote halten." Der gleiche Gedanke wird in V. 21 wieder aufgegriffen: „Wer meine Gebote hat und sie hält, der ist es, der mich liebt; wer aber mich liebt, wird von meinem Vater geliebt werden, und ich werde ihn lieben und mich ihm offenbaren." Der Gedanke wird in V. 23 f noch einmal positiv und negativ wiederholt, nur mit dem Unterschied, daß nun vom Bewahren des „Wortes" oder der „Worte" Jesu die Rede ist. Als Verheißung ist nun ausgesagt, daß Jesus und der Vater kommen und bei dem Liebenden ihre Bleibe aufschlagen werden.

Es ist unmöglich, hier auf alle Aspekte dieses Abschnitts von Joh 14,15–24 einzugehen. Ich habe versucht, in meiner Arbeit „Habt keine Angst. Die erste johanneische Abschiedsrede (Joh 14)"[25] eine ausführliche Darstellung zu geben. Das Ergebnis für die uns interessierende Frage nach dem Hauptgebot im Johannesevangelium kann kurz so zusammengefaßt werden: Hinter der Wendung von der Liebe zu Jesus und dem Halten seiner Gebote steckt offensichtlich eine alttestamentliche (ja sogar wohl schon altorientalische) Formel, die von der Liebe zu Gott und dem Halten seiner Gebote spricht. Der älteste Beleg dieser formelhaften Wendung könnte im Bilderverbot des Dekalogs gegeben sein, wo Gott denen seine Huld verheißt, die „ihn lieben und seine Gebote bewahren" (Ex 20,6; Dtn 5,10), und damit innerhalb des 1. Gebots der alleinigen Jahweverehrung[26]. Parallel findet sich die Formel im Deuteronomium, wo sie im Alten Testament ihren privilegierten Platz hat. Fast durchweg ist dort das Thema der Liebe zum Herrn mit demjenigen des „Haltens" oder „Bewahrens" seiner „Gebote" oder „Satzungen" oder mit dem „Hören" darauf oder auf seine „Stimme" verbunden (vgl. außer dem genannten Dekalogtext Dtn 7,9; 10,12; 11,1.13.22; 19,6; 30,6.16.20). Auffallend ist dabei die Konzentration auf den Abschnitt der zentralen Gesetzesparänese im Deuteronomium, Kap. 5–11, den N. Lohfink[27] „Das Hauptgebot" genannt hat, und auf das abschließende Kapitel 30, wo Segen und Fluch an die Treue zum Herrn und zu seinem Gebot geknüpft wird.

---

[25] (SBS 116) (Stuttgart 1984) 51–86, bes. 55–62.
[26] Vgl. *W. Zimmerli,* Das zweite Gebot, in: FS A. Bertholet (Tübingen 1950) 550–563.
[27] *N. Lohfink,* Das Hauptgebot. Eine Untersuchung literarischer Einleitungsfragen zu Dtn 5–11 (AnBib 20) (Rom 1963).

Ich habe an der angegebenen Stelle [28] dargestellt, daß die Formel auch in späteren Texten und Schichten des Alten Testaments, vor allem in deuteronomistischen, aber auch liturgischen und weisheitlichen der späteren Zeit weiterlebt, wobei gerade ein Text wie Sir 2, 15 f eine individuelle Anwendungsmöglichkeit kennt und sprachlich den johanneischen Formulierungen verwandt ist. Der ursprüngliche Bezugsrahmen der Formel, ihr „Sitz im Leben", scheint die Gesetzesparänese gegenüber dem Bundesvolk zu sein, wobei die Verwendung der Formel in Dtn 7, 9 auch direkt die Verbindung zum Jahwebund herstellt: „Daran sollst du erkennen: Jahwe, dein Gott, ist der Gott; er ist der treue Gott; noch nach tausend Generationen achtet er auf den Bund und erweist denen seine Huld, die ihn lieben und auf seine Gebote achten."

Das Bewußtsein dieser Zugehörigkeit der Formel zur Bundestheologie scheint noch in Qumran lebendig zu sein: die Damaskusschrift greift Dtn 7, 9 direkt auf (CD 19, 1 f) und bezieht den Text nun auf die „Gemeinde des Bundes" (vgl. auch 20, 21 sowie 1 Q H 16, 13; 16, 7, wobei im Kontext 16, 15 Gottes Gebote „Satzungen seines Bundes" genannt werden). Bemerkenswert bleibt auch das Weiterleben der Formel in den Ermahnungen der außerkanonischen Testamentenliteratur sowie weiteren außerkanonischen Abschiedsreden.

Von hier aus erscheint nun der Schluß gerechtfertigt, die Mahnung Jesu im zentralen Teil der ersten johanneischen Abschiedsrede zur Liebe zu ihm und zum Halten seiner Gebote bzw. seiner Worte als Ausdruck alttestamentlicher Bundestheologie zu sehen, wie sie im Deuteronomium und vor allem dessen Hauptteil, der Umschreibung des „Hauptgebots", zum Ausdruck kommt. Der Vierte Evangelist kann die Formel unbedenklich von Jahwe auf Jesus übertragen, da Jesus und der Vater letztlich eins sind (10, 30) und, wer Jesus sieht, den Vater sieht (14, 6).

Daß der Evangelist gerade an dieser Stelle auf die Bundestheologie zurückgreift, hat seinen Grund vermutlich darin, daß es ihm nach der Ankündigung des bevorstehenden Fortgangs Jesu in V 2 f. 4–14 offensichtlich darauf ankam, den Jüngern die Weise von Jesu bleibender Verbundenheit – trotz seines Scheidens – aufzuzeigen. Jesus kommt nach V. 16 f in der Gestalt des Parakleten zu den

---

[28] (Anm. 25) 57–60.

Seinen, nach V. 18 kommt er selbst und nach V. 23 kommt er zusammen mit dem Vater zu den Jüngern und nimmt bei ihnen seine Bleibe. An der angegebenen Stelle[29] wurde zu zeigen versucht, daß Johannes hier auf die Ankündigung eines Neuen oder erneuerten Bundes in Jer 31,31–34; Ez 36,26ff; 37,26f zurückgreift, wo Gott seinem Volk verheißt, seine Satzungen, ja noch mehr, seinen Geist in sie hineinzulegen und bei ihnen Wohnung zu nehmen (der letztere Gedanke steht zusammen mit der sog. Bundesformel Ez 37,27). Die Bundestheologie dient in der ersten johanneischen Abschiedsrede also nicht der Einschärfung einer neuen Thora Jesu, sondern ist Ausdrucksmittel einer Theologie, die ganz auf die Verheißung im Sinne der großen Propheten Israels ausgerichtet ist. Damit leitet der Evangelist schon über zu den großen Verheißungsthemen Geist, Friede und Freude in den Schlußversen (25–29) des Kapitels[30].

Die Thematik der Liebe zu Jesus hat in den vermutlich nachjohanneischen Abschiedsreden von Kap. 15–17 nicht nachgewirkt. Bemerkenswert ist allenfalls ein Echo in der dreifachen Frage nach der Liebe des Petrus zu Jesus im Nachtragskapitel 21 (15ff). Hier führen möglicherweise Spuren hinüber zum Hirtenkapitel 10 und zu der ezechielischen Verheißung des einen Hirten in 10,16[31]. Stark im Vordergrund steht in der nachjohanneischen Schicht die Aufforderung an die Jünger, einander zu lieben, wie Jesus sie geliebt hat (15,12–17), wobei die Liebe der Jünger untereinander in der Liebe von Vater und Sohn verankert ist (V. 9f). Vermutlich ist – wie die Unterbrechung des Kontextes zeigt – auch die Einführung des „neuen Gebotes" in 13,34f der nachjohanneischen Redaktion zuzuschreiben[32]. Diese Stelle ist für unseren Zusammenhang deshalb bedeutsam, weil die Einführung des Gebots Jesu als „neuen Gebots" an den Neuen Bund erinnern könnte, auch wenn das Wort διαθήκη fehlt. Auch der Abendmahlskontext selbst hier bei Johannes deutet in diese Richtung.

---

[29] (Anm. 25) 62–77.
[30] Hierzu vgl. Kapitel IV der oben (Anm. 25) genannten Arbeit.
[31] Vgl. ebd. 61.
[32] Vgl. ebd. 10 mit Anm. 5.

6. Liebe Gottes und Liebe zu Gott im Ersten Johannesbrief

Auch der Erste Johannesbrief kennt die charakteristische Verbindung von „Liebe zu Gott" und „Halten der Gebote". Für die Deutung der Texte von Joh 14 von der „Liebe zu Jesus" ist hier bedeutsam, daß der Verfasser zu der traditionellen Vorstellung von der „Liebe zu Gott" zurückkehrt. Von der Liebe zu Jesus ist – abgesehen vielleicht von einer Stelle (5, 1) – nicht die Rede. Das „Halten der Gebote" wird 1 Joh 2, 3 f mit der Erkenntnis Gottes verbunden, in 3, 22 wird es inhaltlich als Glaube an Jesus Christus und Liebe zum Bruder entfaltet. Am nächsten kommt Joh 14 der Text 1 Joh 5, 2 f, wo es heißt: „Daran erkennen wir, daß wir die Kinder Gottes lieben, wenn wir Gott lieben und seine Gebote verwirklichen. Denn darin besteht die Liebe Gottes, daß wir seine Gebote halten, – (und) seine Gebote sind nicht schwer." (Vgl. auch 2 Joh 6)

Auch der Erste (und Zweite) Johannesbrief ist also geprägt von der Sprache der Gesetzesparänese des Deuteronomium. Im Hintergrund steht auch hier die Bundestheologie, wie E. Malatesta in seiner Dissertation „Interiority and Covenant"[33] gezeigt hat. Wichtig erscheint mir auch hier die Beobachtung, daß die „Liebe zu Gott" als problematisch empfunden wird. Im letzten großen Hauptabschnitt des Ersten Johannesbriefes (4, 7 – 5, 13), den man gern mit dem Stichwort „Gott ist Liebe" überschreibt, steht die Aussage voran: „darin besteht die Liebe: nicht, daß wir Gott geliebt hätten, sondern daß er uns geliebt und seinen Sohn als Sühne für unsere Sünden gesandt hat" (4, 10). Wer seinen Bruder, den er sieht, nicht liebt, wie kann er von sich behaupten, er liebe Gott, den er nicht sieht (4, 20 f). Erst nach dieser doppelten Warnung kann der Verfasser in 5, 1–3, abermals in Verbindung mit der Treue zu Gottes Gebot und der Liebe zum Bruder, von der Liebe zu Gott sprechen. Der Sprachgebrauch verweist auch hier eindeutig auf den deuteronomisch-deuteronomistischen Hintergrund.

---

[33] Interiority and Covenant. A Study of εἶναι ἐν and μένειν ἐν in the First Letter of Saint John (AnBib 69) (Rom 1978).

7. Ergebnis

Das Hauptgebot von Dtn 6,4 f wird im Johannesevangelium an keiner Stelle direkt zitiert. Dennoch steht es deutlich erkennbar hinter zwei Abschnitten der großen Auseinandersetzungen zwischen Jesus und den „Juden" in Jerusalem, nämlich hinter Joh 5,41–44 und 8,41 f. Die wiederholte Aufforderung zur Liebe zu Jesus in der Abschiedsrede von Joh 14 ließ sich, zusammen mit derjenigen zum Halten seiner Gebote, ebenfalls auf die Gesetzesparänese des Deuteronomium zurückführen. Die Verbindung der Gottesliebe mit der Bundestheologie erlaubt hier eine zusammenhängende Erklärung von Joh 14,15–24, insofern die dreifache Verheißung von der Wiederkehr Jesu als Entfaltung der Verheißung des Neuen Bundes (bzw. neuen Herzens) bei Jeremia und Ezechiel aufgezeigt werden konnte. Der Erste Johannesbrief führt die Gedanken von Joh 14 weiter und verdeutlicht sie – im Anschluß an die nachjohanneischen Abschiedsreden – in Richtung auf die Notwendigkeit der Bruderliebe. Gerade so wird dann auch das Hauptgebot in seiner doppelten christlichen Form nach den Synoptikern (Mk 12,38–34 par.) erreicht, auch wenn an die Stelle des Nächsten in den Johannesbriefen aus ihrer speziellen Situation heraus der Bruder tritt[34].

---

[34] Vgl. zu dieser Begriffsverschiebung im Neuen Testament *J. Beutler*, ἀδελφός: EWNT I 67–71. Ausführlicher zur Ausbildung eines sektenhaften Gemeindebewußtseins in der joh. Gemeinde jetzt *F. F. Segovia* (Anm. 8) 210–219 mit weiterer Lit.

Autorenregister

Aland, K.: Luther 190
Amir, A.: Gesetz 73 76 179 186 203 211
Andresen, C. – Klein, G.: Theologia 101 115

Baasland, E.: Jakobus 198
Bachmann, M.: Jerusalem 153
Banks, R.: Jesus 139
Barrett, C. K.: Allegory 110; John 226
Bauer, W.: Rechtgläubigkeit 177
Becker, J.: Galater 50 51; Johannes 222 227
  228; Testamente 76
Behrendt, E. L.: Rechtsstaat 11 61
Beker, J. C.: Paul 106
Bengel, J. A.: Vorrede 221
Berger, K.: Gesetzesauslegung 55 57 158 165
  176 208; προσωπολημψία 209 210
Berger, P. – Luckmann, H., Konstruktion
  183
Bernard, J. H.: John 217 230
Betz, H. D.: Galatians 35 50 51 109 112 117
  118 121 124; Logion 145
Beutler, J.: Abschiedsrede 212; Angst 211
  232 234 235; Juden 229; ἀδελφός 236
Biemer, G.: Juden 45 73
Billerbeck, P.: Kommentar 42 180
Blank, J.: Johannes 227 228 230; Paulus 146
  160; Warum 101
Blomberg, C. L.: Law 149 155 156 172
Blondel, J. L.: Jacques 195
Bornkamm, G.: Jesus 66 72
Bornkamm, G. – Barth, G. – Held, H.: Über-
  lieferung 137 138 139
Borse, U.: Beobachtungen 170; Galater 113
  115 120 122
Bousset, W. – Greßmann, H.: Religion 42
Bovon, F.: Homme 106
Braun, H.: Radikalismus 37; ποιέω 37 180
Broer, I.: Dupont 143; Herr 134; Freiheit 70
  130 131 133 136 142; Seligpreisungen 143
Brown, R. E.: John 226
Brown, R. E. – Meyer, J.: Antioch 93 97 107
Brown, S.: Community 162 164 167
Bruce, F. F.: Curse 113 116 118 120 121 123
  124
Büchsel, F.: Johannes 228
Bultmann, R.: Johannes 226 230; Römer 7
  101
Burchard, Chr.: Gemeinde 217; Jakobus 178
  209 212 220

Cavallin, H. C. C.: Righteous 116 117
Conzelmann, H.: Apostelgeschichte 170
Cowley, A. E.: Papyri 11
Cranfield, C. E. B.: Romans 52 100 118 122
Crowther, C.: Works 114
Cullmann, O.: Kreis 149

Dautzenberg, G.: Schwurverbot 47; Wandel
Davies, W. D.: Origins 49   [61
de Witt Burton, E.: Galatians 51 117 118
Dibelius, M.: Jakobus 178 188 191 214
Dihle, A.: Ethik 219
Dodd, C. H.: Interpretation 226
Dormeyer, D.: Passion 161
Donaldson, T. L.: Curse 121 122
Drane, J. W.: Paul 96
Dugandzic, J.: Ja 111
Dunn, J. D. G.: Incident 58 85 86 114; Mark
  48 61 83 91 92 102 164; Perspective 105
  114 158; Works 102 114 115 121

Eckart, K. G.: Terminologie 205
Eleder, F.: Jakobus 196

Feininger, B.: Judentum 45
Fiedler, P.: Jesus 74; Sohn Gottes 144
Fitzmyer, J. A.: Divorce 67
Flusser, D.: Jesus 183
Frankemölle, H.: Exegese 176; Gespalten
  180 181 205 211 215 217; Handlungsan-
  weisungen 176 180 200 216 221; Jahwe-
  bund 187 212; Sozialethik 183 186 188 221
Fuller, D. P.: Paul 114 115 117

Gasque, W. W. – Martin, R. P.: Apostolic 95
Gaston, L.: Works 114
Gese, H.: Theologie 30 32 35
Giesen, H.: Handeln 144
Gnilka, J.: Markus 49 139 160
Goppelt, L.: Christentum 174
Gradwohl, R.: Worte 45
Gräßer, E.: Acta 146
Groß, H.: Tora 33
Grossouw, W.: Galaten 115 119
Gundry, R. H.: Grace 104 105 115 117 124
  127 158; Matthew 138 140 141

Habermas, J.: Logik 182
Haenchen, E.: Apostelgeschichte 164 170;
  Christologie 51; Weg 160
Hahn, F.: Apostelkonvent 66; Bedeutung
  61; Gesetzesverständnis 98 107; Gottesdienst 161 164; Ethik 11 61 64; Überlegungen 46 66
Harnack, A. v.: Mission 77
Hays, R. B.: Faith 114 117 119
Heiligenthal, R.: Barmherzigkeit 206; Implikationen 115; Werke 189 195 205 207 208
  209 217 219 220
Heinz, H.: Jakobus 191
Hengel, M.: Jesus 47 61 146 149 152 161 162
  164 166; Judentum 31; Nachfolge 27; Sühnetod 90 91 103 163 168; Ursprünge 166
  167

237

238

Stellenregister

(Bibelstellen in Auswahl)